JOA

Née dans le Glouc
jours, Joanna Troll   professeur, puis
fonctionnaire aux Affaires étrangères, avant de
se tourner vers l'écriture. Auteur de plusieurs
livres, parmi lesquels *Un amant espagnol*
(1993), *De si bonnes amies* (1996), *Les liens
du sang* (1997), *Les enfants d'une autre* (1998)
et *Séparation de cœur,* elle est l'un de ces écrivains qui ose aborder de front les questions de
société, et ses romans offrent, de l'aveu unanime des critiques, une vision très fine des
transformations subies de nos jours par la
famille.
Elle compte aujourd'hui parmi les romancières
les plus populaires de Grande-Bretagne.

JEUX D'ORGUE

JOANNA TROLLOPE

JEUX D'ORGUE

Traduit de l'américain par
Fanchita Gonzalez Batlle

© The Choir, J. Trollope, 1988, pour l'édition originale.
© Éditions Autrement, Paris, 1994.

ÉDITIONS AUTREMENT

« Si le chanteur est mortel,
Le chant, lui, dure éternellement.
Ainsi de l'ivresse de la vision future
Aux âmes qui s'offrent sans compter. »

George Meredith.

1

Nicholas Elliott, qui avait connu beaucoup de revers dans sa jeune vie, ouvrit la porte du tambour de la cathédrale et entendit le chant. Il était tôt, un peu plus de huit heures du matin, et à l'extérieur de la cathédrale il n'y avait eu que le vent et le cri de quelques mouettes qui planaient autour de la tour. À présent que la porte capitonnée de feutre s'était refermée derrière lui, il n'y avait plus que le chant, lointain mais très clair. On chantait *Tu es Petrus,* de Palestrina.

Il traversa rapidement la nef sur la pointe des pieds, en direction du transept nord. Dans un coin se trouvait la porte qu'il avait ouverte chaque matin pendant quatre ans et qui donnait sur un escalier de pierre menant à la salle d'étude. C'était dans cette pièce qu'ils chantaient en ce moment, vingt-quatre choristes environnés de pupitres à musique et de poussière, avec les piquets de cricket miniatures sur la cheminée en désordre, les piles de psautiers sur les chaises et les bancs usés, les gravures représentant les anciens organistes accrochées de travers sur les murs. Quand Nicholas était chantre, il avait chanté au-dessous du portrait de William Goode, personnage énorme et d'une immense bienveillance qui avait tenu l'orgue d'Aldminster de 1782 à 1801.

La porte au pied de l'escalier était ouverte. Le chant avait cessé.

— Puis-je vous demander, dit la voix de l'organiste parvenant nettement de très haut au-dessus de Nicholas, ce que ce dièse fait là ?

Les souvenirs emplirent la bouche de Nicholas de vieux Weetabix collé à ses dents les matins où il se les brossait dans la précipitation. Il crut entendre sa mère, tandis qu'ils fonçaient comme des fous sur la route de ceinture, crier qu'elle n'aurait jamais admis qu'il soit choriste si seulement elle avait su...

— Si c'est à trois deux, Wooldridge, dit l'organiste, qu'est-ce que nous avons ? Allons, allons...

— Trois blanches, monsieur ?

— Maintenant, trouvez cet hymne. Celui de Batten. Vous le chanterez pendant la procession. Écoutez cette note. Maintenant, un O bien rond...

Il jouait probablement — certainement, en fait — sur le même vieux Steinway là-haut, surmonté de partitions en piles instables, le clavier face à l'immense fenêtre à losanges barbouillée de poussière.

— Voyons, dit l'organiste, les mezzos ont la mélodie, n'est-ce pas ?

Nicholas pouvait sentir l'odeur de poussière, de papier et de garçons, l'odeur d'en haut. Il était malade d'envie. Il pouvait toucher sous ses doigts son vieil exemplaire du *Magnificat* de Byrd dans sa mince couverture rigide de couleur rouge, portant le tampon aux armes de la cathédrale sur la page de titre avec, au-dessous, à l'encre violette, « Ne pas emporter ».

— Bien, dit l'organiste. Nous n'avons plus beaucoup de temps. Tallis. « Si tu m'aimes. » Sans respirer jusqu'à « commandements », et il faut compter un peu. Entendu ? Entendu, Hooper ? Pour la première fois, il n'y a que deux temps.

Cinq minutes plus tard, quand l'organiste descendit l'escalier et déboucha dans le transept au milieu d'une mêlée de garçons qui se battaient joyeusement à coups de sacs en plastique et d'étuis à violon, il trouva un jeune homme parfaitement inconnu, assis sur un banc contre le mur, en pleine crise de larmes.

— Je l'ai présenté à Sandra, dit Leo Beckford au principal de King's School.

— Qui avez-vous présenté à Sandra ?

— Le jeune homme que j'ai trouvé dans la cathédrale ce matin. Il a dit qu'il avait été choriste ici autrefois, et chantre en 1976. J'ai vérifié, et c'est exact. Il m'a terriblement ému. On aurait dit qu'il cherchait un refuge. Vous m'écoutez ?

— Excusez-moi, dit Alexander Troy, pas vraiment.

— Je sais que vous n'êtes pas responsable de lui, en fait, mais en tant qu'ancien...

Le principal rajusta sa robe d'un coup sec sur ses épaules imposantes.

— Parlez-en à Sandra. Elle est tellement compétente. Elle lui donnera certainement à manger.

— C'est ce que j'ai fait. C'est ce qu'elle a fait. Elle l'a envoyé prendre le petit déjeuner et il a été fou de joie qu'il y ait toujours du bacon et des tomates en boîte, le mercredi. Tout va bien ?

— Non, dit Alexander. Mais je ne peux pas en parler pour l'instant. Pas même à vous. Désolé.

En émergeant de la salle des professeurs, Leo sut que la fausse apparence qui le protégeait le quittait, comme d'habitude. Leo n'aimait pas la salle des professeurs ; il n'y avait pas sa place puisqu'il ne faisait pas partie des enseignants, et il n'y entrait que pour voir le principal ou pour se battre, pour expliquer, à un professeur après l'autre, pourquoi l'exercice choral devait avoir la priorité sur l'entraînement de football, de cricket, d'aviron ou d'athlétisme. Il allait se diriger vers la porte quand il entendit « Beckford ». Imprudemment, il répondit « Oui », et l'entraîneur d'athlétisme (qui enseignait la menuiserie en hiver) dit :

— À propos de Wooldridge, Beckford...

— Pas aujourd'hui.

— Mais...

— Nous chantons le *Stabat Mater* de Monteverdi à l'office de l'après-midi. Il y a trois voix de soprano. Wooldridge est notre second meilleur soprano. Il peut faire du saut à n'importe quel autre moment.

— J'espère que vous savez, dit l'entraîneur aussitôt en colère, que vos musiciens n'ont pas de raison d'être dans le monde moderne.

Leo le regarda.

« Vraiment ? », dit-il, et il quitta la salle.

Dans le corridor, Sandra Miles, la secrétaire du principal, punaisait des notes sur les tableaux d'affichage gothiques accrochés là depuis la construction du bâtiment en 1850. Elle était petite et jolie, avec son col rabattu sur l'encolure nette de son pull-over, et ses cheveux pâles soigneusement coiffés en forme de cloche.

— J'ai parlé au principal, dit Leo, mais il n'a pas l'air d'entendre grand-chose ce matin.

Sandra se montra à la fois sobrement discrète et suffisante.

— Je ne pense pas que ce matin soit le bon pour déranger Mr. Troy.

Leo eut un grand sourire.

— Vous ne l'appelez pas « Alexander » ?

Sandra devint toute rose. Sous son pull de chez Marks and Spencer, son cœur l'appelait parfois « chéri », et après deux verres de vin du Rhin, « mon amant ».

« Oh, oh », dit Leo, puis, pour ne pas que la plaisanterie tourne au sarcasme, il ajouta :

— Qu'avez-vous fait de notre réfugié ?

— Je l'ai confié à Mr. Farrell pour qu'il

l'aide à baliser les pistes de course. Il est terriblement attendrissant. Il ne sait pas où aller.

Une cloche sonna et aussitôt le brouhaha de la reprise des cours grandit autour d'eux.

— Mr. Godwin se souvient de lui, dit Sandra confidentiellement, après avoir disposé les punaises inutilisées en carré parfait dans un coin du tableau. Il ne voyait jamais son père, et sa mère était complètement névrosée. Elle venait aux réunions de parents, le soir. Elle faisait des scènes et pleurait avec tout le monde. Et puis il est allé chercher son père en Amérique mais il s'était remarié, il avait une nouvelle famille et ils n'ont pas voulu de lui. Alors, il est arrivé à entrer à Oxford — Mr. Godwin dit qu'il ne voit pas comment, sinon à cause de sa voix — et on l'a mis dehors au bout d'un an parce qu'il avait raté un examen quelconque. Et maintenant il ne trouve pas de travail. Il m'a dit qu'il ne sait pas ce qu'il veut faire. Tragique, vraiment...

— Je pense que je pourrais lui donner un lit pour quelque temps, dit Leo sans conviction, en pensant au fouillis dans lequel il vivait et qu'il ne remarquait jamais, sauf lorsqu'il était soumis à l'examen d'un étranger.

— Oh, ne prenez pas cette peine, Mr. Beckford...

— Leo...

— Leo... tout va bien. J'ai vu la surveillante et elle l'a installé à l'infirmerie pour une ou deux nuits, parce qu'elle est presque vide, comme c'est le trimestre d'été. Il peut faire des petits travaux pour le moment, et une personne

14

de plus aux repas ne nous ruinera pas. Les jumeaux Cottreel ne mangent rien, en fait. Mr. Farrell m'a demandé de vous rappeler qu'il a besoin de Wooldridge pour la course de haies, cet après-midi.

— Mr. Farrell peut aller se faire cuire un œuf, et je le lui ai pratiquement dit. Sandra...

— Oui ?

— Sandra, est-ce que Mr. Troy va bien ?

Elle le regarda avec ses yeux bleu clair, et il y vit une réelle tristesse.

— Non, dit-elle. Je crois que non. Mais aucun de nous ne doit s'en mêler.

Puis elle s'éloigna vivement, légère sur le carrelage rouge et ocre du corridor et le laissa, navré, devant les panneaux d'affichage.

La porte entre le bureau bien rangé de Sandra et celui du principal était ouverte, et elle pouvait voir un coin de sa table en désordre, avec le vase de fleurs qu'elle y mettait fidèlement tous les lundis. Cette semaine-là, c'étaient trois pivoines d'un rose vif — venant du jardin de sa mère —, et il les avait déjà renversées deux fois. Il avait ainsi inondé la pile des numéros de la *Choir Schools Review* qui attendaient d'être envoyés aux parents des choristes. Il était au téléphone. Sandra l'entendit dire :

— Non, aucun indice. Elle est simplement partie. J'espérais qu'elle était chez toi.

Il parlait avec son beau-frère. « Elle », c'était Mrs. Troy, Felicity. Sandra ferma la porte de communication et retourna à sa machine. La mère de Sandra avait dit que Felicity Troy était une personne d'une réelle qualité, et la mère de Sandra avait toujours raison. Elle avait un visage extrêmement distingué, un esprit déconcertant mais remarquable, qui produisait de l'excellente poésie, et un air d'éternelle jeunesse. Sandra l'avait vue marcher rêveusement sur le gazon de la Clôture un matin d'été de bonne heure, habillée comme toujours avec sa jupe ondoyante et ses châles, pieds nus et les cheveux dénoués et, tout en sachant qu'elle avait quarante-sept ans, Sandra l'avait trouvée naturelle, digne, et d'une jeunesse impérissable. Les garçons l'adoraient. Elle était déjà partie de cette façon, bien entendu, lorsqu'elle était tourmentée ou qu'elle avait besoin d'air (Sandra s'était plu à utiliser le mot « mystique » pour la décrire), mais jamais d'une façon aussi soudaine et sans prévenir. Une fois elle était allée chez une amie dans le Shropshire, et une autre fois dans un petit couvent isolé du Suffolk. Sandra se dit que, lorsque le principal se montrerait disposé à ce que l'on aborde le sujet, elle le lui rappellerait pour le rassurer.

En attendant, elle allait taper ses lettres, en commençant par celle adressée à une productrice de Granada Television qui souhaitait venir à Aldminster dans le cadre d'une série qu'elle préparait sur l'élitisme dans l'éducation.

Nicholas Elliott était en train de planter deux piquets peints en blanc pour signaler la fin de la piste du cent-mètres lorsqu'il fut abordé par un gros labrador affable.

16

— J'espère que les chiens ne vous dérangent pas, dit le doyen d'Aldminster.

Hugh Cavendish était déjà doyen quand Nicholas était chantre. Il n'avait presque pas changé : très droit, cheveux gris, soigné, avec un certain air de châtelain. Les garçons qui allaient au doyenné du temps de Nicholas disaient qu'il avait deux fusils dans son bureau — des Purdeys —, des fixations pour les cannes à pêche sur le toit de sa voiture en été, et qu'une camionnette de livraison venait régulièrement de chez Berry Brothers et de chez Rudd of St. James's.

— Couché, monsieur, dit le doyen.

Le labrador s'affaissa immédiatement et prit la pose d'un lion de peintre animalier. Le doyen adressa à Nicholas un sourire d'un charme extrême.

— Vous devez être Nicholas Elliott.

Le visage de Nicholas s'illumina.

— Vous vous souvenez, monsieur...

— Non. Pour être franc, non. Mais je viens de voir Mr. Beckford dans la Clôture et il m'a parlé de vous. Je suis heureux que vous ayez eu l'instinct de revenir à Aldminster.

— Je ne voyais pas d'autre endroit...

Le doyen laissa un bref silence respectueux suivre cet aveu, puis il dit :

— Et je suppose que vous avez parlé avec Mr. Troy.

Nicholas parut embarrassé.

— Il m'a semblé qu'il y avait un problème, ce matin.

— Je ne pense pas qu'il se passe un seul

jour sans problèmes dans aucune école. Venez me voir. Vous vous rappelez où est le doyenné ?

— Naturellement, monsieur.

— Venez prendre une tasse de thé avec Mrs. Cavendish et moi.

— Je vous remercie.

— Au pied ! dit le doyen au labrador.

— Il est extrêmement bien dressé, monsieur.

— Oui... quand mes enfants s'abstiennent de tout gâcher.

Le souvenir de la dispute de la veille au soir emplit d'amertume la bouche du doyen. Cosmo — retiré de King's School pour avoir joué les trublions et qui semait désormais l'anarchie dans le meilleur collège d'enseignement général d'Aldminster —, Cosmo était entré dans le salon du doyenné, avait arraché arbitrairement le labrador d'un profond sommeil et s'était mis à le tirer vers la porte. Le doyen avait demandé sèchement :

— Où emmènes-tu ce chien ?

— Voir *Picnic at Hanging Rock*. Tu comprends, il a lu le livre et maintenant il voudrait voir le film...

Mrs. Cavendish avait agrippé le bras de son mari.

— Huffo...

La porte avait claqué derrière le garçon et le chien.

— Je ne supporte pas cette façon absurde d'humaniser les animaux, avait dit le doyen en colère, c'est un avilissement de l'humain comme de l'animal.

18

— Il ne le fait que pour te provoquer, Huffo...

— Ne m'appelle pas Huffo.

— ... Et il y réussit.

— Oui, avait dit le doyen.

Puis il était monté dans la petite pièce mansardée, que les enfants avaient peinte en noir et qui abritait leur télévision et la misère de leur culture fantasque, et il s'était livré à un match de hurlements avec Cosmo. Cosmo avait gagné, en mettant une cassette d'UB 40 à plein volume et en s'étendant ensuite paisiblement sur un fauteuil poire, les yeux au plafond et un sourire aux lèvres. En redescendant au salon, le doyen s'était assis sur les marches et avait eu un instant de profond désespoir mêlé d'un tel dégoût de lui-même que, sur le moment, il n'avait même pas pu prier — le labrador attendait deux marches plus bas avec une compassion polie.

Il tendit la main à Nicholas Elliott.

— Vers quatre heures. Après l'office de l'après-midi. Nous vous attendrons impatiemment.

Il ne penserait pas à Cosmo, décida-t-il en traversant les terrains de jeu en direction du dôme vert de la Clôture, dont la cathédrale, comme un grand navire, couronnait le noble sommet. Il penserait plutôt à l'orgue, ce tour de force de restauration presque achevé, qui vaudrait à Aldminster l'honneur de posséder probablement le seul orgue du XVIIᵉ siècle à double buffet ayant conservé son audace et sa gloire d'origine. Il avait adoré ces trois années.

19

Jour après jour, il était entré en exultant dans la cathédrale, tandis que la surcharge de peinture victorienne sur les tuyaux, les claires-voies et les corniches disparaissait pour révéler les couleurs vigoureuses de sa restauration, des glands, des fleurs et des oiseaux, des chênes et des roses, une jeune fille tenant une pomme, un roi David jouant de la harpe avec exubérance. Il s'était consacré à comprendre les prodiges d'ingéniosité nécessaires pour insérer un orgue moderne dans un buffet ancien, et il était très heureux que les facteurs d'orgues lui expliquent l'utilisation des divers métaux pour les différents tuyaux et lui vantent les merveilleux avantages d'un instrument électro-mécanique. Il se réjouissait avec eux de la taille exceptionnelle de la flûte de pédale — « 1821 », avait-il dit, très impressionné, à sa femme, qui essayait de téléphoner au laveur de carreaux —, sur la solidité du positif dorsal d'origine et s'exclamait sur les mains irrespectueuses qui avaient reconstruit sans cesse l'instrument pendant deux siècles. Cela avait créé entre lui et Leo Beckford un lien que des relations ordinaires n'auraient certainement pas pu établir entre des hommes aussi dissemblables.

Il s'arrêta à la lisière de la Clôture et leva les yeux. Elle était là, sur son éminence verte, émouvante et majestueuse comme aucune autre. Il ne s'en lasserait jamais, jamais il ne se donnerait trop de peine pour sa préservation et sa restauration. Aucun doyen d'Aldminster n'avait jamais mieux connu cette cathédrale que Hugh Cavendish, ni veillé avec autant de zèle sur son édifice. Il parcourut lentement toute sa longueur, puis descendit la pente douce jusqu'à l'imposante façade en moellons du doyenné du XVIIIe siècle.

Sa femme était au téléphone à trois pas de la porte d'entrée. Il trouvait détestable que cet appareil soit dans le vestibule. Tellement barbare...

— Je dois y aller, disait Bridget Cavendish, c'est le jour du poissonnier. Poisson le lundi, livraisons bénévoles d'épicerie le mardi, club du troisième âge le mercredi, jamais le temps de s'ennuyer...

À trois heures, Alexander Troy prenait quelques-uns des plus jeunes pour un cours d'histoire ancienne. De cette façon, il connaissait tous les garçons de l'école. Il remarqua que beaucoup avaient l'air très fatigué, presque tendu ; ce n'était pas bien, un après-midi d'été, pour des enfants de neuf ans qui avaient seulement joué au cricket après le déjeuner. Ils en étaient aux guerres du Péloponnèse. Aucun ne se concentrait comme il le fallait. Alexander renonça bientôt et leur lut un extrait de *The Last of the Wine*, de Mary Renault, et trois sur dix-sept s'endormirent doucement sur leur pupitre. Quand la cloche sonna, il faillit dire : « Désolé, je ne suis pas très amusant aujourd'hui », mais c'était inutile ; ils avaient un respect enfantin de l'autorité, bonne ou mauvaise, et n'auraient jamais songé à le juger.

Sandra alla vers lui dans le couloir.

— Mrs. Troy a appelé.

— Quoi ? Maintenant ? Elle est au téléphone ?

— Non. Elle n'a pas voulu que j'aille vous chercher. Elle m'a demandé de vous dire qu'elle va très bien mais qu'elle doit rester seule pendant quelque temps.

— Sandra, Sandra, pourquoi n'êtes-vous pas venue me chercher ?

— Mrs. Troy m'a dit de ne pas le faire.

— Vous n'êtes donc pas assez futée pour savoir quand c'est bien de désobéir ?

Sandra ouvrit la bouche pour dire que Mrs. Troy aurait simplement raccroché si elle avait quitté le téléphone pour aller chercher le principal, mais elle la referma. Il avait l'air tellement pitoyable.

— C'est tout ce qu'elle a dit ?

— Seulement qu'elle ne resterait probablement pas à Londres.

— Où est-elle, à Londres ?

Sandra bredouilla :

— Elle ne l'a pas dit.

— Et vous ne le lui avez pas demandé ?

— Non.

Sandra dit timidement :

— Vous vous souvenez, quand elle est partie dans le Suffolk... et ensuite, quand elle est allée dans le cottage à Picklescott. Et quand Daniel est parti en Amérique, et qu'elle l'a accompagné à l'aéroport et qu'elle est restée à Londres...

Alexander fut soudain frappé par l'idée importune, désagréable, que ni sa femme ni son unique enfant ne semblaient vouloir rester près

22

de lui de manière permanente. Il dit avec effort :

— Mr. Beckford signale qu'il y a un ancien élève sans abri parmi nous. Il vaut mieux que je le voie. Ça me fera du bien de rencontrer une autre victime de l'injustice de la vie.

— Il est allé prendre le thé chez le doyen, monsieur le principal. Je l'ai vu traverser la Clôture il y a quelques minutes.

— Je croyais qu'il était notre grand événement.

— J'imagine que le doyen n'a fait que l'emprunter...

Alexander la regarda avec reconnaissance.

— Soyez gentille et allez chercher une tasse de thé pour un vieux pasteur soucieux. Vous êtes un grand soutien.

Une minute plus tard, en voyant le visage illuminé de Sandra, Mrs. Monk, qui dirigeait les cuisines, demandait :

— Qui donc a mis le rouge aux joues de notre miss Miles ?

Le doyen ouvrit la porte du doyenné à Nicholas. À l'intérieur, dans le vestibule dallé éclairé par une magnifique fenêtre à entablement dans l'escalier gracieux, le labrador attendait, auprès d'un homme de haute taille en soutane violette.

— De votre temps, dit Hugh Cavendish à Nicholas, il y avait Mgr Henry. Maintenant c'est Mgr Robert. Monseigneur, voici Nicholas Elliott, qui était notre chantre il y a dix ans.

— Je suis heureux que vous soyez revenu, dit l'évêque.

Nicholas dit « oui » et se sentit défaillir.

— Il y a dix ans, quand vous chantiez ici, j'étais à Calcutta.

Nicholas hocha la tête.

— Qu'est-ce qui vous a ramené ici ?

— Eh bien... Je... Je me suis trouvé à court d'argent et je ne voyais pas d'autre endroit...

— Nous allons lui servir le thé, dit le doyen d'un ton encourageant.

— Ah.

Robert Young s'avança et prit la main de Nicholas.

— Venez me voir. Vous vous rappelez où se trouve le palais ?

— Vous êtes tous tellement bons.

— Nous sommes là pour ça.

Nicholas dit soudain :

— J'aurais voulu ne pas avoir besoin de venir, vous savez, j'aurais voulu me débrouiller...

— Quand vous aurez à peu près trois semaines de liberté, dit Mgr Robert, je vous parlerai d'un certain nombre de choses que je ne sais pas débrouiller. Ça fait partie de la condition humaine. Et maintenant je dois rentrer au palais, avec lequel ma pauvre épouse a elle aussi du mal à se débrouiller.

Quand la porte se fut fermée derrière lui, le doyen dit :

— Nous lui fournissons un chauffeur-jardinier et il ne l'utilise presque jamais. Nous avons mis deux femmes de ménage au palais et il les a envoyées travailler dans les bureaux du conseil municipal, ce qui les enchante, bien entendu, parce qu'elles touchent quarante pence de plus de l'heure, et Janet Young fait tout elle-même. Si on ne voyait pas une partie du jardin du palais depuis la Clôture, je crois qu'il n'emploierait pas Cropper du tout. Quant à la chambre des lords... Allons, venez prendre le thé. C'est dans la cuisine.

La table de la cuisine était préparée pour un thé tel que Nicholas n'en connaissait que d'après des histoires anciennes lues à l'école. Il n'était pas sûr d'avoir réellement vu une assiette de tartines de beurre auparavant. Mrs. Cavendish, forte et belle femme, portait une robe imprimée et des perles. Elle fut très aimable avec lui et lui raconta qu'elle avait passé son enfance dans le palais épiscopal de Wells — au cas où il l'aurait prise pour quelqu'un qui ne serait pas membre de l'aristocratie.

— Liée au clergé toute ma vie, voyez-vous.

Elle lui lança un regard farceur :

— Croyez-vous que je pourrais me libérer un jour ? Prenez de la confiture de prunes. Je l'ai faite moi-même... C'est le téléphone ?

— Oui, dit le doyen, et c'est forcément pour toi.

Alors qu'elle quittait la cuisine par une porte, une autre s'ouvrit et un garçon vêtu de noir se glissa à l'intérieur. Ses cheveux noirs étaient dressés en pointes couleur rouille. Il regarda Nicholas et dit :

— Salut.

— Salut.

— Qu'as-tu fait à tes cheveux ? demanda le doyen d'un ton faussement calme et que l'on devinait outragé.

— Je les ai teints, dit Cosmo. Avec un paquet de chez Boots. C'est gothique.

— Gothique ?

— Le noir est gothique. Ça aussi.

Il leva une jambe pour montrer des bottes de daim pointues dont les lacets s'enroulaient autour de clous argentés.

— Je suis un Goth à présent. Tu vois ?

Le doyen était paralysé. Cosmo tendit une main fine tachée de teinture et sourit à Nicholas.

— Cosmo, dit-il.

— Nicholas...

— Va dans ta chambre.

— Seigneur, dit Cosmo. Ça va pas recommencer !

Bridget Cavendish revint du vestibule en disant :

— C'était Denman Collège. Ils veulent que je refasse un cours sur comment sécher les fleurs.

Elle vit Cosmo.

— Tu es tout bonnement dégoûtant.

Il eut l'air satisfait.

— Je sais.

— Je lui ai dit d'aller dans sa chambre.

— Je suis un Goth, Maman.

— Ne crie pas, Huffo. Il ne peut pas rester dans sa chambre jusqu'à ce qu'il redevienne normal. Nicholas, vous ne mangez rien. Prenez un peu de gâteau aux amandes. Fait par le Women's Institute. Vraiment très bon. Cosmo, va te laver les mains.

Cosmo se dirigea vers l'évier.

— Au cabinet de toilette.

— Alors j'emmène Ganja. Viens, dit-il au chien, c'est l'heure de se laver les pattes. Regardez, il est noir. C'est un Goth lui aussi.

Il se tourna vers Nicholas avec un sourire aussi charmant que celui de son père.

— Père l'appelle Benedict, comme le saint, mais je l'appelle Ganja. N'est-ce pas, père ?

Quand il fut sorti, Bridget dit :

— Cosmo a quatorze ans. Je crains que son frère aîné et ses sœurs ne l'entraînent un peu... Maintenant, je veux que vous me racontiez tout... Encore du gâteau ?

Quand Nicholas quitta le doyenné, le soleil descendait sur la face ouest de la cathédrale et remplissait de lumière cuivrée les carreaux de la grande fenêtre. Nicholas se sentait repu et, tout autant, désorienté. Tout était resté pareil : les bâtiments remarquables formaient toujours leur cercle pittoresque autour de la Clôture ; du pourtour de la cathédrale descendait doucement la même herbe verte piquetée de touristes semblables lisant les mêmes vieux guides ; et dans le coin sud-ouest on voyait l'ouverture entre les bâtiments, là où commençait le Lyng, la vieille route escarpée qui descendait sur un mille, de la cathédrale à l'estuaire, bordée de vieux tilleuls et de nouvelles poubelles vertes. La première poubelle se voyait de la Clôture. Il y était écrit, sur le côté, « Prière de jeter ICI ». Quelle surprise et quelle incongruité ce doit être, se dit Nicholas, pour les fantômes des habitants de l'Aldminster médiéval qui remontent le Lyng pour aller faire leurs dévotions ; il faut dire que les ordures médiévales étaient biodégradables.

Il traversa la Clôture pour arriver au sommet du Lyng et regarda en bas. L'estuaire miroitait au-delà des toits, des immeubles de bureaux et des bâtiments industriels, sa surface scintillante dans le soleil couchant déchirée par les silhouettes osseuses des grues sur les quais. Il regarda tout cela d'un œil critique. En fait, c'était plutôt laid, et le paysage n'était sauvé que par les collines sur lequel il reposait. Nicholas n'avait jamais pensé que c'était laid, mais c'est l'une des rançons de l'âge que de cesser d'accepter pour commencer à juger. C'était particulièrement vrai à propos des personnes. Aussi ne pensait-il pas beaucoup à ses parents, parce que le père héros était finalement dur et assommant et la mère héroïne, hystérique. Il frotta le pied dans l'herbe et remarqua qu'une couche de sa semelle se détachait. Et alors ? Il était là, à vingt-trois ans, sans un sou, sans ambitions ni qualifications, plein du gâteau du Women's Institute et sur le point de marcher pieds nus. Nulle part où aller, sinon plus haut. Ou plus bas, là où il n'y avait pas même de gâteau. Il fut ému par le modeste panache de sa condition. Il se détourna du Lyng et, prenant l'air de survivant désinvolte d'un Huckleberry Finn moderne, se mit à longer à petites foulées la lisière de la Clôture pour retourner à King's School.

— Je vous ai bien mal reçu, lui dit plus tard Alexander Troy.

— Ce n'est rien, monsieur.

— Un parent d'élève m'a donné une bouteille de whisky. Je vais en prendre. Vous m'accompagnez ?

Nicholas répondit que ce serait avec plaisir. Ils étaient dans le salon du principal, dont Nicholas se rappelait le canapé, deux fauteuils recouverts de moquette fauve et une table triangulaire des années cinquante, dont les pieds se terminaient par des boules de plastique jaune. À présent, la pièce ressemblait à la couverture d'un catalogue de Laura Ashley, réalisation rustique et désordonnée du décor anglo-saxon idyllique, avec de longs rideaux à ramages dont le bas se froissait sur les planches du parquet ciré, et dans chaque coin un objet au charme vieillot. Alexander souleva un chat d'un fauteuil d'osier drapé d'une couverture en patchwork.

— Asseyez-vous là. C'est plus confortable que ça n'en a l'air. Nous avons beaucoup de chance d'avoir cette maison.

— Je me souviens que le guide disait que c'était la plus belle de la Clôture.

— C'est probable. L'ornement de plâtre dans l'escalier est parfait. Il faudra le regarder... Les initiales et les devises enlacées du couple pour lequel la maison a été construite vers 1680. Voulez-vous de l'eau, avec ?

— S'il vous plaît...

Alexander lui tendit un verre et s'assit en face de lui dans un grand fauteuil, qui parut aussitôt minuscule.

— Ma secrétaire me dit que l'on vous a fait passablement circuler, aujourd'hui. Comme le furet.

— Le doyen m'a invité à prendre le thé. L'évêque était là quand je suis arrivé.

— Un homme délicieux, dit Alexander.

— Il ne m'a pas du tout paru collet monté.

— Il ignore même le sens de l'expression. Sandra m'a dit que vous étiez chantre, autrefois ?

— Oui, dit Nicholas, et des larmes lui piquèrent les paupières. Oui, en effet.

— Mon cher ami...

Nicholas dit d'une voix désespérée :

— Tout le monde est tellement bon...

— Oui. J'en suis sûr. Mais c'est très difficile pour vous. C'est épuisant de se montrer reconnaissant. Vous avez continué à faire de la musique ?

Nicholas secoua la tête.

— Cela ne vous manque pas ?

— Je n'y ai plus pensé. Et puis ce matin je suis entré dans la cathédrale et j'ai entendu chanter du Palestrina. Je me suis souvenu de chaque note et ça m'a tellement manqué que j'ai failli m'évanouir.

Il s'interrompit puis il dit brusquement : « Excusez-moi. »

Alexander regarda avec envie vers le piano.

— Voudriez-vous chanter un peu pour moi,

30

maintenant ? Un morceau de Bach, peut-être ?
J'aimerais jouer...

— Permettez-moi de refuser, monsieur. Pas
tout de suite.

— Je pensais à *Komm, heiliger Geist.*

— Il faudrait d'abord que je m'entraîne tout
seul dans mon bain, dit Nicholas d'un ton
volontairement léger en voyant un abattement
soudain dans l'attitude du principal. Ensuite
j'essaierai. Mr. Beckford m'a dit que vous vous
intéressiez à la musique.

— J'ai étudié la musique à Cambridge. Je
suis allé ensuite à l'école de théologie de Wells,
et maintenant, après plusieurs faux départs, me
voilà ici, très logiquement. Mr. Beckford est un
organiste remarquable et bien trop modeste.

— Ce matin, j'aurais voulu me retrouver
dans le chœur, dit Nicholas, je l'ai vraiment
souhaité.

— Parce que vous y étiez en sécurité ?

— Parce que lorsque vous y êtes, cela
absorbe toute votre vie, et que les autres
pensent que vous avez raison de le faire, à
cause de la musique.

Alexander se leva et reversa du whisky dans
les verres.

— C'est cela le professionnalisme, n'est-ce
pas ? Personne ne le discute jamais. Et, bien
entendu, je me dis toujours que la musique
sacrée est un moyen d'expression parfait pour
des garçons : platonique, non physique, rassurant et pourtant satisfaisant à l'extrême, parce
qu'ils s'en servent merveilleusement.

Nicholas baissa le nez sur son verre.

— C'est la seule chose que j'aie jamais su faire.

Pendant un instant, Alexander fit l'examen de sa propre lassitude et décida qu'il n'avait pas la force de partager le malheur de son invité dans l'immédiat. Il préféra dire :

— Penseriez-vous que j'exagère si je vous disais que je considère le chœur comme l'âme de la cathédrale ?

Nicholas parut embarrassé et répondit qu'il ne savait pas. Alexander se leva.

— Ne vous inquiétez pas. Je ne vais pas vous faire de catéchisme ni vous interroger sur la place de Dieu dans le monde d'aujourd'hui. Mais demandez aux garçons ce qu'ils pensent de la musique et de la cathédrale. Et de Dieu, d'ailleurs. Demandez-le à un choriste remarquable que nous avons à l'essai, Henry Ashford, une des voix les plus prometteuses que j'ai entendues depuis des années, jointe à une des personnalités les plus droites.

Tête baissée, Nicholas marmonna qu'à son avis les gens ne croyaient en Dieu que parce qu'ils avaient peur de ne pas y croire, mais que la musique devait les aider — il hésitait —, c'était un certain réconfort, n'est-ce pas ?...

Pauvre garçon, pensa Alexander en baissant les yeux sur lui, pauvre garçon perdu. Il prit Nicholas par le bras.

— Il est temps que la surveillante vous gronde et vous borde. Vous avez quelque chose à lire ?

Nicholas eut un regard désolé.

— Je ne lis pas beaucoup...

32

— Tenez. Prenez *Private Eye*.

— Excusez-moi, dit Nicholas. Excusez-moi...

— De quoi ?

— Oh, d'arriver comme ça, d'être un cas tellement désespéré, de refuser de chanter, de ne pas lire, d'être tellement immature...

Alexander lui mit la main sur l'épaule quelques secondes.

— En fait, vous m'avez plutôt réconforté. Et je suis sûr que votre état n'est que passager.

— Merci, monsieur. Bonne nuit et merci pour le whisky.

Après son départ, Alexander alla au piano et joua une partie du choral de Bach qui chantait dans sa tête depuis une heure. Puis il se leva et trouva une feuille de papier dans le bureau en orme ciré que Felicity avait déniché dans un bric-à-brac et restauré elle-même, et il écrivit :

> Ma très chère Felicity,
> Il y a trois choses qui me permettent de tenir : Dieu, la musique et toi. Heureusement, deux d'entre elles ne m'ont pas failli, mais tu peux imaginer que lorsque tu te retires je ne peux que boitiller.
> Toujours tout à toi,
> Alexander

Puis il déchira le papier en mille morceaux, les jeta dans le foyer vide de la cheminée et alla se coucher avec un troisième — et peu raisonnable — verre de whisky.

— Très bien, ma chérie, Ex...
— Excusez-moi, dit Nicholas, Excusez-

2

— Le parcours d'obstacles a été formidable,
disait Henry Ashworth à sa mère, et, après, on
a été presque en retard pour l'office de l'après-
midi parce qu'on avait perdu Hooper et il nous
restait plus que deux minutes pour mettre nos
robes, alors on a foncé avec nos bottes en caoutchouc et personne a rien remarqué. Jusqu'au
moment où le doyen s'en est aperçu et qu'il a
dit « DES BOTTES ! » d'une voix scandalisée.
Alors ça valait la peine.

— Scandalisée, dit Sally Ashworth, machi-
nalement parce qu'elle était en train de lire une
lettre.

Elle venait du père d'Henry, qui était en Arabie Saoudite avec un contrat de deux ans en
tant que conseiller technique pour l'installation
d'un hôpital dans les environs de Djedda, et
elle sonnait un peu faux, comme toutes celles
que Sally recevait désormais d'Alan.

— Alors ma robe est pleine de boue, dit Henry. Je peux avoir un biscuit au chocolat ?

Sally poussa la boîte vers lui sur la table de pin. La lettre d'Alan était d'une arrogance dissimulée. Qu'est-ce qui l'obligeait à faire étalage de ses conquêtes, même indirectement, à la seule personne devant qui il ne le fallait pas ?

— J'ai réussi le *do* aigu dans le *Sanctus* aujourd'hui, dit Henry en grignotant des demi-lunes parfaites dans son biscuit. Au poil ! Et le parcours d'obstacles a été vraiment épatant, je sens que mes jambes vont me lâcher. Tu m'aideras pour mon anglais ?

Sally leva les yeux et son regard était plein de ce qui la préoccupait.

— Tu as mal à la tête ?

— Un peu, dit-elle.

Il posa son biscuit.

— Tu veux que je joue ?

— Oui. Oh, oui, Henry...

Il quitta sa chaise et marcha sur les nattes de jonc jusqu'au piano.

— Du Chop ? Un prélude ?

— Très bien, n'importe quoi...

Il fouilla dans la musique posée sur le piano et dit précipitamment, en tournant le dos à sa mère :

— Je vais être choriste confirmé.

— Henry !

— Le mois prochain. C'est un office spécial, Chilworth et moi. Nous serons présentés au doyen. Il vaudra mieux pas avoir de bottes ce jour-là...

35

Elle mit ses mains sur ses hanches et le regarda, rayonnante.

— Henry. — Il baissa vite la tête. — Je suis tellement contente. Tu ne peux pas imaginer. Je savais que tu le serais un jour, mais pas si tôt. Tu n'es à l'essai que depuis deux fois moins de temps que Chilworth. Tu as dû passer un autre examen ?

— Non, heureusement. Mr. Beckford a seulement dit : « Un examen a amplement suffi, merci. »

Il prit une pose :

— Ashworth, donnez-moi un *la* bémol. Ashworth, chantez-moi un la double bémol. Écrivez cet air à deux voix, Ashworth. Je ne le jouerai que trois fois. Qui, Ashworth, sont les plus grands compositeurs de musique d'église de l'époque Tudor ? Ashworth, que signifie *sforzando* ?...

— Mr. Beckford ne parle pas comme ça.

— Il m'a vraiment posé ces questions...

— Et mon Chopin ?

Henry brandit vers elle une mince partition.

— Tu veux savoir ce qu'il m'a dit aujourd'hui ?

— Oui, bien sûr.

— Alors voilà, dit Henry en s'installant sur le tabouret du piano. Je courais après Wooldridge dans le cloître et voilà qu'arrive Mr. Sims qui est seulement intendant du chapitre mais qui se croit plus important que l'évêque, et il a dit que nous étions des hooligans, et Mr. Beckford est arrivé et il a dit que oui, nous étions des hooligans, ce qui était bien dommage pour un homme de *gravitas* comme moi qui allait devenir choriste confirmé. Et Mr. Sims a dit : « Il le mérite pas, monsieur » et Mr. Beckford nous a demandé de nous excuser, et puis il a dit que je devais aller me faire prendre les mesures pour un surplis.

Il y avait un jeune homme avec Mr. Beckford, un jeune homme qui avait dit « Tu ne connais pas ta chance », quand il avait entendu parler de surplis. Mais Henry était conscient de sa chance. Il connaissait sa voix, et la musique, rien qu'en voyant le contraste avec Chilworth, qui voulait jouer au foot le samedi après-midi, ne pas répéter, et qui disait qu'il quitterait probablement le chœur au bout d'un an parce qu'il trouvait que la musique de Pâques était trop funèbre. Il tourna sur son tabouret et ouvrit le recueil de préludes. Sally posa les coudes sur la table et considéra la laine grise de son dos avec amour et fierté.

Il jouait bien, un peu vite, mais c'était signe de fatigue. Ils étaient tous les deux épuisés à la fin du trimestre, tôt levés pour les répétitions quotidiennes, les séances de travail pendant toute la semaine à la cathédrale, le samedi après-midi systématiquement, soit sept offices chantés, l'école, le travail à la maison. S'occuper autant d'Henry contribuait au moins à remplir le vide qu'avait laissé Alan, non pas tant par son absence physique que par sa distance délibérée vis-à-vis d'elle, sa façon de mener sa propre vie comme s'il n'était ni mari ni père. Pourtant Alan aimait Henry — d'une certaine façon. Sally avait entendu l'évêque dire un jour, du haut de la chaire de la cathédrale, qu'il y a beaucoup, beaucoup de façons d'aimer. Mais que faire, quand votre façon et celle de votre partenaire se révèlent tellement différentes qu'aucun ne peut voir que l'autre y met de l'amour ? Elle fourra la lettre d'Alan sous l'assiette qui avait contenu le sandwich d'Henry pour le thé et se souhaita furieusement un mari qui serait son ami.

Henry s'arrêta de jouer et se retourna en feignant de bâiller.

— Au bain et au lit, dit Sally.

Henry tourna un regard d'envie mal déguisée vers la télévision.

— Non, dit Sally.

— Rien qu'*EastEnders*.

— Surtout pas *EastEnders*.

— S'il te plaît...

— Non.

— Je pourrais pas dormir, il est bien trop tôt.

— Le lit sert autant à se reposer qu'à dormir.

— La télévision, c'est très reposant...

— Henry. (Sévèrement.)

— Tu sais, dit-il en s'animant soudain, que si tu étendais tes poumons complètement à plat, ils recouvriraient un court de tennis ?

— C'est révoltant.

— Je savais que tu dirais ça. Chilworth m'a dit que sa mère dirait que c'est intéressant, parce qu'elle refuse de se choquer.

— Ce doit être très frustrant pour lui.

— Elle est professeur, dit Henry.

38

— Ah ?

— Elle voulait se mettre en grève avec les autres du collège de Horsley, mais grand-père les a fait changer d'avis.

— Grand-père !

Ils se regardèrent.

— Tu dois lui annoncer que tu es choriste, dit Sally. Vas-y, Henry, téléphone, vite, vite.

Frank Ashworth vivait au dernier étage d'un immeuble bâti sur le site d'un ensemble de maisons victoriennes connu sous le nom de Back Street, où il était né. Front Street était devenu le quai le plus important de cette partie des docks, que Frank souhaitait rajeunir, et Back Street, en arrière, lui était parallèle. L'entrée de l'immeuble était située exactement sur le bout de jardin où le père de Frank avait cultivé des poireaux, énormes, ligneux, des monstres à concours entassés dans la terre noire pour produire leur masse blanche surnaturelle. Frank n'avait vécu loin des quais que pendant trois ans, lorsque la mère d'Alan, voyant qu'il devenait un personnage public, avait insisté pour qu'ils s'installent à Horsley, en bordure d'Aldminster, un endroit récemment coté dont les pâturages, en voie de disparition, avaient nourri autrefois des chevaux saxons. Frank avait détesté Horsley. Il avait détesté son éloignement de la ville et méprisé sa bourgeoisie délicate. Au bout de trois ans, la mère d'Alan s'était liée au propriétaire d'un garage et une Jaguar l'avait emmenée dans une maison d'Edgbaston. Frank était retourné sur les quais.

Il y monta une entreprise de transports. Celle-ci prospéra, de façon satisfaisante sinon spectaculaire. Elle fit vivre Frank et quinze employés, y compris les chauffeurs, et elle permit de payer les études d'Alan à Malvern College où il avait tenu à aller, ce que Frank avait trouvé inexplicable. Ses relations avec Alan étaient toujours précaires, elles risquaient toujours de sombrer dans le chagrin qu'il éprouvait à ne pas pouvoir transmettre à son fils ses convictions profondes. Quand Alan eut dix-huit ans et fit usage de son droit de vote au profit des conservateurs, Frank en éprouva une véritable douleur, moins à cause de son choix politique que parce qu'il savait qu'Alan n'avait pas réellement décidé, qu'il n'avait pas réfléchi sérieusement, qu'il avait seulement cédé au mince vernis de son éducation.

Sa mère lui avait donné une chevalière en or pour cet anniversaire.

— Tu seras ridicule avec ça, avait dit Frank. Tu te feras repérer comme arriviste. Pas à cause de ta façon de parler, mais parce que tu n'as aucune noblesse profonde.

Alan avait un peu peur de son père. L'appartement était plein de livres, et Alan n'était pas habitué aux livres. À ce que sa mère appelait des livres, Malvern College donnait le nom de magazines, et l'on voyait rarement dans la maison d'Edgbaston ce que Malvern College appelait des livres. Frank lisait les siens. Il lisait Shakespeare et Marx, James Joyce et Gibbon. Et l'amour qu'il aurait pu mettre dans la vie de famille s'il en avait eu une, il le mettait dans sa ville. Le conseil municipal était à tout le moins travailliste, et lui, socialiste de la troisième génération, en était le membre le plus solide et le plus zélé. Il se battait pour des jardins, des arbres, des secteurs piétonniers et l'éclairage public, pour les écoles, les handicapés et les personnes âgées, pour l'accès de tous à toute la ville, pour sa population. Son projet du moment était de transformer le vieux bassin de Front Street, devenu superflu depuis que les bateaux modernes exigeaient de meilleures conditions de mouillage, en une agréable installation au bord de l'eau où pourraient s'ancrer des péniches spécialement équipées pour des fauteuils roulants, avec une scène pour un orchestre : pas pour une fanfare de trompettes et de cors, mais pour des groupes folks et des quartettes de jazz. Quand il l'aurait réalisé — et là, dans sa rêverie, il traversait son grand salon pour passer de la vue des quais, à l'ouest, à celle de la colline escarpée de la cathédrale, à l'est —, il ouvrirait la Clôture, ce sanctuaire injustifiable et contre nature, aux habitants de la ville auxquels elle appartenait.

À mi-hauteur de cette colline, dans un îlot du XIXe siècle, qui avait connu des jours meilleurs, Alan et sa femme Sally avaient acheté une maison. Alan ne voulait pas vivre en ville, il avait trouvé dans un village, à dix milles, deux cottages qu'il souhaitait transformer. Mais Sally voulait travailler et, de toute façon, elle avait connu suffisamment de campagne dans son enfance, clouée avec sa mère dans un petit village. Finalement, le fait qu'Alan était très souvent à l'étranger en avait décidé et ils avaient acheté la vieille maison de Blakeney Street. Sally trouva du travail chez un libraire d'ancien qui, de son sous-sol, dirigeait en outre une petite affaire de vins en gros. Il existait entre Frank et sa belle-fille un profond respect mutuel ; Frank veillait à ne pas s'imposer, tout en voulant compenser le vide laissé par les absences d'Alan, et il ne pouvait que se réjouir lorsqu'elle faisait appel à lui. Il pensait que c'était en partie grâce à Sally que ses relations avec son petit-fils étaient dignes et affectueuses.

— Combien ils vont te payer, pour cet honneur ? demanda-t-il à Henry au téléphone.

— Six pence pour l'office de l'après-midi...

Frank grogna. Puis il dit :

— Ça fait à peu près soixante livres en cinq ans. Combien d'heures par semaine ?

— Sept services et à peu près dix-huit heures d'étude. Pareil que maintenant. Grand-Père...

— Mmm ?

— Il faudra que je porte une collerette.

— Tu seras très chic, non ?

— Maman demande si tu viens nous voir.

— Maintenant ? Elle a l'air fatigué ?

— Lessivé, dit gaiement Henry.

— Dis-lui d'aller se coucher avec un bon scotch. J'irai la voir un autre jour.

— Elle demande si elle peut te dire un mot. Une seconde...

Sally demanda sans façon :

— Vous ne voudriez pas venir prendre un scotch avec moi, pour fêter ça ?

— Tu as mangé ?

— J'ai picoré dans l'assiette d'Henry à l'heure du thé.

— J'ai un steak. Je l'apporte ?

— Oui, dit-elle, soudain affamée.

— Je ne resterai pas longtemps.

— J'aimerais vous parler...

Il y eut une pause, puis Frank dit : « Il est malin, ce petit », et il raccrocha.

Son réfrigérateur était plein de denrées consistantes et de qualité, il les avait toujours préférées. Il sortit le steak, deux grosses tomates, un morceau d'excellent cheddar et un sac en papier qui contenait d'énormes champignons qui, tout en n'étant encore que des caricatures de vrais champignons des bois, représentaient un net progrès sur les petites boules blanches anémiques qui abondaient dans les supermarchés. Il trouva cinq pièces d'une livre, pour récompenser Henry en cette occasion particulière, et descendit le tout dans la Rover grise vieille de huit ans, l'une des voitures les plus connues de la ville, considérée avec indulgence par la plupart des agents de la circulation.

Sally avait mis la table dans la grande pièce à tout faire du rez-de-chaussée de Blakeney Street, relevé la masse de ses cheveux, en la fixant vaguement, et remplacé son pull de coton rose par un noir. Elle n'embrassa pas Frank ; ils ne l'avaient jamais fait. Quant à Henry, qui sautillait autour d'eux en pyjama de molleton, il mit les bras autour du cou de son grand-père et l'embrassa avec effusion.

— Ouvre la main.

Frank posa les pièces d'une livre en rond sur la paume d'Henry.

— Youpi ! cria Henry.

Sally, qui était devant la cuisinière, remarqua :

— Et merci, peut-être ?

— Merci beaucoup, beaucoup.

— D'où lui vient cette voix, demanda Frank, c'est ce que je voudrais savoir.

— C'est ça qui me plaît, dit Sally en déballant le steak. Qu'on ne le sache pas. Qu'il l'ait, tout simplement.

— Ne mets surtout pas d'ail là-dessus.

— Mr. Godwin pue l'ail, dit Henry. Tout le temps. En latin, on peut pas respirer... Tu viendras à mon service ?

— Essaie seulement de m'en empêcher.

Henry avait l'air embarrassé. Son grand-père ne croyait pas en Dieu.

— Ça t'embêtera pas ?

— M'embêter ?

— D'être dans la cathédrale ?

— Pourquoi est-ce que ça m'embêterait ? J'y suis allé souvent. C'est ma cathédrale. C'est un bel endroit.

— Mr. Beckford dit qu'elle n'appartient pas à la première catégorie des cathédrales anglaises, mais qu'elle pourrait bien être une des mieux de la deuxième.

— Au lit, dit Sally en surveillant sa poêle.

Henry se tortilla sur le bras du fauteuil de Frank.

— Tu veux que je te joue quelque chose ?

— Quelque chose de court, fiston. Ensuite, au lit.

Henry se précipita au piano.

— Je vais te jouer le *Gloria*. Syncopé, ça devient comme de la musique chinoise, écoute...

Quand il s'arrêta, il cria :

— Ying tong yidel aï po !

— Quel âge as-tu ? demanda Frank.

— Presque onze ans.

— Tu es un clown. On te l'a déjà dit ?

— Seulement toi.

— Henry, dit Sally du ton de l'avertissement, tu embrasses.

Henry se pencha et embrassa son grand-père.

— Bonne nuit.

— Bonne nuit, vieux.

— Maman, Maman, bonne nuit...

— Je viendrai te border. N'oublie pas les dents !

La porte claqua derrière lui. « Ying tong ying tong ying tong », chantait Henry dans l'escalier. Puis, sans transition, les premières mesures, claires et fortes, du *Magnificat*.

— Il est vraiment bon ? demanda Frank.

— Je ne sais pas. Je ne suis pas assez musicienne pour le savoir. Mais il n'est à l'essai que depuis six mois. Tout a été si soudain — rien que se rendre compte qu'il pouvait chanter...

Elle apporta la viande dans deux assiettes,

qu'elle posa l'une en face de l'autre sur la table.

— C'est la fête. Henry et moi nous mangeons surtout des saucisses et des œufs. Quant à un rôti... à deux, ça n'a pas de sens.

Il y avait une lettre par avion posée debout entre les moulins à poivre et à sel.

— Des nouvelles d'Alan ?

— Oui, dit Sally, lisez si vous voulez.

— Sûrement pas.

— Je ne devrais probablement pas vous le dire, mais je ne peux pas m'empêcher de trouver que l'arrangement que nous avons, Alan et moi... que le mariage n'est pas fait pour ça.

Frank la regarda. C'était une belle fille et elle ne manquait pas de cran. Il eut un élan du cœur pour elle mais se contenta de dire : « Ce ne serait pas ton genre d'abandonner. »

Elle lui fit signe de s'asseoir et poussa vers lui le plat de champignons.

— Je n'ai pas parlé d'abandonner. J'ai simplement dit que le mariage ne consiste pas à vivre comme nous le faisons, chacun de notre côté. En tout cas, pas pour moi.

Frank prit une bouchée.

— Tu aimerais qu'il rentre à la maison ?

Il y eut un silence, puis Sally dit :

— Pas particulièrement.

— Il y a quelque chose que tu voudrais que je fasse ?

— Merci. — Elle lui sourit. — Merci, mais vous ne pouvez pas. Je voulais seulement que vous sachiez dans quel état d'esprit je suis.

46

C'est tout. Maintenant, dites-moi, qu'est-ce qu'on raconte en ville ?

Quand il quitta Blakeney Street, Frank monta le Lyng avec sa Rover jusqu'à la Clôture et se gara derrière l'hospice du XVIᵉ siècle dont une moitié abritait à présent les archives du comté et l'autre un cabinet juridique. Il n'y avait pas de lune mais le ciel était clair derrière la masse sombre de la cathédrale. Frank la regarda avec tendresse. Il craignait un peu qu'avec l'âge l'idée d'un Dieu ne lui devienne de plus en plus naturelle et que, déjà même, le fait que la cathédrale soit un lieu spirituel ne la mette à part, ne lui donne une signification et une stature qu'elle n'aurait pas eues si ç'avait été un château ou un manoir entouré de douves couronnant le dôme vert de la Clôture. Il est vrai que cette stature même effrayait certains habitants d'Aldminster ; à son avis, pas plus de quelques centaines de citoyens ne fréquentaient régulièrement la cathédrale et il était moralement très indigné, très triste aussi, que les autres soient intimidés par un édifice bâti par et pour des hommes comme eux.

La Clôture était très tranquille. Bien plus tranquille que le Lyng à dix heures du soir, que les docks, que le secteur récemment rénové où il avait lutté, avec la jeune chambre de commerce, afin que s'installent des bars à vin et des petits restaurants, pour que l'endroit reste vivant après la fermeture des boutiques. Devant Frank s'étendait la Clôture, ce grand poumon vert offert aux cieux, élevé au cœur de la ville et vide, absolument vide, sans autre signe de vie que quelques lumières tranquilles venant des fenêtres ou des arcs de fer forgé des portails. Belle, certes, par son aspect excentrique, imprévue, harmonieuse, sévère, mais morte, morte. Pas même d'ivrognes, pas de drogués haletant dans les coins cachés, comme dans les cimetières des églises de la ville, la nuit, adossés aux tombes, certains à moitié morts eux-mêmes. Dans ces cimetières poussaient du lierre et des ifs qui formaient des trous noirs touffus pour s'y dissimuler, mais la pente douce de la Clôture n'offrait aucun abri ; si quelqu'un essayait de s'y cacher, l'herbe nue le ferait naturellement ressortir aux yeux de ce qui le regarderait de là-haut derrière les étoiles. Les vieux vagabonds se blottissaient parfois aux coins des contreforts mais ceux-là, dans la liberté de leur errance, n'avaient rien à cacher, ni de comptes à régler en se détruisant. Il y en avait un là-haut en ce moment, Frank pouvait le distinguer, un paquet noir dans l'angle formé par le porche sud et le mur. Dans une minute, il irait lui donner une livre ou deux et bavarder un peu. Le dernier avec qui il avait parlé avait remarqué que, tout en étant une belle cathédrale, elle n'arrivait pas à la cheville de celle de Wells. Il sentait le vieux chien mouillé aux dents pourries.

Frank avait été heureux de le rencontrer. Il l'était à présent de voir briller la cigarette d'un autre clochard et d'observer, se détachant sur la faible lueur au bout de la Clôture, la silhouette noire de ce qui était, à coup sûr, le doyen en promenade nocturne avec son chien. Frank secoua la tête. Un assez brave type, le doyen, mais aussi éloigné du monde des hommes ordinaires que s'il n'en était pas un lui-même. Pour lui, tout ce qui vivait, c'étaient ces pierres là-haut, l'une sur l'autre, tandis que ce que Frank voyait c'étaient les mains qui les avaient posées là, chacune à sa place. Il s'éloigna et se dirigea vers la maison du principal, instinctivement attiré, comme beaucoup de gens, par son charme particulier et par la qualité de sa construction. Deux lumières étaient allumées, l'une faible au premier étage, l'autre plus forte aux deux grandes fenêtres à côté de la porte. Les rideaux n'étaient pas tirés. Frank vit très clairement Alexander Troy assis dans un fauteuil avec un bloc et des papiers sur les genoux, une bouteille de whisky à côté de lui, et il entendit à travers la vitre une musique chorale très forte et caractéristique. Henry lui aurait dit que c'était le *War Requiem* de Benjamin Britten. Troy semblait très seul et Frank éprouva d'abord de la compassion, puis il leva les yeux et parcourut du regard toute la longueur de la belle maison dans l'ombre, inutilisée et vide. « Un sacré gaspillage », se dit-il. Il serra les poings dans les poches de son pantalon et regarda avec colère Alexander, ignorant sa présence. « Un sacré gaspillage. »

Après le départ de Frank, Sally Ashworth mit un peu d'ordre et alluma la télévision, puis elle l'éteignit, fit une liste de courses pour le lendemain, donna à manger au chat, mit les draps dans la machine à laver, prête à être mise en route au matin, et monta voir Henry. Il donnait l'image que tout le monde se fait d'un enfant endormi, recroquevillé en forme de crevette sous la couette qui ne laissait voir qu'une crête de cheveux ; il émanait de lui un sommeil absolu. Par terre, auprès de son lit, traînaient la laine grise de ses vêtements d'école, un livre d'*Astérix,* et une photocopie froissée du poème de Masefield, *Cargoes* ; de l'écriture de bébé d'Henry était marqué en travers : « Apprendre par cœur pour mardi. » Il avait fixé au-dessus de son lit une grande photo d'une excursion du chœur à Worcester, et il avait dessiné une grande flèche rouge allant de lui à la marge blanche où il avait écrit : « Henry Francis Ashworth, 10 ans. » Il y avait aussi une photo de ses parents, embarrassés, posant pour lui sur le seuil de la maison et des douzaines de photos du chat qui s'appelait Mozart et avait un humour bien à lui.

Sally avait installé la pièce dans une période où elle avait essayé de se lancer dans la décoration intérieure. Cela n'avait pas duré longtemps, parce que la vie avait repris ses droits : ainsi, l'énorme bouquet de fleurs séchées de l'entrée, qu'elle avait soigneusement disposé dans un panier d'osier, se trouvait directement sur la trajectoire de vol d'Henry, entre la porte d'entrée et la cuisine, et contenait — Mozart en était sûr — une infinité de menaces dans ses profondeurs bruissantes. Elle avait décapé et ciré toutes les boiseries de la chambre d'Henry, recouvert les murs de papier à rayures comme de la toile à matelas, posé des nattes par terre, acheté un fauteuil poire, un panneau d'affichage en liège et une lampe orientable. Trois ans après, Henry avait répandu ses détritus masculins tenaces mais impersonnels dans toute la pièce, dont il avait fait presque disparaître la beauté soignée. Ce soir, elle remarquait qu'il avait manifestement aidé la natte à se défaire car un long serpentin pâle se déroulait à partir de son centre vers la porte. La lampe était tordue, le panneau d'affichage vide, à l'exception des punaises disposées pour qu'on lise « Une équipe ». Henry avait déclaré quelques jours plus tôt qu'il aimerait beaucoup que ses murs soient marron. Marron foncé.

Elle se pencha sur lui et le borda dans la couette. Les cheveux d'Henry avaient besoin d'être lavés. Comme toujours.

— Dors bien.

Il grogna. Il parut soudain très loin d'elle, séparé par le sommeil mais aussi par son talent, par la musique, qu'elle pouvait admirer et goûter, mais pas partager. La musique appartenait à Henry. Le réveil à affichage lumineux, à côté de son lit, indiquait qu'il était à peine dix heures. Cédant à une impulsion, Sally descendit vite l'escalier et décrocha le téléphone.

— Qui ? demanda Leo Beckford.

— Sally Ashworth, la mère d'Henry. Excusez-moi d'appeler si tard...

— Il est tard ?

Il regarda vaguement autour de lui comme si l'heure et ce qu'elle signifiait pouvaient

51

émerger du chaos de la pièce pour l'informer. Il était en train d'écrire un article sur les qualités à rechercher pour l'attribution de bourses d'études d'orgue et, comme d'habitude, son esprit refusait d'embrayer sans difficulté sur un autre sujet.

— Je voulais seulement vous demander, à propos d'Henry...

— Oui ? dit Leo.

— Est-ce que... Est-ce qu'il a vraiment une belle voix ? Ou simplement est-elle un peu meilleure que les autres ?

La voix d'Henry dans l'*Agnus Dei* s'éleva soudain dans la mémoire de Leo. Son esprit s'éclaircit.

— Je dirais plutôt, Mrs. Ashworth, que sa voix est remarquable.

— À ce point ?

— À ce point. Naturellement, elle mûrira au cours des deux prochaines années.

Il ne se rappelait pas la mère d'Henry. Il ne remarquait pas beaucoup les mères, sinon parce qu'elles étaient tenues d'amener ses choristes et de venir les chercher, et qu'elles l'irritaient lorsqu'elles négligeaient d'en faire une priorité. D'une voix soudain chargée d'émotion, Sally dit :

— Voyez-vous, je veux tellement qu'il ait une occasion d'être le meilleur ! Si sa voix est tellement belle, même si ce n'est que pendant son enfance, cela l'aidera à échapper à la médiocrité. Elle l'élèvera, vous comprenez...

Leo dit gentiment :

— Pensez-vous que ce soit le moment ou la

façon qui convienne pour ce genre de conversation ?

Il y eut un silence, puis Sally dit humblement :

— Ça a été une impulsion de vous appeler. J'ai été si heureuse d'apprendre qu'Henry allait être choriste confirmé. Mais je me suis sentie tellement éloignée...

— Vous pourriez, si vous voulez, venir écouter le chœur, dit Leo en se forçant.

— Je ne pensais pas que vous aimiez beaucoup que les mères le fassent.

— Franchement, non. Mais vous semblez vouloir vous impliquer dans la musique d'Henry et je vous en offre l'occasion, si vous pensez que c'est bien pour lui.

— Vous ne le pensez pas...

— Les choristes de la cathédrale sont des professionnels, Mrs. Ashworth.

Il y eut un nouveau silence, puis Sally déclara d'un ton enjoué et décidé :

— Vous savez, Mr. Beckford, je pense que je me conduis sottement. Je suis très contente de savoir que vous avez une bonne opinion d'Henry et je vous suis reconnaissante de m'avoir parlé. Merci beaucoup. Bonne nuit.

Elle raccrocha. À l'autre bout, Leo resta avec le combiné qui bourdonnait. Qu'avait-elle vraiment voulu, avec ses drôles de manières confuses, à la fois désolée et courageuse ? Il raccrocha. Elle avait éveillé en lui la même compassion embarrassée que le pauvre Nicholas Elliott, qui continuait à faire de menus travaux dans l'école tandis que tout le monde, par intermittence, se demandait en vain ce qu'on allait faire de lui. Leo lui-même se demandait s'il devait prendre Nicholas chez lui. Son regard erra dans la pièce, sur les chaises et les tables chargées de livres et de papiers, sur les corbeilles qui débordaient, sur les boîtes, les caisses et les sacs restés en panne là où il les avait laissés, le tout vaguement relié par un entrelacement rampant de fils électriques venant des lampes, des radiateurs et du tourne-disque. Nicholas pourrait peut-être y mettre un peu d'ordre. Leo s'imagina en train de lui ouvrir la porte de la pièce en disant :

— Tout ce que l'on peut dire pour excuser cette pagaille, c'est qu'elle serait pire si j'étais encore marié.

Et ce n'était que la stricte vérité.

3

Quand le principal du collège Horsley — un homme dont le dévouement pour l'enseignement s'aigrissait progressivement sous l'effet du déplaisant cocktail d'agressivité et d'apathie qu'il était forcé d'avaler dans son établissement — écrivit aux Cavendish pour leur demander un entretien au sujet de Cosmo, Bridget dit immédiatement qu'ils devraient se montrer fermes avec lui. Le doyen présuma qu'elle parlait de Cosmo.

— Mais non, Huffo ! Je veux parler de Mr. Miller ! Si on fait preuve de bon sens avec lui, comme chez nous, Cosmo n'est vraiment pas très difficile. Le principal doit apprendre à faire de même.

Le doyen baissa le nez sur son toast à la confiture.

— Cosmo, dit-il, sur le ton de quelqu'un qui s'accroche à ce qui lui reste de sang-froid, est un cauchemar ambulant, exacerbé par l'indulgence idiote que tu as pour lui.

Bridget ouvrit une autre lettre, adressa un sourire conciliant au doyen et dit très aimablement :

— C'est absurde.

Quand le doyen avait rencontré Bridget Mainwaring, elle habitait encore chez son père. Non seulement elle habitait la maison mais elle la dirigeait, car l'évêque Mainwaring était veuf. Mettre les pieds dans son palais à cette époque, même au début des années soixante, c'était entrer dans le monde de Barchester, un univers à la Grantly, prétendant au bon ton et à l'aisance. La fille de l'évêque, belle et compétente, rieuse et infatigable, était apparue à Hugh Cavendish comme le moteur de cette maison civilisée, polie à la cire d'abeille et remplie de fleurs, comme une femme qui comprenait instinctivement Dieu et le Veau d'or. Mais après l'avoir courtisée et avoir obtenu sa main — sans grande difficulté car elle avait trente-deux ans et brûlait de se marier, bien qu'elle fût très exigeante sur l'éducation et la profession de ses prétendants —, il découvrit qu'elle considérait Dieu comme une partie du Veau d'or, une sorte de vernis hautement moral que l'on pouvait poser sur tous les biens de ce monde. Il découvrit aussi qu'elle ne pouvait rien apprendre, qu'il lui manquait non seulement toute connaissance de soi mais aussi — ce qui était plus dangereux — le moindre atome d'humilité. Elle apporta du palais une pleine camionnette de meubles, de tapis et de tableaux — « Sans moi, papa ne recevra plus autant » —, et elle se lança dans l'action pour faire des maisons successives de la carrière d'Hugh Cavendish les résidences caractéristiques d'un ecclésiastique du XIXe siècle disposant d'une fortune personnelle. Elle gérait les paroisses de la même façon, provoquant des vagues de fureur et d'admiration, et remplissait ses crèches de bébés envers lesquels elle était totalement incapable d'objectivité puisqu'ils étaient, comme ses propres enfants, des prolongements d'elle-même. Hugh Cavendish mangeait bien, dormait dans des draps impeccables et portait un linge parfait, foulait un parquet étincelant, respirait stephanotis, jasmin et pot-pourri, et il observait la femme de son cœur qui s'enveloppait d'un cocon de vanité si épais qu'aucune arme humaine n'avait le pouvoir d'y pénétrer. Il se demandait parfois si seulement elle *voyait* Cosmo, au sens propre ; si, lorsqu'elle posait les yeux sur son cadet — un triomphe, né lorsqu'elle avait quarante-deux ans —, elle ne voyait pas, au lieu de la réalité macabre de ses cheveux et de ses vêtements couleur de suie, une illusion en veste de tweed, pantalon de velours côtelé et chaussures bien cirées.

— J'irai voir Mr. Miller, dit-elle. Inutile de te déranger.

— Je souhaiterais voir Mr. Miller.

— Mon ami ! Tu n'as pas une minute à toi.

— Je trouverai la minute. Je suis de tout cœur avec Mr. Miller.

— Le pauvre homme. Avec une école tellement mélangée...

— Je suis de tout cœur avec Mr. Miller... à propos de Cosmo.

— Huffo !

Le doyen se leva.

— Ce doit être vraiment un sacré problème d'avoir Cosmo dans son établissement.

— Huffo...

— Ne m'appelle pas Huffo... J'emmène Benedict se promener.

Bridget sourit de nouveau.

— Ne t'inquiète pas pour Mr. Miller. Je lui téléphonerai dès que j'aurai ouvert mon courrier.

— Je t'en prie, non. Je lui téléphonerai en rentrant.

Il appela le chien, qui était dans la cuisine, prit sa canne, la laisse, et quitta le doyenné par la porte de devant. Il n'avait pas encore atteint la grille de la Clôture qu'il entendit la voix de sa femme qui téléphonait et demandait sur un ton de bienveillance impérieuse, reconnaissable entre tous, à parler immédiatement au principal.

Le doyen avait perdu foi en l'espèce humaine. Il avait eu l'intention d'aimer son prochain, il avait cru non seulement que c'était possible, mais que ce serait facile parce qu'il le voulait, et il avait découvert avec consternation que la plupart de ses semblables n'avaient simplement rien d'aimable. Il aurait pu pardonner leurs faux-fuyants, leur manque de scrupules et même leur cruauté — après tout, le monde était dur et la simple survie amenait un homme à avoir une conduite primitive —, mais leur vulgarité imbécile, leur préférence affichée pour le grossier et la pacotille n'étaient pas loin de le dégoûter. Debout dans la cathédrale, il imaginait la congrégation d'origine au Moyen Âge, accourue de ses terriers et de ses bicoques, contemplant avec ravissement, crainte et respect, l'éclat et la beauté de ce saint lieu ; les âmes de telles gens lui paraissaient précieuses. Il entrait ensuite dans la Clôture et y trouvait des touristes en survêtement, des emballages de hamburgers jetés n'importe où, des couples qui n'étaient jamais entrés dans une église en train de se peloter sur l'herbe, et il était pris de rage devant cette intention évidente de ne pas tendre vers la beauté mais bien de lui tourner le dos.

Et comme si toutes les déceptions amères dans son mariage et dans son ministère ne suffisaient pas, Hugh Cavendish devait supporter en outre l'épreuve de ses enfants. Élevés dans une atmosphère ouatée d'objets, de modèles et de sons de qualité, instruits, tous beaux et d'une intelligence au-dessus de la moyenne, ils avaient instinctivement formé une alliance agressive qui semblait s'acharner à renverser l'autorité traditionnelle du doyen. Fergus, l'aîné et le plus intelligent, athée déclaré, était secrétaire de rédaction d'une revue satirique pour laquelle toute forme de tradition servait automatiquement de cible. Il vivait avec une très belle comédienne couleur d'ébène qui avait deux jeunes enfants d'un précédent amant indien. Venait ensuite Petra, qui sculptait d'énormes animaux en métal dans un entrepôt qu'elle partageait avec un peintre gallois plus âgé que le doyen, dont la femme faisait régulièrement irruption pour détruire ce qu'elle avait la force et le temps de détruire, et qui appartenait à Petra. Le doyen s'inquiétait de voir que Petra buvait beaucoup. Elle buvait grossièrement, comme un homme et dans les mêmes quantités. Ianthe — le doyen avait une photo de Ianthe dans son cabinet de toilette, prise quand elle avait quatre ans, en robe de chez Liberty, riant dans sa direction du haut d'un pommier —, Ianthe avait hérité cinq mille livres de sa marraine et les avait investies, avec trois amis, dans une compagnie de disques. La compagnie s'appelait Ikon.

— Tu sais ce qu'est une icône ? avait demandé le doyen à Ianthe.

— Bien sûr. C'est une image. C'est ça, l'idée.

— Mais une image sacrée !

Ianthe avait haussé les épaules. « Encore la même histoire », avait-elle conclu.

Au moins, Ianthe n'avait pas d'amant bizarre, si l'on faisait abstraction d'un jeune homme frêle du nom d'Adam qui la suivait partout, lui allumait ses cigarettes et pouffait de rire à presque tout ce qu'elle disait. Elle était odieuse avec lui, mais il la suivait quand même. Elle était odieuse parce qu'elle était amoureuse de Leo Beckford. Or, il lui avait toujours bien fait comprendre qu'il la considérait comme une petite enquiquineuse. Elle était la seule enfant du doyen à travailler dur, et elle trimait pour qu'Ikon soit une réussite, pour prouver à Leo qu'elle était vraiment une femme moderne formidable.

Et puis il y avait Cosmo. Cosmo qui souriait à tout le monde, ne se démontait jamais et mettait tout son cœur à bousculer ce qui paraissait ordonné, harmonieux ou constructif. C'était le plus expansif de ses enfants, adoré depuis son enfance par tous les paroissiens, et le doyen le voyait davantage comme un héros de roman de John Wyndham que comme son propre fils. Le doyen trouvait Cosmo extrêmement dangereux et l'on devait apporter toute l'aide possible à Mr. Miller qui luttait pour assurer son radeau dans la tempête. De fait, lorsqu'il siffla Benedict qui manifestait un intérêt de labrador insatiable pour une poubelle, le doyen se sentit plus solidaire de Mr. Miller que de sa femme ou de son fils. Il allait téléphoner à Mr. Miller et le voir seul à seul ; à l'insu de Bridget, si nécessaire.

Il retourna chez lui et contempla avec joie et soulagement la face ouest de la cathédrale. Là résidait la réponse, là se trouvait tout le Bien, le Juste et le Beau. Le doyen était prêt à donner à cet édifice tout ce qu'il pouvait offrir : après tant d'années de désillusion, il ne doutait plus à présent que le grand bâtiment fût au sens strict la maison de Dieu, le seul endroit où Il pût vivre.

Frank Ashworth s'habilla avec un soin particulier pour aller au doyenné. Non par respect mais par opportunisme : ses vieux gilets familiers n'auraient pas autant de poids dans le bureau du doyen que ce costume sombre. Sally l'avait aidé à le choisir à la vente de liquidation du vieux magasin de vêtements pour hommes où son père — Frank s'en souvenait — avait acheté un chapeau noir pour l'enterrement de sa mère. Frank était allergique à toute originalité vestimentaire et ne s'était laissé convaincre de prendre le costume que parce qu'il était à sa taille (trapue), qu'il ne coûtait que soixante livres, et parce que Sally avait dit que c'était le plus terne qu'elle ait jamais vu.

Quand le doyen ouvrit la porte, avec son col romain et son gilet gris — Frank ne pouvait pas savoir que c'était du cachemire —, Frank pensa que l'entrevue s'annonçait bien.

— Mr. Ashworth.

— C'est très aimable à vous de me recevoir, Mr. Cavendish...

— Je vous en prie. Tout le plaisir est pour moi. Asseyez-vous...

Il y avait un bouquet de roses sur le bureau du doyen, un chien accueillant sur le tapis devant la cheminée et, sur un plateau, une carafe de sherry avec des verres, que le soleil faisait briller.

— Sherry ?

— Pas pour moi, merci. Ça ne me réussit pas.

— Gin ? Gin-tonic ?

62

— Du tonic m'ira très bien, dit Frank lentement.

Un verre de cristal fut déposé près de lui, débordant de glace, de citron et de bulles.

— À votre santé...

— Je suis venu vous faire une proposition, Mr. Cavendish.

Hugh leva les yeux au plafond d'un air réfléchi.

— J'avais supposé que telle pouvait être votre intention.

— Les habitants de cette ville ne profitent pas assez de la Clôture.

Le regard de Hugh quitta la rosace de plâtre du plafond et redescendit rapidement sur Frank Ashworth.

— C'est un choix, Mr. Ashworth. La Clôture est ouverte à tous, de même que la cathédrale. Ils choisissent, en toute liberté, d'autres parties de la ville.

Frank dit calmement :

— Parce qu'ils savent qu'ils ne sont pas les bienvenus.

— Pas les bienvenus ? C'est absurde.

Frank avala sans se presser une gorgée de tonic.

— Ils ont l'impression que la Clôture n'est pas faite pour eux. Elle est trop grandiose. Il n'y a pas un endroit de la Clôture qui leur appartienne.

— Elle leur appartient entièrement, dit le doyen avec application.

— Je le répète. On ne leur donne pas

l'impression d'être les bienvenus. Ils se sentent déplacés.

Le doyen se leva et alla à la fenêtre. Benedict, sur le tapis devant la cheminée, sentit une tension et eut un regard inquiet. Le doyen revint sur ses pas.

— Mr. Ashworth, vous et moi avons peut-être une notion différente de l'accueil. La cathédrale est un édifice sacré où le respect de Dieu et de Ses fidèles se manifeste par le silence et l'absence de mouvements importuns. Ceux qui ne professent pas la foi chrétienne sont les bienvenus dans la cathédrale mais, compte tenu de ce que je viens de vous dire, ils ne sont pas autorisés à courir, à jouer à des jeux ou à écouter fort de la musique profane. On attend assez naturellement la même attitude respectueuse — respectueuse des autres humains autant que du Tout-Puissant — à l'égard de la Clôture qui, en raison de sa proximité avec la cathédrale, n'est pas tout à fait un jardin public ordinaire.

— En effet.

Le doyen attendit.

— Je ne suis pas en train de suggérer que la Clôture devrait ressembler aux jardins du Lyng. Je dis seulement qu'elle ne devrait pas effrayer les gens.

Le mot « prétentieux » vint à l'esprit de Frank, mais c'était un professionnel de l'argument non subjectif, aussi l'écarta-t-il.

— J'ai une proposition.

— Ah ! dit le doyen.

— La maison du principal de King's School

est la propriété du doyen et du chapitre, il me semble. C'est une grande maison, Mr. Cavendish. Quatorze ou quinze pièces ? Elle est actuellement occupée par Mr. et Mrs. Troy, qui n'ont pas d'enfants avec eux et doivent utiliser six pièces. Je voudrais proposer au conseil municipal de faire une offre au doyen et au chapitre pour cette maison, et de la transformer en lieu de rencontre pour la ville : une crèche, un café, une bibliothèque de journaux et de périodiques, et même une galerie d'art pour les artistes locaux...

Le doyen surmonta un début d'affolement semblable à celui que provoquaient chez lui les conversations avec sa femme.

— Cela... cela me paraît extrêmement original. Serait-ce... serait-ce une sorte de club ?

— Je n'aimerais pas ça. Je veux que la Clôture soit ouverte à tous...

— Je dois consulter les autres, vous comprenez, mais je ne suis pas très optimiste, Mr. Ashworth. Cette maison est probablement la plus belle de la Clôture, et le principal doit être convenablement logé, voyez-vous, il a des obligations...

Frank se leva.

— Voudriez-vous aborder la question à la prochaine réunion du chapitre ?

— Eh bien... oui... j'imagine qu'il le faut puisque vous le demandez, mais cette proposition ne me paraît vraiment pas du tout opportune, ni même nécessaire...

— Si vous habitiez dans la vraie ville, vous verriez qu'elle est nécessaire.

Le doyen se rapprocha de Frank et le dévisagea.

— Et les hospices ? Les archives pourraient certainement être entreposées ailleurs, et le conseil possède déjà la moitié du bâtiment...

— Ce serait loin de convenir aussi bien. Il n'y a pas de jardin. Je ne suis pas homme à me contenter de pis-aller.

Le doyen recula d'un pas.

— Je suppose, dit-il froidement, que vous faites cette proposition dans des intentions sincères et honorables. Vous ne menaceriez pas d'une offre publique d'achat, n'est-ce pas ? Parce que je dois vous dire que nos statuts nous protègent, les statuts accordés par Henri VIII...

Frank se dirigea vers la porte. Quand il l'atteignit, il s'arrêta et se retourna pour regarder le doyen.

— Je ne songerais pas à menacer, Mr. Cavendish. Ce ne serait pas nécessaire. Je ne fais que suggérer que nous pourrions nous rendre mutuellement un petit service.

— Un petit service ?

— Je dirais que la maison vaut une jolie somme, et vous êtes toujours à court d'argent à la Clôture.

— Je pense que cela ne regarde pas le conseil municipal, Mr. Ashworth.

Frank haussa les épaules.

— Bien, dit-il avec l'insouciance apparente que ses opposants au conseil avaient appris à redouter, ce n'est qu'une idée. Pensez-y... mais ce n'est qu'une idée.

Quand Sandra entra dans le bureau d'Alexander Troy pour annoncer que le doyen était au téléphone et voulait parler d'une affaire assez délicate, la réaction d'Alexander fut l'irritation.

— Dites-lui que je suis en réunion et demandez-lui de prendre rendez-vous.

Sandra avait un respect agaçant pour la stricte vérité.

— Mais vous n'êtes pas en réunion. Je lui ai dit que vous étiez disponible.

— Alors je suis en cours.

— Mais vous ne l'êtes pas !

— C'est une conversation stupide, déclare-t-il avec humeur.

Elle baissa la tête. Il était inutile de lui faire remarquer que c'était lui qui l'avait rendue telle.

— Je ferai ce que je pourrai...

— Oh, fit-il exaspéré en saisissant le téléphone sur son bureau, je le prends, naturellement. Allô ? Allô ?

Sandra retourna dans son bureau. Cela faisait dix jours que Mrs. Troy était partie et on n'avait aucune nouvelle d'elle en dehors d'une carte postale, la reproduction d'un Turner de la Tate Gallery, avec au dos un cachet impossible à déchiffrer et les mots « Ne t'inquiète pas ». Alexander transportait partout cette carte postale comme un talisman, et Sandra l'avait vu méditer en vain pendant des heures sur le cachet de la poste. Peut-être devait-elle essayer de considérer sa mauvaise humeur avec elle comme un compliment ; après tout, il ne se montrait jamais irritable avec les élèves, et il fallait bien qu'il se défoule. Mais comme c'était curieux — et fascinant — de voir que, dans une telle situation, un ecclésiastique était aussi vulnérable que n'importe quel homme.

« Ce sont de vrais hommes, vous savez, disait Sandra à ses amis. Au fond ! Seulement, ils ne peuvent pas le montrer. »

Puis, sur le ton de la confidence : « C'est vraiment dur pour leur femme, c'est sûr. »

Avant de venir travailler à King's School, Sandra n'aurait jamais cru que les épouses de clergymen se comportaient comme les autres ; elles avaient forcément une sorte d'élévation morale qui les immunisait contre le ressentiment, la négligence, la jalousie ou l'insatisfaction. Ne partageaient-elles pas automatiquement et dans la joie l'engagement de leur mari vis-à-vis de Dieu et de l'humanité ? Elle l'avait une fois suggéré timidement à Felicity Troy dans un de ces rares moments d'intimité où elles avaient épongé ensemble les débordements d'une machine à laver et Felicity avait dit : « Je crois que vous devriez regarder ce que vous voyez et non ce que vous vous attendez à voir. C'est peut-être ce qu'éprouvaient les femmes de missionnaires victoriennes, mais aujourd'hui... »

Sandra avait commencé à regarder, et l'observation silencieuse des couples de la Clôture était devenue une habitude. Parmi eux, celui de l'évêque et de sa femme était probablement celui qui se rapprochait le plus de ses idées préconçues, mais il faut dire que les Young étaient un couple essentiellement secret. Qui aurait pu deviner les luttes qui se menaient au palais derrière les hautes fenêtres que Janet Young nettoyait laborieusement elle-même ? Ils étaient aussi secrets que les Cavendish étaient publics — un coup d'œil suffisait pour constater que Mrs. Cavendish était une maîtresse femme, qui trouvait ses enfants tellement parfaits qu'elle les laissait rôder dans les rues habillés en hippies tandis qu'elle allait une fois par mois à Londres avec ses ensembles de chez Jaeger et ses perles. Il est vrai qu'elle avait de l'argent. Cela changeait tout. Sandra savait que les femmes du clergé vivaient pour la plupart avec à peu près la somme qu'elle gagnait comme secrétaire, or elle vivait chez ses parents, et son petit ami, qui avait des idées démodées, ne la laissait pas payer grand-chose, si bien que son salaire ne représentait guère plus que de l'argent de poche. Mais les femmes de clergymen devaient manger, s'habiller, se chauffer et élever des enfants avec cet argent-là, et les paroisses n'aimaient pas qu'elles se disent pauvres ; Sandra tenait cette information de première main parce que dans la paroisse de sa mère, là-bas à Coombebrook, on avait pris l'air pincé quand le vicaire avait demandé des bûches et du charbon pour l'aider pendant l'hiver. Rien d'étonnant à ce que ces femmes aillent presque toutes travailler, qu'il leur reste si peu de temps ou d'énergie pour le travail paroissial, et qu'elles ne puissent donc pas partager la vie de leur mari comme elles avaient pu le faire autrefois. Sandra avait de longues conversations avec sa mère sur ce thème, ce qui ne la menait nulle part car sa mère était très vieux jeu.

Par exemple, elle prenait de très haut ce qu'elle appelait les « numéros de disparition » de Felicity, mais Sandra avait désormais davantage de jugement. Elle détestait voir souffrir Alexander, mais elle savait que Felicity connaissait des difficultés dont aucune personne étrangère ne pouvait juger. Dans un couple, si l'on n'était pas très attentif l'un à l'autre, Dieu pouvait réellement devenir un obstacle, parce que pour certains hommes il était à l'évidence plus facile d'être plus amoureux de l'Église que d'une femme. Dieu avait son côté impersonnel. Il ne se sentait pas négligé, exploité, il n'avait pas de maux de tête, et le considérer, toujours, comme la priorité avait l'approbation du monde entier. Le monde vous applaudissait si vous administriez bien votre paroisse et vous plaignait si votre femme était névrosée, toujours occupée, ou ne vous soutenait pas ; mais ce que le monde en général ne voyait pas, c'est que, sentimentalement, la paroisse ne vous prenait pas un centième autant, même si vous y teniez beaucoup, et que, par conséquent, lui consacrer votre temps plutôt qu'à une femme et des enfants était essentiellement une fuite.

Alexander sortit de son bureau.

— Le doyen vient à six heures. Soyez mignonne et courez acheter une bouteille de sherry fino, voulez-vous ? Il ne me reste qu'un doigt du whisky de Mr. Cottrell. Et excusez-moi de m'être emporté...

Sandra dit impulsivement :

— Il ne faut pas prendre le départ de Mrs. Troy personnellement, vous savez. Parce que ça n'est pas dirigé contre vous. C'est à cause d'Aldminster, de la Clôture et de l'Église.

Elle devint très rouge.

— Je suis sûre que je ferais pareil à sa place.

Alexander ne dit rien, et il posa un billet de cinq livres sur le bureau de Sandra.

— C'est drôle que vous disiez cela, je pense souvent que cela ne me déplairait pas de m'enfuir quelque temps moi-même si je le pouvais. Voilà l'argent pour le sherry — allez-y vite, sinon les magasins seront fermés et je devrai lui offrir du Nescafé.

— J'ai eu une visite très bizarre ce matin, dit Hugh Cavendish, je dois dire que j'ai été pris de court. Frank Ashworth est venu me faire tout un discours à propos de la Clôture, qui n'est pas accueillante pour les citoyens d'Aldminster. Puis il a dit qu'il voulait que le conseil municipal puisse acheter une propriété ici pour en faire une sorte de centre social où les gens puissent se sentir chez eux. Naturellement, il n'y est pas allé par quatre chemins. Il a dit que c'était sur cette maison qu'il avait des vues.

— Cette maison ?

Depuis le matin, le doyen s'était ressaisi.

— Bien entendu, je lui ai fait nettement

comprendre que ce n'était même pas le début d'une proposition.

— Il est sérieux ?

— Fondamentalement, oui. Je ne pense pas que Frank Ashworth parle jamais en l'air, c'est pourquoi je devais vous en référer, de même que je le ferai à la prochaine réunion du chapitre. Je pense qu'il poursuivra son idée, et nous devons être armés. Je lui ai déjà suggéré l'idée de l'hospice.

Alexander se leva et alla s'appuyer contre la cheminée.

— Je suis horrifié. Pourquoi faut-il que tout soit dévalorisé ? Pourquoi l'excellence est-elle un vilain mot, pourquoi les gens ont-ils le droit de se conduire exactement comme ils veulent ? Pourquoi les y encourage-t-on même en leur offrant un bel endroit à souiller...

— Je crois, dit le doyen d'un ton égal, que Frank Ashworth est un socialiste ancienne manière, convaincu que l'humanité est foncièrement bonne...

— Ne me dites pas que vous le croyez !

Le doyen ne répondit pas.

Alexander demanda d'une voix forte :

— Êtes-vous venu me dire que vous avez l'intention de proposer à la prochaine réunion du chapitre de vendre cette maison au conseil municipal ?

— Au contraire. Je suis venu vous prévenir de ce que Frank Ashworth a en tête et discuter avec vous de la tactique que nous devrons adopter lorsqu'il reviendra à la charge, ce qui ne manquera pas d'arriver.

— Est-ce que le conseil est avec lui ?

— S'il ne l'est pas déjà, il le sera bientôt. Nous devons présenter un front uni. Heureusement, les chanoines ne feront pas de difficultés.

— Cette maison est-elle protégée par les statuts ?

Le doyen pesa ses mots :

— Je croyais qu'elle l'était, mais je crains de m'être trompé. Il y a eu une révision de la propriété de la cathédrale sous Cromwell. Mais naturellement cette maison est trop récente pour y être incluse.

Alexander se rassit.

— Vous avez été très aimable de venir. Après tout, je suis le principal et je dois habiter là où on me dit d'habiter.

Le doyen se pencha en avant et dit d'une voix très différente, pleine de sollicitude :

— Mon cher ami, je ne sais comment vous dire combien je suis désolé...

— Les tensions s'accumulent, vous comprenez, dit Alexander précipitamment, affolé à l'idée que le doyen mentionne le nom de Felicity. Vous savez ce que c'est...

— Mais oui, mais oui...

— Je vais réfléchir à cette proposition. L'hospice pourrait peut-être vraiment...

— Si quelqu'un vous en parle, vous voudrez bien dire que le doyen et le chapitre examinent la question ?

Alexander commença à se dire que le véritable but de la visite du doyen avait été de lui exprimer sa sympathie à propos de la disparition de sa femme plutôt que de le consulter sur la proposition de Frank Ashworth qui, au fond, le laissait sans aucun moyen d'action. Pour essayer de montrer sa gratitude, il dit avec un certain enthousiasme :

— Au moins, nous pouvons nous réjouir de l'inauguration prochaine de l'orgue.

Le visage du doyen s'illumina.

— Ce sera un grand événement. Les billets sont tous vendus depuis déjà deux semaines.

Il se leva et posa la main sur l'épaule d'Alexander.

— Pour tout vous dire, je ne vois pas de raison de vendre cette maison. Alors soyez rassuré. Si le conseil municipal a de l'argent à jeter par les fenêtres, il peut faire construire spécialement un centre de loisirs.

Puis il ajouta : « Et je vais prier pour que vous ayez de bonnes nouvelles. »

Après son départ, Alexander se servit un autre verre de sherry, puis il alla tout au bout de la maison dans l'effrayant office victorien et posa la bouteille sur une étagère difficile à atteindre afin de ne pas être tenté d'en reprendre. Il retourna dans son bureau pour les quelques minutes qui restaient avant les prières du soir, qu'il assurait une fois par semaine pour l'école ; obligatoires pour les moins de quatorze ans, facultatives pour les plus âgés, elles étaient, en général, étonnamment bien suivies. Il ne l'expliquait pas tant par la piété des garçons que par le fait que ceux-ci trouvaient instinctivement dans les dévotions du soir une atmosphère particulière et mystérieuse ; on voyait à leur visage que beaucoup étaient émus. S'il devait punir un élève, une entrevue après complies était généralement fructueuse pour l'un comme pour l'autre.

Felicity lui disait souvent qu'elle trouvait les hommes et les garçons terriblement romantiques. « Regarde-les, lui disait-elle quand toute l'école était réunie devant eux, ils croient vraiment à la réalisation de leurs rêves. Ils y croient. » Elle parlait avec chaleur, presque avec envie. Il savait qu'elle avait des rêves, et que l'unique exutoire aux débordements presque visionnaires de son imagination était ses poèmes, retravaillés sans fin et douloureusement. Il connaissait aussi son immense sens pratique féminin, un réalisme qui avait dû parfois lui apparaître comme un ennemi pour sa perception poétique. Pourtant, l'un et l'autre étaient enracinés en elle, ils la constituaient, ils en faisaient l'être déconcertant et adorable qu'elle était et aussi, probablement, l'entraînaient au bord du désespoir, l'amenaient à fuir pour se libérer physiquement de l'engrenage d'un combat entre la raison et l'âme. Il retournait prudemment une idée dans sa tête : peut-être cela risquait-il de la briser, de ne pas pouvoir croire logiquement à ses rêves et à ses visions ? Il voulait qu'elle lui en parle, qu'elle lui dise ce qu'elle ne pouvait pas supporter, dans leur façon de vivre ou, même, chez lui. Elle avait toujours été réservée, ce qui lui donnait une dignité gracieuse — l'un des charmes qui l'avaient attiré au début —, mais en vieillissant elle s'était retranchée plus profondément et il devait recourir à ses poèmes pour la comprendre ; et ils étaient souvent très obscurs. Elle ne lui faisait jamais de reproches ; elle souriait toujours et se montrait aimante, mais avec légèreté, parfois presque de façon distraite. Elle lui manquait, c'en était affolant. Et si, cette fois-ci, elle ne revenait pas ? Et si le conseil municipal achetait de force cette jolie maison, ce qui l'enverrait dans l'appartement vide en haut du bâtiment principal de l'école, où il finirait par redouter les vacances et se mettrait sans aucun doute à boire ?

Il se redressa brusquement. Cela n'allait pas du tout. Il avait toujours proclamé qu'après l'hystérie ce qu'il détestait le plus était que l'on s'apitoie sur soi-même. Il allait monter se brosser les dents énergiquement avant de descendre pour complies, parce que les garçons adoraient renifler l'air comme des chiens pour détecter à leur grande joie le moindre souffle d'alcool autour des membres du corps enseignant après six heures du soir. « Ils s'imaginent que nous descendons notre gin dans les placards à l'instant où la cloche sonne six coups », avait dit un jour Leo Beckford.

Arrivée de Londres pour le week-end, Ianthe Cavendish fit s'arrêter le taxi en haut du Lyng. De cette façon, elle pouvait atteindre le doyenné en contournant la Clôture et passer par la petite cour du XVIe siècle, au nord, où se trouvaient le bureau du chapitre, le chantier de la cathédrale et deux maisons de guingois à colombages où habitaient côte à côte l'organiste et son suppléant. L'organiste suppléant, Martin Chancellor, avait une femme et un bébé ; une corbeille de lobélies et de pélargoniums striés était suspendue devant sa porte, le marteau de cuivre brillait et il y avait trois bouteilles de lait lavées dans une petite caisse spéciale sur le seuil. Les rideaux étaient tirés et, derrière, sans aucun doute, Martin et Cherry Chancellor — qui enseignaient tous deux à temps partiel dans des écoles de la ville — notaient des cahiers ou regardaient BBC 2 une fois la vaisselle faite, le bébé endormi et la table déjà mise pour le petit déjeuner du lendemain.

Les rideaux de Leo n'étaient pas tirés, Ianthe s'y attendait. Il n'y en avait d'ailleurs qu'un, parce que Leo avait un jour décroché l'autre pour envelopper le violon d'un ami qui allait à Londres et le rideau n'était jamais revenu. Leo avait allumé le plafonnier et quatre lampes, il était assis au piano avec une partition et un crayon et il portait un T-shirt marqué « Warwick University Ski-Club » dans le dos, ce qui était bien du genre de Leo qui n'avait jamais vu l'université de Warwick ni une piste de ski, même de loin. La maison était de plain-pied avec la cour pavée du chapitre, et Ianthe pouvait poser les coudes sur le rebord de la fenêtre de Leo pour regarder commodément. Si elle frappait à la vitre, il ne le remarquerait probablement pas, car elle n'avait jamais connu quelqu'un d'aussi concentré que Leo.

Dans ses plus beaux rêves, elle imaginait cette force de concentration dirigée sur elle seule — elle se sentit consumée par une flamme prodigieuse. Elle l'observa, son épaisse chevelure en broussaille, ses vertèbres qui se dessinaient sous le T-shirt tandis qu'il se courbait sur le clavier, ses jolies petites fesses sur le tabouret et ses mains, tellement intelligentes — seule la droite était bien visible —, qui se déplaçaient, expertes, sur les touches. C'était drôlement excitant de le contempler comme ça, en cachette. Elle y penserait quand elle le verrait entrer samedi dans la cathédrale pour ce service qui allait fêter la restauration de l'orgue ; il aurait son surplis et peut-être même se serait-il peigné, et elle seule connaîtrait l'adorable Leo négligé et secret.

Elle cogna à la fenêtre. Il n'entendit pas et elle cogna de nouveau, plus fort. Il se retourna avec mauvaise humeur et vint ouvrir la fenêtre.

— Va-t'en, Ianthe, je travaille.

— Comment avez-vous su que c'était moi ?

— Parce que c'est vendredi et que j'ai vu ta mère aujourd'hui, chez Sainsbury.

— Je peux entrer ?

— Non.

— Cinq minutes ?

— Nous avons cet énorme concert demain et mille détails de dernière minute à...

— Je ne reste qu'une seconde, c'est promis. J'ai apporté de la vodka.

— Toi et Petra, vous buvez trop.

Ianthe posa sa bouteille par terre dans la pièce et elle essaya de se hisser sur le rebord de la fenêtre.

— Sers-toi de la porte, dit Leo grossièrement, sans l'aider.

Hors d'haleine, elle arriva à entrer en se tortillant et tomba sur le tas de livres et de boîtes.

— Cinq minutes, dit Leo, et ensuite je te mets dehors.

Elle lui fit un sourire rayonnant.

— Je suis si heureuse de vous voir.

— Je suis d'une humeur massacrante et je ne veux voir personne.

Elle se fraya un chemin jusqu'à la cuisine, dégoûtante, et revint avec deux verres douteux.

— Ça me console toujours de voir que cette maison est tellement repoussante qu'aucune autre femme ne pourrait la supporter. La pagaille me prouve au moins que vous n'avez pas de femme.

— Qui voudrait de moi ? dit Leo imprudemment en versant la vodka.

— Oh ! moi, moi, moi...

— Tu ne comptes pas.

Ianthe prit soudain un visage triste et grave.

— Un jour, je compterai.

Il la regarda. Elle demanda : « Vous me trouvez un peu jolie ? »

Il continua de la regarder. Il réfléchit un instant et dit :

— Tu es certainement belle, mais tu as l'air trop artificiel et trop agressif. Pourquoi ne laisses-tu pas tes cheveux faire ce qu'ils veulent ?

— J'aime cette coiffure.

— Alors ne me demande pas si je te trouve jolie.

— J'ai besoin de savoir, dit-elle humblement.

Quand elle se faisait soumise, elle déclenchait toujours un signal d'alarme dans la tête de Leo.

— J'ai une mission à te proposer, pour que tu y consacres ton trop-plein d'énergie.

— Oh, quoi ? quoi ?

— Un enfant perdu vient d'arriver chez nous, un ancien choriste, chômeur et sans domicile. Parle avec lui et vois si quelqu'un peut l'aider d'une façon ou d'une autre. Nous ne savons plus trop quoi en faire, et c'est un poids sur ma conscience parce que c'est moi qui l'ai trouvé en train de pleurer dans la cathédrale. Je vous présenterai.

Leo regarda sa montre.

— Fini. Dehors.

— Oh !

Il prit la bouteille de vodka et la fourra dans la poche de l'immense veste en coton noir de Ianthe.

— Dehors.

— Vous m'embrassez ?

— Non. C'est devenu très dangereux, d'embrasser. J'ignore où tu as traîné.

— Oh ! Leo...

Il la prit par le bras et la poussa à travers le vestibule vers la porte.

— Bonne nuit, Ianthe.

Elle ouvrit grand la bouche.

— Si tu cries, dit-il, tu vas réveiller le bébé Chancellor, et Cherry va arriver en robe de chambre. Elle te grondera très, très longtemps et je serai vraiment furieux parce que je dois me remettre à travailler. Bonne nuit.

Quand il eut fermé la porte, elle s'arrêta sur le seuil et s'assit les bras autour des genoux, en se répétant avec chagrin et délice que c'était un beau, un merveilleux salaud, et qu'elle espérait de tout son cœur ne jamais surmonter, en grandissant, le martyre des sentiments qu'elle éprouvait.

4

Pour être présentable à la cathédrale, Nicholas Elliott dut emprunter une veste dans le placard de vêtements usagés. C'était une idée de
Sandra. Tous les autres s'étaient peu à peu
désintéressés de lui, pour la bonne et simple
raison que ses problèmes ne semblaient pas se
résoudre et qu'il restait désemparé et un peu
désespérant. Aussi Sandra était-elle restée la
dernière responsable de son sort, horrifiée qu'il
ait l'intention d'assister à l'office vêtu d'un jean
et de ces sweat-shirts superposés qui constituaient apparemment toute sa garde-robe.
Mrs. Cavendish fournit un pantalon de velours
côtelé gris, qui lui avait été donné à l'intention de Cosmo, lequel s'était indigné à l'idée
de le porter ; et Sandra trouva dans le placard
des vêtements usagés une veste de tweed irlan-
dais, qu'elle trouva très bien, ainsi que des
chaussures noires et une cravate d'ancien de

King's School. Docilement, Nicholas accepta d'être habillé comme une poupée et éprouva un réconfort particulier à porter les vêtements de quelqu'un d'autre, d'un style pourtant étranger au sien. Quand il atteignit la cathédrale, il fut même content de porter une cravate ; c'était devenu l'insigne de son appartenance.

Sally Ashworth, qui entrait en même temps que lui dans la cathédrale, tout émue de voir qu'un ancien veuille assister à l'office, fut stupéfaite par le spectacle. Elle connaissait la cathédrale de fond en comble, elle pouvait faire remarquer aux visiteurs la splendeur massive des colonnes normandes surmontées par les arcs du clair-étage gothique et, naturellement, le chœur et le déambulatoire de style perpendiculaire, gloire de l'édifice — mais, ce jour-là, la sainteté imposante de la cathédrale, bondée, où s'entassaient des pyramides de fleurs éclatantes, avait une telle force, une telle grandeur que le lieu n'était plus du tout familier mais complètement nouveau et merveilleux. Le soleil de l'après-midi fusait par les hautes fenêtres au sud, comme les bâtisseurs l'avaient voulu à l'origine ; la lumière attirait le regard vers le haut et le conduisait le long des vastes ogives de la nef jusqu'aux fenêtres à rosace au-dessus du chœur. On aurait dit que tous les assistants regardaient en l'air, depuis les rangées bien ordonnées de la nef jusqu'à ceux qui étaient assis sur les marches de pierre des fonts baptismaux et le long des encadrements des tombes. Les suisses arboraient tous leurs médailles avec une expression de responsabilité évidente, et Leo, en haut dans sa tribune, interprétait une fugue de Bach. Nicholas, jouant des coudes dans la foule du bas-côté pour atteindre la place que lui avait attribuée Alexander au-dessous du jubé, se rappela qu'avant chaque morceau de Bach que son propre organiste apprenait au chœur, il disait : « Vous allez trouver cela très émouvant. » Leo jouait admirablement. Tous les visages de la nef, de rangée en rangée, reflétaient plus ou moins consciemment l'effet produit par l'édifice, la musique et l'occasion ; mélange de puissance, d'enthousiasme et de paix. Nicholas plongea à sa place et leva la tête. Si une colombe était apparue sur l'un des rayons moelleux de la lumière tout là-haut, il n'en aurait pas été surpris du tout. Le morceau de Bach s'acheva, l'assistance s'ébroua un moment dans des grincements confus, puis, pour annoncer le début du service, Leo attaqua triomphalement la « toccata » de la *Cinquième Symphonie* de Widor.

Au niveau de la moitié de la nef, Sally Ashworth, vêtue d'un nouveau tailleur de lin crème très épaulé, se demanda ce qu'il jouait. Elle se dit que le morceau précédent était du Bach, mais elle n'avait pas de liste parce que les deux cent cinquante premières personnes les avaient toutes prises, et personne à côté d'elle ne semblait en avoir non plus. Henry avait un tout petit solo, et, tout en sachant, bien entendu, qu'elle le reconnaîtrait dès le début, elle voulait savoir quand s'y attendre. Elle lui avait demandé au petit déjeuner s'il avait le trac.

— En ce moment, un peu. Mais je l'aurai pas quand je chanterai. On y pense plus.

Et il avait ajouté :

— J'aimerais un peu que papa soit là.

Sally avait été secouée. Henry et elle ne parlaient pas souvent d'Alan, trop occupés par leurs activités, aussi Sally oubliait-elle parfois de l'inclure, même en pensée, dans leur univers, et elle éprouvait ensuite un sentiment mélangé de culpabilité et de défi. Henry ne prononçait presque jamais son nom, sauf pour évoquer de temps à autre des choses qu'ils avaient faites ensemble et qui lui avaient plu, et Sally ne l'avait jamais entendu souhaiter à haute voix qu'Alan fût avec eux.

— Tu pourrais lui écrire pour lui raconter, dit-elle sans conviction.

— Ça serait pas pareil.

— Non. — Elle le regarda intensément. — Je suis désolée, Henry.

— C'est pas ta faute...

— Je suis désolée quand même. Pour toi.

— Les autres pères, dit Henry sans aigreur particulière, habitent avec leurs enfants et travaillent ici. Des fois, ils les accompagnent à l'école, tout ça...

— Papa doit penser qu'il ne pourrait pas trouver un aussi bon travail ici. Aussi intéressant et aussi bien payé...

— Le père de Hooper est pilote et, lui, il rentre à la maison.

— Henry, dit doucement Sally, je ne peux rien y faire.

Il se tut. Elle attendit un instant puis il lui

demanda s'il pouvait emporter une barre de Crunch et il s'élança au premier étage, en la laissant dans la culpabilité, certaine qu'elle aurait pu faire quelque chose si elle l'avait voulu.

Dans la cathédrale, la culpabilité était toujours là. Sally n'avait même pas écrit à Alan depuis plus de deux semaines ; il ne savait pas qu'Henry devait chanter en solo, encore moins qu'il était devenu choriste. Penser à Alan l'irritait toujours, ce qui était supportable, mais aujourd'hui elle était malheureuse et ce n'était pas supportable du tout. Elle essaya de se concentrer sur l'architecture. Elle se rappela la voix d'Henry chantonnant « Per, perp, perpendiculaire » après un cours sur l'architecture de la cathédrale, parce que, comme tous ses camarades, il avait été enchanté par les termes utilisés. Elle eut l'impression horrible qu'elle allait pleurer.

L'orgue jouait un air solennel annonciateur d'un événement. L'immense assistance se leva dans un bruit de tonnerre et la procession s'avança dans la nef, avec à sa tête la grande croix d'Aldminster entourée de servants et de porteurs de cierges. Derrière les servants, venaient les choristes et les convers, l'organiste suppléant et Alexander Troy, puis une foule d'ecclésiastiques divers, honoraires ou résidentiels, le bedeau et le doyen, transporté, le clerc du chapitre et enfin l'évêque. Le trouble de conscience quant à l'objet précis de ce service, sur lequel le doyen avait insisté avec tant d'énergie, se voyait inscrit sur son visage. Des larmes roulèrent sur les joues de Sally et, en l'entendant renifler, sa voisine, une femme à l'air aimable, qui portait une robe nette et un cardigan beige, se tourna vers elle et lui tendit un mouchoir parfaitement repassé.

— Mon fils est choriste, dit Sally pour s'excuser.

La femme fondit encore davantage.

— Ah...

Elle parla en chuchotant à son mari. Il se pencha pour regarder Sally avec un intérêt bienveillant. La tête brune et bien coiffée d'Henry apparut puis disparut derrière les croisillons du jubé. À travers les haut-parleurs, le doyen souhaita la bienvenue à la congrégation et, dans une sorte de roulement lointain de tambours, tous se rassirent.

— Mon Dieu, nous vous remercions, dit Hugh Cavendish avec l'élocution particulière qu'il réservait à la cathédrale, de vous être révélé aux hommes et aux femmes, et de les avoir pourvus du grand don de la musique, avec lequel ils peuvent vous célébrer et vous glorifier.

Blotti contre le jubé, Nicholas Elliott se sentit balayé par des vagues délicieuses de joie et de désespoir.

— À vous, ô Dieu, dit le doyen, les fidèles de votre cathédrale d'Aldminster offrent cet orgue restauré dans sa gloire d'origine et reconstruit avec toute la compétence des facteurs modernes. Avec ce bel instrument, ô Dieu, puissions-nous vous manifester notre zèle infatigable pour la beauté du sacré.

Dans sa stalle, l'évêque tressaillit très légèrement. La « beauté du sacré » avait deux sens bien différents pour Hugh Cavendish et pour lui, malheureusement. Celle de Hugh Cavendish dressait glorieusement devant lui sur le côté sud du chœur ses somptueux tuyaux resplendissants : hommage à la foi des hommes en la gloire de Dieu, sans aucun doute, mais dans l'esprit de l'évêque, hommage superficiel malgré sa splendeur. Pour lui, la beauté du sacré résidait dans les possibilités infinies de l'âme humaine, constamment recouvertes par la bestialité de la conduite des hommes mais jamais tout à fait anéanties.

L'évêque était capable de colère mais pas de haine. Le synode l'exaspérait avec son penchant égoïste pour l'opinion individuelle plutôt qu'une volonté pastorale de présenter un front uni et secourable à son troupeau inquiet. Le synode se présentait divisé et en était presque fier. C'était aussi choquant que de dépenser ces milliers de livres pour un orgue, aussi historique fut-il, tandis que le monde vivait dans l'ignorance et le besoin. Il ne fallait pas y penser à présent. Il devait penser à la musique. En face de lui, une voix de garçon presque parfaite entonna un cantique : « Loue le Seigneur, ô, mon âme, loue le Seigneur. »

« Henry ! », pensa Sally. C'était un son étonnant. Tout autour d'elle, les gens s'étaient immobilisés dans l'attitude particulière de l'écoute attentive. Henry se tut et, un mezzo, puis un second, reprirent la mélodie.

Nicholas Elliott baissa la tête sur ses genoux. Il avait été soprano. Mais ce petit était meilleur qu'il ne l'avait jamais été lui-même et il chantait avec un naturel tout à fait extraordinaire et étrangement digne. Nicholas se redressa. C'était pitoyable d'éprouver cette nostalgie envieuse. Pitoyable. Il prit une résolution. Après le service, il passerait à la résidence du chapitre où les religieux et le chœur allaient prendre le thé, il trouverait ce garçon et lui dirait qu'il avait été formidable.

— Quel succès ! dit plus tard Alexander à Leo dans la salle capitulaire.

Leo eut un air un peu évasif.

— C'est drôle, toute la musique était sacrée mais l'atmosphère plutôt séculière...

— Pas du tout.

— C'était plus un concert qu'un service.

— C'était magnifique. L'assistance s'est retenue pour ne pas applaudir.

— C'est bien ce que je disais.

Un garçon apparut avec un plateau.

— Sandwich, monsieur ?... monsieur ?...

Leo examina les sandwiches.

— Qu'est-ce qu'il y a dedans ?

— Du jambon, je crois, répondit Hooper. En tout cas, c'est rose.

— C'était très bien..., dit Alexander.

— Merci, monsieur, dit Hooper intimidé.

— J'aimerais mieux du concombre, Hooper, dit Leo, et j'aimerais que tu finisses les notes aussi nettement que tu les commences.

— Excusez-moi, monsieur. Je vais chercher Ashworth. C'est lui qui a ceux au concombre.

— Pourquoi êtes-vous si dur avec eux ? demanda Alexander quand Hooper se fut éloigné.

— Je suis terriblement exigeant. Ils comprennent cela très bien. Hooper sait aussi bien que moi quand il fait une erreur.

Henry Ashworth arriva avec un énorme plateau dans les mains, suivi d'une jolie femme en costume crème aux cheveux longs jusqu'aux épaules et de Nicholas Elliott.

— Monsieur !...

— Du concombre et une délégation...

— Mrs. Ashworth, se hâta de dire Alexander en souriant, j'espère que vous débordez d'une juste fierté.

— Oh, je suis...

— Il est formidable, dit Nicholas à Leo, vraiment formidable ! Ce qui m'a frappé...

— Tu entends ça ? demanda Leo à Henry.

Henry fixait intensément les sandwiches.

— Je suis content de toi, dit Leo.

Alexander mit la main sur l'épaule d'Henry.

— Va donner à manger aux chanoines, Ashworth. Ils sont toujours affamés, surtout les chanoines honoraires. Le vieux chanoine Savile, qui est mort l'année dernière, arrivait toujours aux réunions du chapitre à cheval et il faisait une entrée fracassante en réclamant des sandwiches parce que sa chevauchée lui avait donné faim. Vous voulez bien m'excuser ?

— Je vous dois des excuses, dit Sally en regardant Leo avec le naturel qu'il retrouvait chez son fils. C'était idiot de ma part de vous téléphoner l'autre soir. Si j'avais seulement eu la patience d'attendre jusqu'à aujourd'hui, j'aurais eu la réponse à ma question.

Elle regarda Nicholas et eut un sourire confus.

— J'ai téléphoné un soir tard à Mr. Beckford pour lui demander si Henry avait seulement une belle voix ou une vraiment belle voix.

Encore excité par sa décision d'être généreux, Nicholas lui rendit son sourire et répéta :

— Il est vraiment formidable.

— C'est aussi un brave garçon, dit Leo. Très direct. Aucune difficulté.

— Il n'est pas difficile à la maison. Naturellement, il n'est pas encore...

— Hello, dit Ianthe Cavendish.

Elle portait sa veste de coton noir, une longue jupe tube en tricot de coton rayé et une seule boucle d'oreille en fil d'argent tordu, avec des perles noires.

Leo, mécontent, la toisa.

— Qu'est-ce que tu fais ici ?

— Je suis la fille du doyen, dit Ianthe. — Elle avait les ongles d'une main vernis d'une couleur prune. — Vous vous souvenez ?

Elle s'adressa à Sally.

— Hello.

— Je suis Sally Ashworth.

— Et voici Nicholas Elliott, dit Leo en s'interposant. Je t'ai parlé de lui.

Ianthe le dévisagea d'un air méfiant.

— Vous vous y connaissez, en musique ?

— Autrefois...

91

— En rock ?

— Ma foi, j'en écoute...

— Je dirige une maison de disques, dit Ianthe. Groupes de rock. Nous avons sous contrat des nouveaux groupes sensationnels. Hé !... — Elle se tourna de nouveau vers Sally. — C'était votre gosse ? Celui avec une voix formidable ?

— Elle ne parle pas toujours comme ça, dit Leo. Ça, c'est son accent des rues, pour la galerie. Elle peut être parfaitement normale quand elle veut.

— Écoutez, dit Ianthe à Sally en ignorant la remarque, ça me dirait d'engager votre gosse. Forcément, avec nous il chanterait pas ce genre de trucs...

— Va-t'en, dit Leo, soudain réellement fâché. Va te pavaner devant quelqu'un de plus impressionnable. Nicholas, emmenez-la. Dites-lui ce que vous voulez dans la vie et voyez si elle peut vous aider. Voyez si elle peut vraiment être utile pour une fois.

Une lueur pathétique adoucit le regard bravache de Ianthe, mais elle la réprima. Elle prit Nicholas par le bras.

— Vous n'êtes pas un peu dur ? demanda Sally après leur départ. Elle est terriblement jeune !

— Elle est terriblement sotte. Vous êtes la deuxième personne qui m'accuse de dureté cet après-midi. Je dois être en train de devenir hargneux à force de vivre seul et de ne penser qu'à la musique sacrée et aux petits garçons... Mon

Dieu ! ajouta-t-il en éclatant de rire, j'aurais pu tourner ça mieux...

— Vous ne trouvez pas bizarre que les enfants du doyen soient tous si... si peu orthodoxes ?

— Vous ne croyez pas que c'est inévitable ?

— Vous voulez dire à cause de l'Église ?

— Oui.

— Vous croyez que cette fille est amoureuse de vous. C'est pour ça que vous êtes si grossier avec elle.

— Elle croit l'être. J'essaie d'être aussi peu aimable que possible.

— Mais vous vous rendez très attirant, en étant grossier avec elle.

Leo la regarda.

— Vraiment ?

— Oui.

— Ciel ! Et si j'étais gentil, imaginez ce qui arriverait !

— Mais pas longtemps ! Intense, mais vite fini. Ensuite ça l'ennuierait.

— Que je sois gentil ?

— Oui. Parce que ça n'a pas autant de panache. C'est beaucoup plus sexy d'être désagréable et lunatique.

Leo lui fit un grand sourire.

— Il y a des siècles que je n'avais pas eu une conversation pareille. J'avais oublié à quoi ça ressemblait. Encore un peu de thé du chapitre ?

— Non, merci.

— Pourquoi m'avez-vous appelé, honnêtement, l'autre soir ?

Sally répondit sans hésitation :

— Par solitude.

— Mais Henry était à la maison et je présume qu'il a un père...

— Il est en Arabie Saoudite. Et Henry est un garçon, il est à part, et c'est un vrai musicien, or je ne suis pas musicienne, ce qui le met plus à part encore. Je ne me plains pas, je suis absolument bouleversée de fierté et de joie, mais je me suis rendu compte de cet écart. Et puisque vous m'avez posé la question, je vous réponds.

— Je n'avais jamais pensé aux mères, auparavant.

— Non, bien entendu. C'est parce que vous êtes un professionnel...

Le doyen approcha, radieux.

— Ah ! Les deux personnes que je tenais le plus à voir. Je ne vous féliciterai jamais assez, Beckford. Ç'a été un triomphe absolu. Si jamais la cathédrale a entendu une telle musique, il y a des années que ce n'était pas arrivé. Et voici Mrs. Ashworth. Chère Mrs. Ashworth. Quelle voix ! Nous savions qu'il avait du talent, mais aujourd'hui il s'est surpassé. Pourquoi seulement ce solo, Beckford ? Pourquoi n'en avons-nous pas entendu davantage ?

— Parce que, monsieur le doyen, quel que soit son talent, il n'est encore qu'à l'essai et que d'autres choristes ont plus d'expérience...

— Nous nageons dans les louanges, dit le doyen sans avoir écouté. Mrs. Knatchbull, de Croxton Manor, a fait venir à mon insu un

94

expert en instruments de musique du Victoria and Albert Museum qui est complètement renversé par l'orgue lui-même, indépendamment de sa restauration. Et d'innombrables personnes, mon cher Beckford, innombrables !, m'ont dit qu'elles ne connaissaient pas d'autre organiste aussi doué que vous pour le phrasé et le rythme. Le chœur est absolument envahi de visiteurs qui admirent l'orgue, carrément envahi ! Je regrette seulement que l'éclairage ne soit pas meilleur. Je ne sais comment vous remercier, Beckford, ni comment vous féliciter assez tous les deux. C'est un grand jour pour Aldminster, un grand jour...

Quand il eut disparu en tournoyant dans la foule, Sally dit :

— Je ne veux pas vous retenir. Et je ferai tout, à l'avenir, pour être une mère convenable qui ne se fait pas de souci.

— Je serais très déçu dit Leo, en s'étonnant lui-même. Venez à une répétition, si vous en avez envie. Je parle sérieusement.

Elle secoua la tête.

— Non. Et je dois partir. — Elle lui tendit la main. — Au revoir. Et félicitations.

Il fit une grimace. « Ne commencez pas vous aussi », dit-il.

Mais il tenait la main de Sally avec chaleur et il souriait.

Sally et Henry rentrèrent à la maison par le Lyng, achetèrent en route un poulet à la Kiev tout préparé, pour faire un dîner de fête, et de la glace aux pépites de chocolat pour Henry.

Quand ils arrivèrent, Mozart protesta parce que son dîner était en retard ; après l'avoir nourri, ils préparèrent leur propre repas et mangèrent à un bout de la table en pin avec la télévision posée en équilibre à l'autre bout, pour regarder un jeu épouvantable qui consistait surtout à humilier les candidats, ce qui les amusa beaucoup. Henry prit deux fois de la glace et Sally une tasse de café noir. Ils firent ensuite une partie de Trivial Pursuit, puis Sally emmena Henry prendre son bain et, finalement, elle lui lut le premier chapitre, terrifiant, de *Moonfleet,* où les cercueils des Mohune bondissent et se fracassent dans l'obscurité du caveau inondé. Après avoir éteint la lampe d'Henry, elle prit elle-même un bain et se mit au lit pour une voluptueuse séance de lecture — pas un roman intelligent écrit par une femme pour les femmes, comme d'habitude, mais de la poésie. C'était bon signe. Sally n'avait envie de poésie que lorsqu'elle était heureuse. Elle se coucha et choisit Brian Patten. Mozart entra et, après un brin de conversation, s'installa pesamment contre elle, puis ronronna avant de s'endormir, enfin silencieux.

À deux rues de là, plus près de la Clôture en montant le Lyng, Ianthe et Nicholas partagèrent une pizza et une bouteille d'Orvieto. Ianthe avait annoncé qu'elle invitait Nicholas parce qu'il devait être écœuré de la nourriture de l'école, et Nicholas, à qui elle ne plaisait pourtant pas du tout, était content de sortir de nouveau avec une fille, soulagé aussi de ne pas avoir à surveiller ses paroles pour un moment.

En fait, c'est surtout Ianthe qui alimenta la conversation tandis que Nicholas mangeait la plus grosse part de la pizza, si bien qu'à la fin de la soirée il savait que son frère était génial — « mais vraiment génial ! » —, que sa sœur était une excentrique et son petit frère un casse-pieds, qu'Ikon était sur la voie de la grande réussite et qu'elle aurait voulu tuer Leo Beckford. Elle devait parler très fort, pour se faire entendre par-dessus la musique de la pizzeria — « Dire Straits, je te demande un peu. C'est pas croyable qu'ils jouent une saloperie pareille ! » —, aussi la plupart des occupants des tables voisines apprirent-ils tout d'elle et, comme ils étaient très jeunes, ils commencèrent à s'intéresser vivement quand elle déclara :

— Bientôt, on va pouvoir se payer quasiment une brique par mois...

— Une brique !

Elle alluma une cigarette et tira dessus avec frénésie.

— À peu près. Qu'est-ce que tu vas faire ?

— Aucune idée. Espérer que quelque chose se présente.

— Je pourrais peut-être t'aider, dit Ianthe, de cette voix désinvolte que prennent les gens pour dire qu'ils vous téléphoneront et ne le font jamais.

— Ouais ! dit Nicholas qui avait compris son ton. Merci !

— Non. C'est vrai. Je m'en occuperai.

— Je suis un peu déprimé...

— Ne m'en parle pas. Moi, je sombre. Carrément.

Elle commanda encore du vin, et Nicholas lui parla de sa mère, de son père et de la nouvelle famille de son père, de son renvoi d'Oxford. Elle devint compatissante et, quand ils eurent terminé à eux deux le bol de sucre roux posé sur la table en prévision du café et le vin, ils sortirent dans Lydbrook Street. Ianthe dit à Nicholas qu'elle l'emmènerait le lendemain matin dans les pubs des quais, sinon le dimanche risquait de les achever tous les deux. Nicholas rentra, aussi gaiement qu'il en était capable, dans sa chambre de l'infirmerie, et Ianthe revint chez elle par la cour du chapitre. Elle vit que Leo semblait essayer vraiment de ranger sa salle de séjour. Il portait un jean de velours côtelé et une chemise à carreaux, et il avait l'air tellement seul et tellement sexy qu'elle sentit ses jambes flageoler, et elle faillit frapper à la fenêtre. Mais elle se rappela qu'elle était furieuse contre lui parce qu'il l'avait humiliée en public l'après-midi, aussi poursuivit-elle son chemin. Elle réveilla Cosmo parce qu'elle avait envie d'écouter de la musique, mais pas toute seule.

Leo était retourné à la cour du chapitre, très agité — certainement à cause de la tension et de l'effervescence de l'après-midi —, et, pour la première fois, en entrant dans la salle de séjour il avait été exaspéré de la trouver exactement telle qu'il l'avait laissée. On aurait dit qu'il en avait jeté tout le contenu par terre et

98

qu'il l'avait remué avec une cuillère géante. C'était proprement *inintelligent* de vivre de cette façon, parce que c'était épuisant et que ça minait l'énergie créatrice. Il ramassa la cassette la plus proche, posée sur une pile de vieux journaux et de suppléments en couleurs, et la fourra dans le lecteur. C'était *Job*, de Vaughan Williams, qui ne correspondait pas vraiment à son humeur, mais il ne pouvait pas supporter de perdre dix, vingt ou quarante minutes à dénicher le Fauré qu'il aurait préféré.

Il se fit un sandwich et un bol de café, qu'il emporta au cœur même du fouillis pour juger la situation. La première étape consistait visiblement à décider de ce qu'il pouvait jeter. Des journaux, bien sûr, des mois entiers de dimanches passés et oubliés, faciles à évacuer tant qu'il ne se laissait pas séduire par un titre pendant l'opération, ensuite, ranger les livres sur les étagères après avoir débarrassé celles-ci de tous les autres objets, mettre les partitions dans une boîte — enfin !... dans plusieurs boîtes —, poser les coussins sur les chaises — et non par terre —, faire un tas des vêtements à emporter en haut et démêler un peu les fils électriques pour qu'ils ne recouvrent pas tout de leur espèce de tricot mortel...

Il débuta bien. Il alla emprunter deux sacs-poubelle chez les Chancelier. — « Je n'ai pas pu m'empêcher de sourire, dirait Cherry à son mari. Leo ! ranger ! » — Il lui demanda deux sacs et elle lui en donna deux exactement, pris sur un rouleau acheté en promotion. Il les emporta chez lui et en remplit un en vingt minutes, puis il tomba sur l'album de photos que Judith et lui avaient prises au début de leur mariage, et fut sur le point de le jeter aussi, mais il ne put pas résister à l'envie d'y jeter un coup d'œil et vit Judith jouant de la flûte, les sourcils froncés. Il s'assit et tourna les pages de l'album : Judith pendant leur lune de miel de pauvres dans les Quantocks, en jean et chaussures de tennis ; lui-même sur une échelle en train de repeindre les fenêtres de leur première maison, à Lincoln, à l'époque de son premier véritable emploi ; Judith lisant au jardin, les cheveux dans la figure ; Judith endormie dans un lit qui donnait l'impression d'avoir été traversé par une moissonneuse-batteuse. Son mariage avec Judith avait été un désastre. Elle n'était pas faite pour vivre avec ou pour quelqu'un d'autre qu'elle-même. Et, pourtant, il l'avait harcelée pour qu'elle l'épouse, il lui avait empoisonné la vie pendant des mois jusqu'à ce qu'elle se laisse attendrir enfin, tout en le prévenant que personne ne la ferait changer. Et elle ne changea pas. Après l'extase des premiers mois, Leo commença à être irrité de voir qu'elle ne faisait aucune concession à une vie commune. Tout ce qu'elle voulait, c'était chanter, jouer de la flûte et travailler, de plus en plus, pour le Mouvement des femmes. Ils vivaient dans la crasse et l'agressivité. Judith prit l'habitude de passer les fins de semaine aux meetings de Greenham Common puis des semaines sans fin, et quand on l'arrêta et que Leo essaya d'éviter qu'elle n'aille en prison, elle lui dit d'aller au

100

diable ; et elle alla en prison. À sa sortie, elle revint pour quelque temps à Rochester où il était alors organiste suppléant ; puis elle prit ses affaires et repartit. Un an plus tard, ils avaient divorcé et Leo démissionnait parce qu'il s'était laissé convaincre que c'était la chose à faire.

Il traversa l'Angleterre et trouva un poste de professeur de musique à St. Mary, le grand collège de filles d'Aldminster. Il ne savait rien d'Aldminster ni des filles. Il avait un petit appartement dans le collège, où certaines filles l'assiégeaient, et il y eut un épisode inévitable et embarrassant avec une Iranienne exaltée, folle de lui. Encore une fois, il dut choisir entre la démission ou le licenciement.

Il se réfugia auprès de Martin Chancellor. À cette époque, Martin était célibataire, suppléant de l'aimable organiste indolent et sans histoires qui tenait l'orgue d'Aldminster depuis vingt-cinq ans. Martin et Leo s'étaient rencontrés dans les cercles musicaux de la ville et avaient sympathisé ; Leo trouva que rien, en tout cas, chez Martin ne provoquait l'aversion. Pendant quatre mois, il donna des leçons privées de piano, le matin et le soir, et passa d'interminables après-midi solitaires à ressasser ses griefs ; puis l'organiste eut une crise cardiaque tout à fait imprévisible et Leo, dans un accès de défi aux valeurs démodées, posa sa candidature pour le remplacer.

Il était, de loin, le meilleur des candidats organistes ; même Martin Chancellor, blessé que Leo ait mordu si fort la main qui l'avait nourri, l'admettait. Mais Leo était divorcé. C'était une grosse pierre d'achoppement pour le doyen et le chapitre, et s'il n'y avait pas eu l'évêque, Leo n'aurait jamais réussi. L'évêque convoqua Leo et lui parla d'une façon qui lui parut d'une amabilité allant jusqu'à la douceur, jusqu'au moment où — y repensant après — il comprit à quel point l'évêque l'avait sondé. Ils avaient d'abord parlé de musique.

Pourquoi jouer dans une cathédrale, lui avait demandé l'évêque, pourquoi pas des récitals d'orgue, de la direction d'orchestre, des disques, l'enseignement ? Pas la moindre difficulté avec le talent de Leo ! Pourquoi ne pas créer son propre chœur ? Finalement, il ne gagnerait que sept mille livres par an à Aldminster ! Alors, n'était-ce pas de la témérité ingénue et inutile ? Faisant tourner sa tasse de thé entre ses mains, Leo répondit que la seule chose qui le satisfaisait, la seule situation dans laquelle il sentait, corps et âme, un aboutissement, c'était lorsqu'il jouait ou entendait de la musique sacrée dans un lieu sacré.

— Êtes-vous chrétien ? demanda l'évêque.

— Je ne sais pas. Je me débats...

— Il y a tant de façons d'être chrétien.

— C'est quand je joue de l'orgue dans une cathédrale que je m'approche le plus de la foi, et comme c'est aussi le moment où je me sens le plus pleinement satisfait, j'imagine que je suis, au mieux, un chrétien à temps partiel, très bancal...

— Vous êtes un organiste exceptionnel.

Puis, l'évêque s'était tu, balançant un pied

sous son habit violet, jusqu'à ce qu'il se mette à interroger Leo sur son mariage. Leo essaya d'être honnête et impartial.

— Vous la haïssez ?

— Non. Mais je suis encore en colère, parfois.

— La colère, dit l'évêque en prenant sa tasse et en constatant avec regret qu'elle était vide, c'est très différent de la haine... Quant à votre divorce — il s'interrompit et balança pensivement sa tasse —, à mon avis, un mariage chrétien est un bon mariage... mais pas nécessairement le premier.

Instinctivement, ils regardèrent tous deux à travers les fenêtres du bureau, là où Janet Young, dans un vieux pull-over de l'évêque, coupait des marguerites d'automne fanées.

— J'ai eu énormément de chance, dit l'évêque. Il me semble que vous et votre femme n'en avez pas eu.

Quand Leo se leva pour partir, il dit :

— Je vous remercie beaucoup de m'avoir reçu. Je sais qu'il n'y a aucun espoir, mais ça m'a fait du bien de parler.

L'évêque lui serra la main.

— Je prierai beaucoup pour tout cela, et j'en parlerai d'autant moins à certaines instances. — Il lui vint soudain une idée. — Saviez-vous que Bach fut le père de vingt enfants ? En deux mariages. Extraordinaire. — Il lâcha la main de Leo. — Dieu vous bénisse.

Trois semaines plus tard, Leo, organiste d'Aldminster, s'installa dans la maison voisine de celle de Martin Chancellor dans la cour du chapitre. Alexander Troy vint aussitôt le voir et ils s'entendirent parfaitement. Ils découvrirent qu'ils avaient les mêmes ambitions pour le chœur. Puis vint Felicity, et Leo crut qu'il était amoureux d'elle tant elle était distinguée et délicieuse, et parce que, dans sa gratitude envers l'évêque, ou envers Dieu ou qui que ce fût, son cœur débordait et que ce trop-plein avait besoin d'être canalisé.

Pendant ces cinq années à Aldminster, il avait été plus heureux que nulle part ailleurs. La réputation de la musique de la cathédrale grandissait sans cesse, tout comme les capacités de Leo, et lorsqu'il allait à la cathédrale, comme il le faisait souvent, pour le sentiment extraordinaire et vivifiant de délivrance que lui apportait l'improvisation, il trouvait, en quittant l'orgue, un auditoire considérable. St. Mary lui avait même demandé d'y retourner diriger le département de musique — la nouvelle directrice, une femme joviale qui avait fait la plus grande partie de sa carrière en Amérique, considérait que Leo était un excellent musicien et les vieux cancans ne l'intéressaient pas —, ce qui doublait ses revenus. Il s'était fait des amis et pour quelque temps — après que Felicity Troy lui eut dit avec beaucoup de bonté de ne pas faire l'âne — une amie, directrice du département de graphisme de Horsley Art School. Leo avait été content de cette liaison, et ç'avait été un soulagement d'avoir quelqu'un dans son lit ; mais son affection pour elle ne s'était pas transformée en amour. Ils étaient restés amis, et Leo ne souhaitait pas aller plus loin, tout en sentant de plus en plus qu'il ne cultivait pas autant l'aspect humain de sa vie que son aspect musical.

Il ferma l'album de photos et le mit dans un sac-poubelle. Puis il le ressortit et le rangea sur l'étagère du bas de la bibliothèque sous une pile de *National Geographic*. Après tout, Judith n'était pas morte, et ils avaient été mariés. Il ne pouvait pas simplement l'éliminer, ni leur mariage. Il regarda autour de la pièce. Il se sentit soudain extrêmement fatigué ; le reste attendrait. Il éteignit les lampes, ramassa le tas de vêtements et monta lourdement au premier. Le lendemain matin, en filant de bonne heure pour acheter les journaux du dimanche, il remarqua que la pièce était exactement pareille, sauf que les deux sacs de plastique gris accroupis dans le chaos ressemblaient à un couple d'hippopotames en détresse.

Cette nuit-là, Hugh Cavendish ne trouva pas le sommeil. Il était envahi par une sorte d'exaltation mêlée de gravité, par le sentiment de s'être trouvé une mission. Il était couché à côté de la robuste Bridget, endormie, et après une heure d'insomnie il se leva, mit sa robe de chambre et descendit à la cuisine, où Benedict, ensommeillé, lui fit comprendre qu'il était content de le voir mais qu'à une heure du matin ce n'était pas le moment de sortir de son panier.

Le doyen se prépara du thé et un toast, trouva du papier et un crayon, et s'installa à la table de la cuisine. Il faisait une bonne chaleur grâce à la vieille cuisinière à charbon, et tout était silencieux. Le doyen dessina un plan sommaire de la cathédrale et indiqua les repères principaux puis, avec de gros points noirs, l'emplacement des éclairages existants. Il n'avait pas vraiment changé au cours des années — mis à part la tentative faite, dans les années cinquante, pour apporter un complément de lumière naturelle dans l'édifice —, depuis la fin du XIXe siècle où les lampes à gaz obligeaient les pauvres dévots à monter et descendre perpétuellement l'escalier ouest pour allumer et éteindre.

Le représentant du Victoria and Albert Museum avait raison. Ce dont la cathédrale avait besoin, c'était d'un nouvel éclairage, dissimulé et qui n'éblouisse pas, un éclairage qui rehausse la beauté et le mystère de l'édifice. Sans aucun doute, la réputation musicale de la cathédrale irait grandissant après un tel après-midi. Il y aurait des concerts, des récitals, et les musiciens, naturellement, demandaient toujours davantage de lumière. Quant au financement, eh bien, il y avait les Amis de la cathédrale — Dieu les bénisse ! — et, bien entendu, le Service des églises historiques, auquel Aldminster n'avait rien demandé depuis des années et qui considérerait sans doute très favorablement une telle requête. Bien sûr, il devrait trouver un spécialiste de l'éclairage et consulter l'architecte de la cathédrale, qui s'était montré un allié infatigable à l'occasion de la restauration de l'orgue. L'orgue. L'enchaînement rapide des pensées plaisantes du doyen cessa brutalement. L'orgue, rénové, somptueux, traînait derrière lui un os énorme en la personne de Leo Beckford. Leo, tout brillant organiste qu'il était, agissait contre le doyen, c'était évident. Et Alexander Troy aussi, avec moins d'agressivité. Le doyen se dit que si Martin Chancellor avait été l'organiste, il aurait été un allié décidé à amener l'orgue et le chœur sous la domination bienveillante que le doyen exerçait sur la cathédrale et la Clôture. Mais Beckford et Troy donnaient au doyen l'impression que le chœur lui appartenait si peu qu'il était parfois presque en opposition à lui. Il irait même jusqu'à croire qu'ils l'éloignaient délibérément de lui. Mais ils ne pouvaient pas lui prendre l'orgue et, sans celui-ci, Leo n'avait aucun avenir de musicien de renommée nationale. Il fallait procéder avec tact. Contrôler Leo sans le perdre. Administrer ses chères possessions avec autant de diplomatie que d'autorité et de bienveillance. Reprenant son papier et son crayon, il résolut de commencer par les détails pratiques. Il se fit une liste des coups de téléphone à donner ; et un second toast. Forcément, si l'intérieur devait être mieux éclairé, il faudrait le ravaler ; il irait voir au chantier s'il y avait du matériel d'échafaudage.

L'horloge de la cathédrale sonna deux heures. Benedict leva la tête et écouta. À sa table, le doyen repoussa le papier, l'assiette et la tasse, croisa les mains, inclina la tête et se mit à prier avec beaucoup de gratitude.

« Quand vous priez, avait-il entendu dire par monseigneur Robert au cours d'une récente cérémonie de confirmation en ville, il n'est pas nécessaire de parler. Prenez seulement le temps de regarder Dieu. Et laissez-le vous regarder. C'est tout. »

5

Quand les conseillers municipaux d'Aldminster apprirent que le doyen et le chapitre
recherchaient quarante-cinq mille livres pour
financer le nouvel éclairage de la nef et des
bas-côtés de la cathédrale, Frank Ashworth
pensa que c'était le bon moment pour suggérer de nouveau l'achat de la maison du principal. Il trouva le doyen dans un état d'esprit très
différent de celui dans lequel il était lors de leur
dernière entrevue, plein d'allant et pas du tout
malléable.

— Mr. Ashworth, je suis heureux de vous
informer que nous ne sommes pas dans une
position de demandeurs, comme disent les
financiers. Les Amis de la cathédrale peuvent
réunir les deux tiers de la somme et nous pouvons obtenir des prêts pour le reste.

— Nous pouvons attendre, dit Frank Ashworth, rien ne presse. Vous aurez sûrement besoin de l'argent un jour.

— Je dois être honnête avec vous, dit le doyen sur le ton de la confidence le plus onctueux, vous devez abandonner tout espoir à propos de la maison du principal. La cathédrale et sa Clôture vont attirer infiniment plus de visiteurs et l'environnement doit être protégé pour eux.

— Cela ne vous dérange-t-il pas, demanda lentement Frank, de dépenser tant d'argent pour un nouvel éclairage alors que l'ancien est parfaitement satisfaisant pour la plupart des gens et que, de surcroît, la ville manque d'argent pour aider ses habitants ?

— La cathédrale appartient à la ville et à ses habitants. Ils en sont très fiers...

— Des lampes dans la cathédrale ne les aideront pas à trouver du travail et ne les soigneront pas quand ils seront malades...

— Mr. Ashworth, dit le doyen avec une autorité que Frank eut le bon sens de ne pas chercher à égaler sur le moment, vous et votre conseil vous vous occupez du logement, de l'emploi et de la santé. Nous vous laissons le faire. Nous nous intéressons à d'autres éléments vitaux pour l'humanité. Laissez-nous le faire. Bonjour.

La réponse de Frank consista à prendre rendez-vous avec l'évêque. Robert Young ouvrit lui-même la porte du palais, tandis que parvenaient de la cuisine un peu de la chaleur du four et une bouffée de Radio Three. Il conduisit Frank dans son grand bureau clair, meublé

110

de bric et de broc, plein de livres, et avec ses modèles réduits d'avions sur la cheminée.

— Voyez-vous, dit l'évêque, tout en mordant la branche de ses lunettes, je ne peux pas me mêler des affaires du doyen et du chapitre. Je sers le diocèse, pas seulement la cathédrale.

— C'est du principe que je suis venu vous parler, monseigneur.

— Mmm.

— Ça m'ennuie que si peu de gens dans cette ville utilisent la Clôture et la cathédrale.

— C'est moi que ça ennuie.

— Pour être franc, monseigneur, la Clôture les effraie. Elle est trop élitiste.

— Vous croyez ?

— Je le sais.

L'évêque mit ses lunettes.

— Laissez-moi réfléchir.

Après une ou deux minutes, il dit :

— D'une certaine façon, vous avez raison. Les gens sont déconcertés par un rituel qu'ils n'ont pas été formés à trouver familier. En ce sens, la cathédrale pourrait apparaître comme une sorte de club dont ils ne connaissent pas les règles. Mais pas élitiste au sens où, je pense, vous l'entendez. Une élite, si je comprends bien, c'est une sélection, le dessus du panier. Aux yeux de Dieu, il n'existe rien de tel chez les hommes.

Frank dit en riant :

— Je ne suis pas venu discuter théologie...

— Nous discutions théologie ?

— Nous en étions sur la pente. Je suis venu vous soumettre l'idée que les habitants de la

111

ville devraient avoir un lieu, un bâtiment à eux, pour les aider à se sentir bien...

— Un lieu laïc ? Un lieu de rencontre ?

— C'est cela.

— Je suis entièrement d'accord pour encourager les gens à utiliser la cathédrale. Je passe beaucoup de temps à pousser précisément ceux que je connais à le faire. Et je comprends qu'un lieu de rencontre puisse les rapprocher, bien que je m'oppose toujours à ce qui est artificiel et qui ne fait que masquer les problèmes.

Il regarda Frank Ashworth et dit avec fermeté :

— Vous ne pouvez attirer durablement les gens que par l'amour.

— Vous ne trouvez pas injuste que le principal et sa femme habitent à peu près le quart de leur maison ?

— Injuste ?

— Alors que les gens de la ville pourraient faire bon usage de la maison comme c'est leur droit, pour sentir que la Clôture leur appartient ?

L'évêque se leva.

— Mr. Ashworth, vous allez trop loin.

— Les privilégiés défendent toujours leurs biens ; alors...

L'évêque dut se contrôler.

— Excusez-moi de citer encore une fois le dictionnaire. Privilège signifie, entre autres, le fait de ne pas avoir à porter les mêmes fardeaux que les autres. C'est ainsi, Mr. Ashworth, que les habitants de cette ville sont privilégiés. Vous portez certains fardeaux à leur place, nous essayons d'en porter d'autres. Le principal de King's School en porte encore d'autres. J'approuve totalement votre souhait de rendre la Clôture plus accessible, mais je ne me ferai pas complice d'une machination qui porte un masque d'altruisme pour dissimuler l'envie.

Il alla à la cheminée et prit un petit Spitfire qu'il regarda affectueusement pendant un moment, avant de le reposer. Puis il se retourna vers Frank.

— Je crois que votre petit-fils va être nommé choriste. Toutes mes félicitations.

— Cela aussi me gêne, dit Frank. C'était l'idée de mon fils de le mettre à King's School. Pas la mienne.

— Je crois que les garçons des écoles publiques ont autant de chances de devenir choristes que ceux de King's School. En fait, je crois qu'il y a au moins une demi-douzaine de bourses diverses que peut obtenir n'importe quel élève de n'importe quelle école. Et n'est-il pas vrai que le délégué aux affaires scolaires de la ville est l'un des administrateurs de King's School ?

Frank se mit lentement debout.

— C'est le même problème, n'est-ce pas ? Le même problème qu'avec la Clôture. Les gens sentent qu'ils ne sont pas les bienvenus.

L'évêque se dirigea vers la porte et posa la main sur la poignée.

— D'après mon expérience, Mr. Ashworth, les gens se sentent bienvenus presque n'importe où, à moins qu'on ne les persuade délibérément du contraire. L'Église enseigne, entre autres, à accueillir chaleureusement tous ceux qui viennent, et cet accueil est offert à tous ceux qui habitent cette ville, dans la cathédrale comme dans le cœur de tous les membres de la Clôture, tous les jours. — Il ouvrit la porte. — Je vous raccompagne, Mr. Ashworth.

Quand Frank fut parti, l'évêque alla chercher réconfort dans sa cuisine.

— Si bon dans son cœur ! Si bon ! Mais si tordu dans sa tête ! Quand on n'a pas Dieu avec soi, c'est comme essayer de marcher normalement avec une seule jambe. Ça vous déforme, c'est forcé. Il voit tout en termes de classes...

— Est-ce que tu lui as dit que tu allais au lycée ? demanda Janet Young, qui disposait des rubans de pâte sur une tarte aux pommes.

— Non, ça ne s'est pas présenté... Le conseil municipal cherche à acheter la maison du principal pour en faire un genre de centre social.

— Quel mal à ça ?

— Rien. C'est probablement bien. Mais les motifs et les méthodes ne le sont pas... C'est pour le déjeuner ?

— Désolée. C'est pour le week-end. Quand Matthew sera là.

L'évêque s'assit sur un coin de la table de cuisine.

— C'est un homme bon. Il a consacré sa vie à cette ville, mais il croit être le seul à savoir ce que veulent les gens.

— Est-ce que les gens savent eux-mêmes ce qu'ils veulent ?

L'évêque se pencha de côté et embrassa sa femme.

— Je veux surtout déjeuner. Et mes lunettes se sont encore désintégrées.

— Tu ne devrais pas les manger. Pourquoi n'en achètes-tu pas une autre paire ? J'ai eu un peu honte de cette photo de toi dans l'*Echo* avec ta mitre et tes lunettes rafistolées d'un gros bout d'adhésif.

— Les évêques n'ont pas besoin d'être « soignés ».

— Ceux qui s'assoient sur des tables de cuisine pleines de farine ne le seront sûrement jamais.

— Janet...

— Oui ?

— J'aimerais que les gens d'aujourd'hui ne soient pas aussi malheureux.

Elle mit la tarte dans le four, revint vers lui et posa sa main chaude, qui sentait la cuisine, sur la sienne.

— Au moins, tu fais le métier qu'il faut pour contribuer à ce que ça change.

Alexander Troy prit prétexte d'une réunion de l'Association des manécanteries pour aller à Londres rechercher sa femme. Comme d'habitude, il remarqua que lorsqu'il montait dans un train avec son col romain les voyageurs se mettaient soudain sur leurs gardes — rares étaient ses voisins qui pouvaient se détendre complètement. Plus en avant dans le wagon, deux religieuses américaines en sandales, robe de tergal et voile moderne raccourci, parlaient de voyages et provoquaient autour d'elles le même intérêt dissimulé et méfiant. Alexander

115

regarda ses vis-à-vis — la jeune femme qui lisait un listing et l'homme en blouson d'aviateur qui tapotait contre la vitre avec un journal roulé — et il se demanda ce qu'ils feraient s'il leur disait pourquoi il allait à Londres. Ils seraient horrifiés, naturellement. Au lieu de cela, il fit ce à quoi ils devaient s'attendre et tira de sa serviette le *Times* et un brouillon de son discours de fin d'année. Il releva les yeux une fois et vit que la jeune femme au listing le regardait avec un intérêt appuyé — expression qui tourna à l'indignation quand il lui sourit.

Il descendit à Paddington et alla rendre un hommage silencieux à la statue de Brunel, comme il aimait toujours le faire — quand il avait le temps il allait aussi saluer l'émouvant soldat de bronze représentant le sergent Jagger —, puis il descendit dans les tunnels grouillants du métro et fit un trajet compliqué jusqu'à Highgate pour voir le frère de Felicity, Sam.

Sam menait une existence hybride de maquettiste, de reporter de cricket pour un grand journal du dimanche et de répétiteur de littérature à temps partiel dans une boîte à bachot. Il était célibataire, avec l'indépendance tranquille de celui qui ne s'intéresse vraiment ni aux hommes ni aux femmes, et vivait dans une maison pour laquelle il se donnait énormément de mal ; il en avait peint magnifiquement les parquets pour les faire ressembler de façon déconcertante à des cartes géographiques médiévales, avec dragons et monstres marins.

Contournant instinctivement un château gallois où un héraut solitaire sonnait de la trompette en haut du donjon, Alexander alla s'asseoir dans un fauteuil directorial tendu de cuir noir, tandis que Sam faisait le café.

— Elle n'est pas venue ici, dit Sam. Je pense que, si c'était le cas, je te l'aurais probablement dit. Je dis bien « je pense »... Mais elle a téléphoné. Elle n'a pas été très bavarde, elle a dit qu'elle allait parfaitement bien. J'en suis sûr. Et elle reviendra.

— Ça fait près de trois semaines maintenant.

Sam posa deux bols à café en terre sur sa table noire.

— Ça a duré combien de temps, la dernière fois ?

— Trois semaines. Sam...

— Pourquoi s'en va-t-elle ?

— C'est la question.

Sam alluma une cigarette.

— Mon vieux, toute la passion qui manque chez moi lui est tombée dessus. Je veux parler de la passion dans les émotions. Tu sais comment elle est. Elle prend tout terriblement à cœur. Elle ne part pas à cause de ce que tu fais ou ne fais pas. C'est Fliss, tout simplement. Quand nous étions gosses elle se taillait tout le temps, c'était plus fort qu'elle.

Il regarda Alexander attentivement.

— Elle te manque, n'est-ce pas ?

— Oh, oui.

— J'ai toujours trouvé que tu étais très gentil avec elle. Vivre avec quelqu'un m'a toujours

117

terrorisé. Je ne le supporte pas. Toi, tu es très patient...

— Je veux l'être. D'ailleurs, je ne me sens pas impatient.

Sam écrasa sa cigarette.

— Elle a des angoisses à propos de Dieu.

— Nous en avons tous.

— Mais peut-être pense-t-elle qu'elle ne devrait pas, comme c'est ta femme.

— Mais j'en ai aussi. Je pense que quelques crises spirituelles, au moins de temps en temps, sont un risque du métier.

— Peut-être.

— Tu n'as aucune idée d'où elle peut se trouver ?

— Non. Et si j'en avais, tu ne devrais pas essayer de l'y trouver. Elle reviendra de son plein gré, et ce sera très important pour elle que tu ne l'aies pas harcelée. — Il regarda sa montre. — Désolé, vieux, j'ai un cours dans une demi-heure. Un jeune crétin et l'œuvre de Gerard Manley Hopkins. Dieu nous protège tous les trois.

Alexander se leva.

— Ça me fait du bien de te voir. Tu me donnes l'impression que son départ est plus banal qu'il ne m'apparaît parfois à Aldminster.

— Il faut l'admettre, dit Sam. Pour Fliss, il l'est. Non ?

Mais le réconfort ne dura pas. Alexander assista à la réunion, ne prit la parole qu'une fois, pour faire un discours, éloquent mais un peu hors sujet, sur la fragilité de la tradition anglaise sans égale du chant choral dans un climat économique hostile, et il partit pour la gare de Paddington avec le sentiment confus que, pour l'essentiel, ses perspectives sentimentales et intellectuelles étaient bouchées. Le train était bondé et Alexander dut rester debout pendant la moitié du trajet, horrifié de s'être vu offrir une place par une femme laide et tremblante portant un chandail tricoté à la main. Les tranquilles assurances de Sam s'effritaient à mesure que se réduisait la distance vers l'ouest et, quand le train s'arrêta lentement en sifflant à Aldminster, Alexander se retrouva, comme avant, au bord du désespoir le plus noir. Tandis qu'il atteignait l'école, les garçons sortaient de complies, et il fut bouleversé de trouver tant de consolation à ce spectacle ordinaire dont ils n'étaient pas conscients, quittant la chapelle en trombe avec une gaieté exagérée, après le service qui les mettait dans un état d'esprit particulier et étrange. Il espérait trouver Leo, mais Leo n'y était pas. Leo descendait Blakeney Street pour aller dîner chez Sally Ashworth, avec une bouteille de valpolicella dans sa poche.

Mrs. Monk avait laissé sur un plateau une tourte au porc et une barquette de salade de choux, agressivement forte en moutarde, pour le dîner d'Alexander. Il avait une masse de travail. Il devait organiser la tournée de Pâques du chœur presque un an à l'avance et il était déjà en retard — une lettre polie de l'abbé de Saint-Benoît-sur-Saône attendait sur son bureau comme un reproche, et cela depuis quinze jours. Le discours de fin d'année approchait à grands pas, ainsi que le cauchemar des bulletins trimestriels, cet éternel conflit entre la compassion, l'exactitude et l'originalité, sans parler des examens, et il ne pouvait même pas prendre le temps de réfléchir sur le fait qu'il ne savait pas où se trouvait Felicity et que sa maison allait devenir un café pour les habitants de la ville.

Cinquante-deux ans, se dit-il en se regardant sans complaisance dans la petite glace qu'il conservait dans son bureau pour mettre sa robe. Cinquante-deux ans. Ce devrait être la plus belle décennie dans la vie d'un homme, la plus riche. Et on dirait qu'elle a perdu tout intérêt pour moi. Si je mourrais aujourd'hui, qu'est-ce que je laisserais ? Quoi ?

Il alla à l'autre bout de la pièce et mit sur son vieux tourne-disque le *Lux Aeterna* de Mathias par le Bach Choir, puis il s'assit à sa table devant son tas de papiers. Dans la cuisine, Nicholas Elliott, qui était descendu de son repaire à la recherche de nourriture, trouva la tourte au porc et la salade de choux et mangea les deux avec entrain.

Le lendemain après-midi, Alexander emmena ses élèves d'histoire ancienne à la cathédrale, pour les changer de Périclès. Ils étaient très excités, sautillaient en piaillant autour de lui et demandaient « monsieur, monsieur, monsieur ! », sans écouter ses réponses. Au cours des années, il s'était efforcé d'être un bon guide pour les jeunes garçons et, ce

120

jour-là, il leur montra le demi-cercle d'anciens évêques dans le déambulatoire, depuis Osric couché sur sa petite tombe de granit, immobile et lointain, jusqu'à Langley Blake qui, après avoir dénoncé le relâchement moral des années soixante dans un esprit très médiéval, était mort à la fin des années soixante-dix en disant : « Je vous l'avais bien dit. » Comme toujours, les élèves aimèrent surtout le gracieux cartouche du XVIIIe siècle à la mémoire de Joshua Fielding, à cause des têtes de chevaux et de chiens qui émergeaient des volutes de marbre et représentaient les bêtes chéries de l'évêque : il avait voulu que l'on se souvînt d'elles en même temps que de lui. On racontait qu'il gardait dans son bureau un lièvre familier dans un panier et qu'il lisait ses sermons à haute voix à une vieille truie qui vivait dans un enclos derrière le palais épiscopal. L'humanité et la drôlerie de cette légende ne manquaient jamais de faire vibrer leur corde sensible, et c'était un excellent prélude avant de conduire la classe dans les stalles du chœur pour quelques minutes de recueillement. S'agenouiller là où s'agenouillaient les choristes était à soi seul un événement, car l'école était fière de ses chanteurs ; c'est pourquoi on les taquinait perpétuellement. À présent, ils jetaient en cachette des regards d'admiration à Ashworth et Chilworth, qui connaissaient leur chemin parmi les hautes boiseries sombres avec leurs sièges curieusement sculptés qui se rabattaient et leurs agenouilloirs durs recouverts de peluche rouge. Les dix-sept garçons agenouillés révisèrent rapidement leurs vagues notions de la prière et de Dieu et celles plus concrètes du cochon, puis ils se levèrent vivement et se firent dire de ne pas tripoter les psautiers et les chandeliers ; enfin, ils se mirent plus ou moins en rang pour marcher vers l'école et y prendre le thé, accompagné de brioches puisque c'était jeudi.

À la sortie du chœur, en passant devant l'escalier ouest, ils rencontrèrent le doyen, l'architecte de la cathédrale et un inconnu qui descendaient. Tous trois paraissaient extrêmement préoccupés. L'architecte de la cathédrale disait : « Naturellement, jusqu'à ce que nous sachions jusqu'où s'étend l'humidité, ou même jusqu'à quelle profondeur elle a pénétré la pierre... », tandis que le doyen disait par-dessus lui au troisième homme : « Et quand on pense que la simple orientation de l'éclairage actuel a suffi à nous cacher tout cela... » Les garçons s'arrêtèrent respectueusement. Le doyen, l'un des personnages les plus importants de la Clôture, était après tout administrateur de l'école, pêcheur à la mouche réputé et père du légendaire Cosmo, dont le mythe inspirait les plus jeunes, un peu comme celui de Che Guevara avait enflammé les étudiants révolutionnaires des années soixante et soixante-dix. Le doyen, absorbé par ses soucis, les regarda distraitement. L'architecte, un homme sans enfants que toute personne de moins de vingt ans effrayait, se mit à faire des plaisanteries, disant qu'il pouvait maintenant leur proposer un test sur la cathédrale. Ils lui lancèrent un regard glacial tandis qu'Alexander expliquait qu'ils devaient en réalité passer cette heure à étudier la rivalité commerciale entre Corinthe et Athènes, sur quoi l'architecte parut soulagé et déclara :

— Ah ! les ravages de l'Attique...

— Quels ravages ? demanda le doyen qui ne pensait qu'aux amples nervures au-dessus de lui, noircies par l'humidité sinistre qu'ils venaient de découvrir.

— Ceux des Spartiates, monsieur, dit Briggs qui était toujours premier — l'odieux — et avait toujours raison.

Quelqu'un lui donna un coup de pied violent et précis sur la cheville. « Aïe ! », cria Briggs.

Le doyen, le visage assombri par une profonde détresse, prit Alexander à part un instant.

— Nous sommes montés dans les galeries du clair-étage pour étudier les possibilités du nouvel éclairage avec Mr. Harvey que voici, de Harvey's Electrical, et nous avons constaté que certains arcs du triforium sont trempés d'humidité, littéralement trempés, et que par endroits la voûte de la nef est d'un noir inquiétant, ce que nous n'avions jamais remarqué parce que l'éclairage était dirigé vers le bas.

— C'est grave ?

— Oui, répondit Hugh Cavendish. C'est grave. — Il tourna les yeux vers l'architecte. — Mervyn dit qu'il n'est pas tranquille du tout...

Les garçons commençaient à chuchoter et à piétiner.

— Si vous voulez bien m'excuser, je crois

qu'il faut les faire rentrer, sinon on découvrira que nous avons fait l'école buissonnière.

— Ce n'est pas bien pour un principal, hein, les garçons ? dit l'architecte.

Quelques-uns sourirent poliment. Briggs commença à dire que, puisqu'il n'y avait pas d'autorité au-dessus de lui, le principal n'avait de comptes à rendre à personne ; mais il fut à moitié étranglé par-derrière quand un index se glissa sous sa cravate et la tordit avec force. Il étouffa de façon théâtrale.

— Ça suffit, dit Alexander.

— Mais, monsieur...

— Vous m'avez entendu.

— Ah, dit Hugh Cavendish, la profanation de la routine. — Son regard se perdit dans les hauteurs. — Ne devrais-je pas contacter immédiatement le chef des travaux ?

Dehors, Henry Ashworth se sépara du groupe qui essayait de faire perdre ses chaussures à Briggs en lui écrasant les talons, et marcha aux côtés d'Alexander. Ce n'était pas, semblait-il, pour lui dire quelque chose de particulier mais seulement pour lui tenir compagnie.

Au bout d'un moment, Alexander demanda :

— Et quand seras-tu présenté au doyen comme choriste ?

— Dans deux semaines, monsieur. J'ai ma collerette maintenant, et Mrs. Rideway est pas contente parce que les nouvelles ont du Velcro, pas des boutons, et elle croit pas au Velcro, alors elle doit l'enlever et mettre des boutons.

— Il faut que nous vous fassions répéter.

Avant la guerre, on donnait toujours aux choristes un exemplaire de cérémonie de *Cathedral Music* de Boyce. — Il considéra Henry. — C'est peut-être une bonne chose que nous ne le fassions plus parce que le livre est à peu près aussi gros que toi et Chilworth réunis.

Chilworth, qui s'était disputé avec Briggs, rejoignit Henry pour lui demander :

— Chante un *la* bémol.

Henry chanta.

— Chante un *la* double bémol... Voilà ! dit-il. Je le lui avais bien dit à cet imbécile de Briggs que tu pouvais.

Et il retourna à sa dispute.

Une affection soudaine pour tous ces garçons provoqua chez Alexander une bouffée de gratitude. Il eut un regard chaleureux pour Henry.

— Coup de bol, marmonna Henry — et il rougit. — ... Monsieur.

Le doyen et le chef des travaux, un homme expérimenté et sinistre qui devait avoir le dernier mot sur tout, passèrent ensemble une heure déprimante dans les galeries du clair-étage. Jim Woodcote, sachant qu'il serait forcément rendu responsable d'une humidité aussi importante, fut plus silencieux qu'à l'ordinaire, au point d'ignorer plusieurs fois les questions angoissées du doyen. Il était évident pour tous les deux que l'endroit alarmant était une longue ligne longeant le bord sud de la voûte de la nef et allant vers l'ouest, la face naturellement la plus exposée aux vents chargés de pluie qui venaient de l'estuaire. La puissante lampe-torche de Woodcote repéra de longs doigts sombres d'humidité qui grimpaient à la voûte et quelques gouttes brillantes, très alarmantes, qui suintaient du clair-étage aux points d'où naissaient les grandes nervures. À mesure que grandissait la propre inquiétude de Jim Woodcote, il prenait un air de plus en plus buté. Après avoir refusé de parler pendant dix minutes environ, il finit par s'adresser au doyen et déclara qu'il ne pouvait faire aucune sorte d'estimation tant qu'il ne serait pas monté sur le toit pour examiner les parapets ouest et sud. Puis il serra les lèvres et fit avec sa torche des mouvements de balayage pour indiquer qu'ils devaient redescendre. Hugh Cavendish, s'efforçant de se rappeler quel admirable artisan et surveillant infatigable était Woodcote, n'eut d'autre choix que d'obéir.

Il rentra chez lui aussi abattu qu'il avait été ravi au début de l'après-midi. Il lui restait une demi-heure avant de se rendre, à quarante minutes de là, de l'autre côté du diocèse, à un buffet campagnard organisé par les Amis de la cathédrale, une association admirable, du zèle de laquelle son humeur du moment faisait gravement douter. Dans le salon, Bridget avait réuni des femmes d'ecclésiastiques pour le thé, une de ces occasions dont le doyen savait qu'elles divisaient bien plus qu'elles ne rassemblaient : la moitié des femmes invitées ne pouvaient jamais venir parce qu'elles étaient professeurs, physiothérapeutes ou infirmières et leur absence était abondamment commentée par le noyau fidèle des esclaves de Bridget qui y assistait avec ponctualité. De l'étage parvenait le rythme sourd du reggae que Cosmo écoutait inutilement fort. Il était enfermé pour quelque temps, à la demande de Mr. Miller, pour éviter qu'il n'entraîne dans les rues résidentielles de Horsley sa bande d'irresponsables qui, après la classe, enlevaient les couvercles des poubelles et chuchotaient des obscénités par l'ouverture des boîtes aux lettres. Si le doyen montait demander à Cosmo de baisser le volume, Cosmo lui ferait un grand sourire ouvert et chaleureux, lui indiquerait par des gestes qu'il n'entendait pas et ne pouvait rien faire pour lui. Si le doyen essayait de toucher lui-même au lecteur de cassettes, Cosmo attendrait qu'il soit redescendu et pousserait alors le volume jusqu'à ce que la maison tremble de la cave au grenier. Un jour où le doyen avait carrément emporté l'appareil, Bridget l'avait rendu à Cosmo au bout de quelques heures en disant : « Ton pauvre père est si fatigué qu'il n'est plus lui-même. »

Le doyen alla dans son bureau et ferma la porte sur les différentes formes de défi familial du reste de la maison. Il alla à la fenêtre et regarda avec amour et quelque peu d'angoisse cette cathédrale qui lui semblait soudain si vulnérable malgré sa majesté — grand esprit dans une structure précaire et fragile. Il ne supportait pas l'idée d'abandonner le projet d'éclairage ; Mr. Harvey lui avait tellement fait miroiter la vue de la nef illuminée par une magie presque théâtrale, par des projecteurs invisibles et des rampes fluorescentes, les arcs du triforium se découpant sur une lueur dont on ne verrait pas la source, le jubé dressé, imposant et sombre contre la lumière indirecte venant du chœur, derrière. Et, de toute façon, si le toit était vraiment en si mauvais état, quarante mille livres changeraient-elles grand-chose ? L'horloge sonna cinq heures et demie. On l'attendait à Croxton dans quarante-cinq minutes et il portait encore les chaussures poussiéreuses et le vieux pantalon avec lesquels il avait grimpé dans la cathédrale. Le trajet lui donnerait au moins le temps de réfléchir, car Hugh Cavendish sentait qu'il lui fallait avoir des suggestions toutes prêtes, une stratégie pour défendre son projet d'éclairage contre les exigences que le toit allait inévitablement imposer aux caisses de la cathédrale. Il ouvrit la porte de son bureau. Dans le salon, on chantait *Jerusalem*, certainement afin de bien montrer à toute femme de pasteur qui en aurait douté que pour Bridget le Women's Institute qu'elle dirigeait de fait dans le comté avait beaucoup plus d'importance que l'Église. En soupirant pour tant de raisons, Hugh Cavendish saisit la belle rampe de fer forgé et monta les marches avec lassitude pour aller se changer.

— Ferme les yeux, dit Leo, pendant que j'allume et que je décide si je supporte de te laisser regarder.

— Je vis avec des hommes, dit Sally posément, et je travaille pour un homme. Je suis très habituée au désordre.

— Mais ça, dit Leo d'une voix où perçait un certain effroi, c'est une pagaille cinq étoiles.

Elle ouvrit les yeux.

— En effet.

— Si j'avais su que j'allais avoir l'idée de t'inviter ici, je n'aurais pas laissé la pièce dans cet état.

— Ce n'est pas le cas ?

— Le cas de quoi ?

— Tu ne savais pas que tu aurais l'idée de m'inviter ?

— Bien sûr que si ! Je mens aussi mal que je tiens ma maison. Ce doit être un genre de test. Si tu peux supporter ça, alors j'ai peut-être une chance...

— Une chance ?

— Sally, ne flirte pas avec moi.

— Pourquoi ?...

— Parce que je suis sérieux.

— Impossible. Tu as dîné chez moi hier soir, ce soir nous sommes allés à la dégustation de vins et...

— Je suis sérieux.

— Oh, mon Dieu, dit Sally, mais elle était enchantée.

Leo alla tirer l'unique rideau, jusqu'à ce qu'il pende tout droit au centre de la fenêtre, puis il enleva du canapé une brassée de livres, une boîte en carton pleine de bouteilles et un tas de vieux journaux.

— Assieds-toi. Je crois que j'ai du vin.

— Je n'ai pas vraiment envie de boire davantage.

— Café ?

— Parfait.

— Non. C'est de l'instantané. Ne me laisse

pas prendre la chose au sérieux, Sally. Je suis tellement inutile.

Elle prit le risque de dire :

— Ça ne dépend pas de moi.

— Sally, je te le répète, ne flirte pas.

— Je ne sais pas quoi faire avec toi.

Il s'agenouilla près du canapé.

— Moi, je sais ce que je veux faire avec toi...

Elle eut la même sensation de dérapage que lorsqu'il était arrivé à la dégustation et qu'il était resté à la porte en la cherchant des yeux. Elle aidait son patron à ouvrir les bouteilles et à servir le vin et ne put que lui faire un signe de la main ; il vint vers elle, la regarda d'une façon très étrange, prit un verre dans chaque main en disant « Bourgogne et bourgogne ? » et s'éloigna pour parler à d'autres personnes. Ils n'avaient pas échangé un mot pendant une heure, puis il était revenu et avait dit : « Viens chez moi, une demi-heure, pour que nous parlions », et voilà qu'elle se trouvait dans cette pièce chaotique, toute de travers, charmante, avec Leo prêt à faire l'amour et elle qui le voulait, jusqu'au bout.

— Je dois réfléchir, dit-elle.

— Désastreux.

Il se releva.

— Je vais trouver du café dans ma funeste cuisine.

Elle traversa la pièce à sa suite et resta appuyée contre le chambranle pendant qu'il fouillait pour trouver des gobelets, des cuillères et le pot de café.

— Leo. Je ne sais vraiment pas ce que je suis en train de faire. Est-ce que je suis une femme qui s'ennuie comme tant d'autres, mariée à un homme que je ne vois jamais et qui de toute façon me trompe périodiquement ? Est-ce que tu te sens tout simplement seul ?

— Ça ne te ressemble pas, de parler de cette façon.

— Mais tu ne sais pas comment je suis ! Tu ne peux pas...

— Je peux et j'en sais assez pour deviner en toi un sang-froid et un courage qui me renversent. En plus, tu m'attires terriblement.

— Toi aussi.

— C'est déjà mieux.

Sally dit, d'une voix beaucoup plus calme :

— Je ne voulais pas avoir l'air de pleurnicher. Mais tout s'est précipité et m'est tombé dessus à l'improviste.

— Vraiment...

Il lui tendit un gobelet.

— Parle-moi d'Alan.

— Si tu veux. Mais je ne t'apprendrai rien d'intéressant du tout. Simplement, je ne l'aime plus beaucoup. Nous n'avons rien à nous dire et rien en commun, excepté Henry.

— Alors ?

— Alors il m'est arrivé assez souvent cette année de penser que je ne voulais pas que ma vie continue à se traîner encore longtemps de cette façon. Je me dis parfois : « Et s'il n'y avait que ça ? »

Leo la conduisit vers le canapé et s'assit à côté d'elle.

— Tu as eu une aventure ?

— Depuis que j'ai épousé Alan ? Non.

— Bon, dit Leo sans se rapprocher d'elle, maintenant tu vas en avoir une.

— La décision n'appartient pas qu'à toi.

Il pencha la tête.

— Nous irons au rythme que tu voudras. Tu ne vois donc pas ? Je veux faire ce que tu veux, comme ce que je veux.

— Jamais de ma vie je ne suis allée aussi loin avec quelqu'un, aussi vite.

— Moi non plus.

— Pourtant tu as été marié, tu n'étais pas...

Il se leva et alla tirer l'album de photos de sous les revues de l'étagère. Sally le suivit. Il ouvrit l'album et le lui mit dans les mains.

— La voilà.

— Que s'est-il passé ?

— J'aurais fait n'importe quoi pour qu'elle m'épouse et, quand c'est arrivé, ça s'est très mal passé. Je ne l'ai jamais vraiment aimée. J'étais fou. Rien de plus.

— Et maintenant ?

— Non, dit-il, extrêmement heureux, rien de plus.

Il lui retira l'album, la prit dans ses bras, et il l'embrassait quand Alexander, qui avait trouvé la porte d'entrée ouverte, frappa à celle du salon et entra sans attendre de réponse.

Sally essaya de se dégager, mais Leo la retint.

— Alexander, dit-il — et sa voix était tout à fait naturelle.

— S'il te plaît, insista Sally, et Leo la lâcha.

Elle alla vite vers Alexander et dit :

— Bonne nuit, Mr. Troy.

Puis elle se glissa dehors.

— Que faites-vous ? demanda Alexander.

— Question superflue.

— Vous rendez-vous compte que cette femme est la mère d'un de nos choristes ? dit Alexander en s'avançant vers Leo. Henry Ashworth est sous notre responsabilité, à vous et à moi. À quoi pensez-vous ?

— À elle, et à moi.

— Leo, Leo...

— Pourquoi êtes-vous ici ?

— J'avais envie de bavarder.

Leo soupira, posa la main sur le bras d'Alexander et le conduisit au canapé.

— Je parlerai de tout ce que vous voudrez mais pas de Sally Ashworth.

— Ça ne peut pas durer, Leo, il faut que vous renonciez à elle...

— Non.

— Depuis combien de temps la connaissez-vous ?

— Deux jours, au sens propre.

— Alors...

— Non, Alexander.

Il alla à la cuisine, trouva la bouteille de vin que Sally avait refusée et revint avec, plus deux verres et un tire-bouchon.

— Vous venez à peine de sortir de votre dernier scandale, Leo.

— Ce n'est pas un scandale.

— Vous pensez que vous l'aimez ?

— Croyez-vous que je vais vous dire une

chose que je ne lui ai même pas dite à elle ?
— Sa voix se chargea de colère. — Vous
n'avez pas le privilège de l'amour...

Le nom de Felicity ne fut pas prononcé, mais
il imprégnait l'air qui les entourait.

— Je ne veux pas que nous nous disputions.
Leo tendit un verre de vin.

— Je crains qu'il ne soit très ordinaire.

Ils burent en silence. Puis Alexander aborda
les projets du conseil municipal concernant la
maison du principal et sa rencontre de l'après-
midi avec le doyen ; et Leo dit combien il était
heureux de rester en dehors de la politique de
la Clôture.

— Vous risquez d'y être entraîné, bon gré
mal gré.

— Pourquoi ?

— Je sens venir l'orage.

Leo s'abstint de dire qu'il s'agissait peut-être
de la tempête personnelle d'Alexander, et se
contenta de remarquer :

— Oh, c'est toujours pareil. Des tempêtes
dans un verre d'eau. Rappelez-vous ma nomi-
nation, par exemple.

Alexander se leva.

— Je dois m'en aller.

— Il me semble que vous ne m'avez pas dit
ce que vous étiez venu me dire.

— Ça s'est mal passé, n'est-ce pas ?

— Vous feriez mieux de le dire. Si ce n'est
pas maintenant, ce sera une autre fois et je préfère l'entendre maintenant.

— Je suis venu, dit Alexander, chercher à
panser mes blessures. Mais, d'après votre der-

134

nière remarque, je vois que c'est la dernière chose que j'obtiendrai...

— Vous voulez parler de Felicity.

— Oui.

Leo toucha l'épaule d'Alexander.

— Je suis désolé. Mais je ne peux pas vous aider. Je ne peux qu'espérer de toutes mes forces qu'elle reviendra.

— Si elle ne revient pas, j'irai à sa recherche.

— Alexander...

— C'est ma femme. Nous sommes liés l'un à l'autre. Je ne peux pas simplement la laisser s'éloigner sans résister.

— C'est une personne...

— Nous sommes tous des personnes. Mais celle-là est ma femme bien-aimée. Il y a une énorme différence entre laisser de l'espace à quelqu'un et le laisser dans la solitude et la peur. C'est pour cela, entre autres, que le mariage est fait.

Leo dit, en pensant à Sally :

— Et si c'est le mariage qui vous laisse dans la solitude et la peur ?

— Il faut appeler au secours.

— Comme Sally Ashworth en ce moment.

— Mais ce n'est pas son mari qu'elle appelle, dit Alexander avec force.

— Il ne l'écoute pas.

— Vous croyez que vous saurez mieux l'écouter et la comprendre ?

Leo ramassa son gobelet et celui de Sally.

— Vous aimez Felicity. Sally et Alan ne s'aiment plus. Du café ?

Alexander secoua la tête.

— Judith et moi, nous avons cessé de nous aimer. Nous ne l'avons pas cherché mais c'est arrivé. Vous avez de la chance d'être aussi malheureux, d'aimer quelqu'un comme vous aimez Felicity.

— Je sais. Mais je ne pense pas, même si je cessais de l'aimer, que j'abandonnerais... — mon Dieu, quelle conversation idiote ! Ce que nous appelons amour recouvre tant de richesse et de diversité qu'il doit toujours en rester assez pour aider un mariage à survivre...

— Non, dit Leo, pas nécessairement. Mais je voudrais que vous ayez raison.

— Je crois au mariage.

Leo haussa le ton.

— Vous n'êtes pas le seul !

Alexander alla ouvrir la porte donnant sur l'entrée.

— Pour le meilleur et pour le pire...

— Superbe sortie théâtrale, dit Leo méchamment.

— Ne soyez pas trivial.

Chacun à un bout de la pièce en désordre, ils se regardèrent.

— Vous êtes quelqu'un de très bien, dit Leo, mais ce soir je ne suis pas en état de discuter avec vous.

— Ainsi nous sommes deux, dit Alexander, et il sortit.

Après son départ, Leo téléphona à Sally. Elle était très calme.

— C'est un homme tellement gentil. Il a dû être horrifié. Il t'a engueulé ?

— Pas vraiment. Il m'a demandé de ne plus te voir.

— Et ?

— J'ai refusé.

— Oh, dit-elle dans un souffle. Il a parlé d'Henry ?

— Oui.

— Leo...

— Sally, je n'ai pas d'enfants mais je passe beaucoup de temps avec eux. Je pense que l'on ne peut pas vivre pour eux, autrement ils ne peuvent pas vivre eux-mêmes. Quand on est soi-même satisfait, il y a davantage de chances qu'ils aillent bien.

— Tu sais, j'admire Henry, et je t'aime aussi.

— Je l'admire. Et je l'aime beaucoup. Et je t'aime.

— Tu ne peux pas savoir...

— Je peux ! dit Leo, et c'est vrai.

Il raccrocha. Trois minutes plus tard il appela de nouveau.

— Je dirai la même chose après que nous aurons fait l'amour, sache-le. Seulement plus souvent.

— Leo, tu me donnes le tournis...

— Tu ne peux pas savoir quel soulagement c'est, d'avoir trouvé ce que je cherchais presque sans savoir quoi, dit-il avec une force soudaine. Dors bien. Je t'appellerai demain.

Elle posa le téléphone et éteignit sa lampe de chevet. Dans la rue, quelqu'un donna un coup de pied dans une boîte de conserve vide, qui roula sur le trottoir ; au creux des genoux de Sally, Mozart s'installa dans une position différente et ronronna en s'assoupissant. En haut, Henry était sûrement tel qu'elle l'avait laissé après l'avoir embrassé, pelotonné sous sa couette, dans l'oubli d'elle et ramené à lui-même. Un immense bonheur s'étendit sur elle comme une grande main bienfaisante et l'emporta délicieusement dans le sommeil.

6

Au cours d'une réunion d'urgence du chapitre, le doyen annonça que le toit de la cathédrale allait coûter au moins un quart de million de livres. Les pilastres du parapet étaient sérieusement endommagés et des sections entières devaient être retirées sans tarder, pour des raisons de sécurité ; le reste serait renforcé. Les dégâts les plus graves se situaient à la base des pilastres, où la pierre tendre s'était érodée et avait permis à l'eau de stagner en quantité dans l'angle formé par le toit et le parapet ; l'eau s'était infiltrée dans une grande partie du toit au sud et à l'ouest. Il n'y avait pas d'autre solution que de mettre la charpente à nu, refaire la couverture et le plomb, et reconstruire des mètres de parapet. Il faudrait un an pour réparer le toit, plus longtemps pour la maçonnerie. Les fonds de la cathédrale pouvaient réunir environ cinquante mille livres, il faudrait trouver le reste ailleurs.

L'un des chanoines suggéra un appel à la communauté. Deux autres firent aussitôt remarquer que l'appel pour la restauration de l'orgue n'était pas encore clos et que le public n'était guère susceptible de répondre aux deux. Le doyen fut sur le point de révéler l'offre d'achat de Frank Ashworth pour la maison du principal puis, pour une raison qu'il ne chercha pas à élucider, il changea d'avis. Après tout, il était tout à fait hors de question qu'un tel joyau passe de la Clôture au conseil municipal et donc inutile de lever un tel lièvre.

Des murmures quelque peu mécontents s'élevèrent parmi les chanoines. L'un proposa de restreindre les services du diocèse liés à l'éducation afin de contribuer au financement du toit, soit parce qu'il avait la tête ailleurs, soit parce qu'il voulait provoquer un collègue responsable de l'éducation ; un autre suggéra d'amputer les subventions à la mission d'aide aux mourants de Calcutta qui — ils le savaient tous — était particulièrement chère au cœur de l'évêque ; et un troisième, soupçonnant que le doyen avait déjà approché le Fonds des églises historiques à propos du nouvel éclairage, demanda pourquoi on ne faisait pas appel à cet organisme.

Hugh Cavendish les regarda tous d'un air serein. Finalement, sa visite à Croxton avait été fructueuse, et le buffet campagnard, où tout le monde avait loué son attachement à la cathédrale, lui avait apporté l'apaisement. Il se pencha et posa les mains jointes sur la table autour de laquelle une douzaine de générations du chapitre d'Aldminster s'était réunie.

— Messieurs, j'espère que vous vous montrerez patients. J'ai un projet auquel j'ai besoin de réfléchir encore un peu, avant de vous le soumettre. À notre prochaine réunion, j'espère pouvoir vous présenter ma proposition pour résoudre nos difficultés actuelles.

— Le vieux renard, dit plus tard le chanoine Ridley au chanoine Yeats en l'aidant à descendre l'escalier de pierre vers la Clôture, il mijote quelque chose. Quand il prend cet air majestueux, on entend les rouages cliqueter dans son cerveau comme dans un Meccano.

— On prétend, dit le chanoine Yeats — un peu essoufflé à essayer de concilier la rampe de l'escalier, deux cannes et le bras bien intentionné, mais mal placé, de son collègue —, que nous allons vendre la maison du principal. Elle vaut un joli paquet.

— N'en croyez rien. Le doyen n'approuverait jamais la vente d'un bâtiment, surtout pas d'un bon bâtiment. Il nous vendrait plutôt, sans la moindre hésitation, si nous valions quelque chose. Voulez-vous casser la croûte avant de repartir ?

Frank Ashworth ne fut pas surpris quand le doyen lui demanda un rendez-vous, mais il fut intrigué quand il sut que ce devait être un entretien privé. C'est ainsi que le doyen arriva en voiture à l'immeuble de Back Street tôt dans la soirée, alors qu'un ravissant coucher de soleil couleur abricot donnait aux grues des docks un relief de cigognes impressionnant. Il prit le vilain ascenseur, tapissé de plastique gris, jusqu'au dernier étage.

— Je n'imaginais pas que vous aviez une telle vue, d'ici.

— Je me trouve directement au-dessus de là où j'habitais enfant, seulement soixante pieds plus haut.

Le doyen alla vers les fenêtres, qui donnaient sur la montée abrupte de la ville vers la couronne de la cathédrale.

— Je ne l'avais jamais vue d'ici. C'est magnifique.

— Il paraît que je vais avoir une belle vue sur des échafaudages pendant un an.

— Je le crains, dit tranquillement le doyen. Bien entendu, nous ferons au plus vite.

— Un scotch, Mr. Cavendish ? Je regrette, je n'ai pas de sherry.

— Un petit. Merci. Je vois que vous aimez les livres.

— Depuis toujours. Mais, malheureusement, je n'ai pas transmis cet amour à mon fils. Je ne vois pas pourquoi je les lui laisserais.

— À votre petit-fils, peut-être ? — Il leva son verre. — À votre santé.

— Ah... Henry, dit Frank Ashworth plus doucement.

— D'une certaine façon, le motif de ma visite est lié à Henry.

Frank lui fit signe de s'asseoir. Les fauteuils étaient profonds, confortables et hideux, les accoudoirs et le dossier couverts de cuir brun usé, les coussins en velours marron. Des profondeurs du sien, le doyen dit :

— Je voulais connaître votre opinion à propos du chœur. Connaissant vos sentiments sur ce qui vous apparaît comme l'inaccessibilité de la Clôture...

Frank eut un regard soupçonneux.

— Mes sentiments à propos du chœur sont à peu près les mêmes. Je suis fier d'Henry, mais je pense qu'il a eu un coup de main pour y entrer, une chance que d'autres gamins de la ville n'ont pas.

— Il y a des boursiers...

— Oh, je sais. Mais ils n'ont pas de formation musicale, ils n'ont pas des parents qui savent les aider ou qui ont l'argent pour le faire.

— Pensez-vous que le chœur est important ?

— Important ?

— Pensez-vous que nous avons besoin d'un chœur ?

Frank parut gêné.

— Sans musique, la cathédrale perdrait quelque chose...

— Nous avons un orgue magnifique. Je veux parler du chœur lui-même...

— Ce serait dommage de ne plus avoir le chœur. En fait, il fait partie de l'histoire de la ville.

Le doyen s'installa plus commodément que jamais.

— Si, pour une raison quelconque, le doyen et le chapitre ne pouvaient plus entretenir le chœur, le conseil municipal serait-il en mesure de le subventionner ? Cela vous donnerait beaucoup plus de liberté dans le choix démocratique des choristes.

— Je ne pourrais pas affirmer que le conseil pourrait ou voudrait en prendre la responsabilité directe, dit Frank lentement. Je pense que la plupart de ses membres regretteraient de le voir disparaître, encore que, si vous voulez mon avis, je pense qu'ils ont la même opinion que moi à son sujet. Combien vous coûte-t-il ?

— Entre cinquante et soixante mille livres par an.

— Donc, le toit de la cathédrale pourrait être payé en quatre ou cinq ans ?

— Certainement. Voyez-vous, je me trouve forcé de choisir entre l'édifice et une tradition musicale. Il me paraît incontestable que le premier est le plus important.

Frank fit tourner son verre dans ses mains.

— Vous n'êtes pas du tout forcé de choisir, vous savez. Vous pourriez vendre la maison du principal et payer le toit immédiatement.

— Cela pourrait faire partie de l'opération, avec le temps. La cathédrale avant tout.

— Laissez-moi m'assurer que je vous ai bien compris. Vous avez l'intention de supprimer le chœur, ce qui vous fait économiser cinquante-cinq mille livres par an, et vous avez besoin pour cela du soutien du conseil municipal afin de pouvoir repousser les critiques. En échange, vous restez ouvert à propos de la maison du principal.

— Comme vous l'avez dit vous-même, nous continuerons à avoir besoin d'argent.

— Vous allez avoir la guerre.

— Je le sais.

— Je ne peux pas vous promettre de vous aider.

— Mais vous essaierez ?

— J'y réfléchirai.

Quand le doyen fut parti, Frank alla à sa fenêtre sur l'est et resta debout à regarder la cathédrale. Pour Hugh Cavendish, rien ne comptait que cette cathédrale ; elle lui était tellement chère que l'on ne pouvait pas se fier à lui pour tenir parole au cas où cela serait en contradiction avec l'intérêt de la cathédrale. Mais l'amour pour la cathédrale, qui pouvait passer pour un certain altruisme, se disait Frank, n'était pas son seul moteur ; l'autre était le pouvoir. Le doyen voulait gouverner la Clôture ; elle était son royaume. Si, dans ce royaume, certains éléments refusaient de se soumettre, ils devaient partir. Le chœur était l'un d'eux, à cause d'Alexander Troy et de Leo Beckford et aussi — raison intéressante — à cause de ses qualités qui s'affirmaient, ce qui le rendrait plus populaire et lui apporterait une certaine indépendance. Le doyen détesterait cela ; une telle indépendance aurait pour lui une odeur de subversion... Curieux qu'un type de sa condition redoute tellement l'opposition qu'il réagit en l'expulsant ou en l'écrasant. Frank grogna. Quelques années de réunions du conseil auraient appris au doyen deux ou trois choses sur la façon de traiter avec l'opposition. Quant à ses propres sentiments à propos du chœur, Frank était ferme-

145

ment convaincu qu'il n'était pas égalitaire, et pourtant il éprouvait une bizarre sensation désagréable à l'idée d'être mêlé à son démantèlement. Il était indubitablement inquiet à l'idée d'affronter Sally. Et, encore plus, Henry. Mais si le doyen devait tenir parole et que la maison de la Clôture devienne la réalisation de son cher projet, n'était-ce pas un sacrifice pour une cause supérieure ? Henry avait été élevé exactement comme sa femme avait élevé Alan, dans l'illusion des privilèges, mais Henry avait plus de bon sens qu'Alan, un meilleur caractère dans l'ensemble ; il verrait la justice de cette action. Et si l'on pouvait conserver le chœur pour les garçons de la ville, plutôt que ceux de King's School ? N'obtiendrait-il pas alors tout ce qu'il avait voulu et cru juste ?

Il alla chercher le verre de whisky du doyen et l'emporta avec le sien dans sa petite cuisine proprette. Il considéra le verre un instant puis s'adressa à lui à haute voix, sans rancœur particulière : « Vieux faux-jeton ! »

Deux jours plus tard, après la communion du matin, le doyen coinça Alexander qui sortait de la chapelle de la Vierge.

— Ah, Troy ! J'espérais vous trouver ici. Je crois que j'ai de bonnes nouvelles pour vous.

Alexander était resté agenouillé pendant le service, écoutant les mouettes autour de la tour, dans la matinée d'été ; il avait été transporté par la force pure du sens de l'histoire présent dans la cathédrale, aussi tourna-t-il vers le doyen un visage assez absent en disant qu'il était heureux de l'apprendre.

— Je suis allé voir Frank Ashworth au début de la semaine, dit le doyen en se rapprochant d'un air confidentiel — de telle sorte que les plis de sa robe frôlèrent Alexander —, et je crois avoir réussi à calmer au moins son intérêt pour la maison du principal.

— Je suis extrêmement soulagé, mais comment...

— Simplement en détournant son attention. En lui proposant un autre projet. Mais j'ai pensé que vous seriez heureux de le savoir.

— Je le suis, monsieur le doyen, plus que je ne peux vous dire. C'était très accablant de se demander ce qui risquait d'arriver.

— Je partage votre sentiment. Vous savez la valeur que j'attache aux bâtiments de la Clôture. Je tiens aussi beaucoup à ce que, si nous prenons des mesures pour rendre la Clôture, disons, plus accessible au public, celles-ci soient les plus appropriées. Vendre un joyau architectural ne me paraît vraiment pas une mesure appropriée. Mais naturellement — il sourit à Alexander — je suis partial, je dois l'avouer.

Sentant que la simple courtoisie exigeait de lui une certaine générosité réciproque, il dit combien il était navré d'apprendre ce que les réparations du toit de la nef représentaient comme frais et comme bouleversements.

— Il se peut que j'aie résolu cela également, dit Hugh Cavendish. En fait, cela fait partie d'un marché que j'ai conclu avec Ashworth pour sauver votre maison. Inutile de vous dire ce que nous coûte annuellement l'entretien du chœur, et j'ai donc soumis à Frank Ashworth l'idée que le conseil municipal en prenne la responsabilité.

Alexander s'immobilisa. Ils étaient presque arrivés à la porte sud, où un groupe de religieux qui avaient également assisté à la communion s'était réuni avant de se disperser dans la Clôture pour vaquer à leurs occupations. Il posa la main sur la manche du doyen :

— Voulez-vous dire ?...

— En réalité, j'espère que nous n'en arriverons pas là. Croyez-moi, je ne veux pas perdre nos jeunes choristes, mais les priorités sont ce qu'elles sont. Je suis sûr que vous êtes d'accord...

— Non ! l'interrompit Alexander d'une voix forte. Non...

— Mon cher Troy...

— Êtes-vous en train de suggérer de démanteler le chœur pour payer le toit ?

— Comme je vous l'ai dit, j'espère que nous n'en arriverons pas là. Ah, voici monseigneur ! Il va à Londres aujourd'hui et il faut que je l'attrape avant qu'il ne parte. Voulez-vous m'excuser ? Naturellement, je vous tiendrai au courant...

En arrivant cinq minutes plus tard pour faire travailler le chœur, Leo Beckford trouva Alexander tout seul, comme une grande statue, qui n'avait encore pas franchi la porte sud.

— Vous vous sentez bien ?

— Vous n'arrêtez pas de me poser la question...

— Vous n'en avez pas l'air...

— Et vous ? demanda Alexander avec violence, vous vous sentiriez bien, si vous veniez d'apprendre que le chœur de la cathédrale d'Aldminster, fondé par le premier évêque anglican de la ville en 1535, pour chanter des messes pour le repos de l'âme du roi, va être démantelé par le doyen et le chapitre afin de payer des réparations ? Et livré au conseil municipal ?

Il parvint malgré tout à assumer l'assemblée, une entrevue avec un industriel d'Aldminster retraité qui souhaitait généreusement offrir au gymnase un nouveau revêtement de sol polyvalent ; puis une entrevue avec Roger Farrell, le responsable des sports, qui voulait déposer plainte contre l'obstruction de l'organiste à propos de l'entraînement des choristes ; une demi-heure de correspondance ; une conversation téléphonique avec le comptable de l'école, une période de Tacite avec la terminale de latin, avant, enfin, de pouvoir réfléchir avec calme à la déclaration du doyen. « Ne vous inquiétez pas, lui avait dit Leo, ça relève simplement d'une vieille politicaillerie religieuse. Il ne peut pas toucher au chœur, parce qu'il existe par charte royale. Aucun danger. » Et il avait donné à Alexander ce qui paraissait rétrospectivement une tape presque condescendante, avant de s'éloigner vers le transept nord, d'un pas d'une légèreté inconvenante.

Leo avait probablement raison. Il fallait un

décret adopté par le Parlement pour abroger une charte accordée par la couronne. Mais aucune immunité d'origine royale ne pouvait protéger le chœur contre le largage subtil et l'inévitable travail de sape que recouvrait la proposition paterne du doyen. Le conseil municipal prenant à sa charge l'entretien du chœur ! Le conseil municipal s'emparant fatalement — puisqu'il la financerait — d'une tradition chorale unique, à laquelle il ne comprenait naturellement rien !

— Du café ? demanda Sandra, sur le seuil de son bureau.

Il secoua la tête.

— Nicholas est là, monsieur le principal. Il demande s'il peut vous parler et, comme vous êtes libre jusqu'au déjeuner, je lui ai dit qu'il me semblait que s'il n'en avait pas pour longtemps...

Elle avait encore une fois l'air compatissant et il eut envie de la frapper. À son avis, elle n'était pas capable de comprendre sa souffrance, tant son esprit était brouillé par des illusions romantiques et le désir, précisément, de comprendre les autres. Il s'efforça de retrouver mentalement la liste de toutes ses qualités, lui sourit aussi chaleureusement qu'il le put et répondit qu'il verrait Nicholas avec plaisir. Nicholas portait un jean et un sweat-shirt bleu marine délavé portant l'inscription « Halte au nucléaire » imprimée en blanc sur la poitrine.

— Je suis désolé de vous ennuyer, monsieur,

mais je sens que je devrais partir et je ne sais pas très bien quoi...

— Asseyez-vous, dit Alexander. J'ai peur que nous vous ayons tous un peu oublié. Mais vous nous avez rendu d'immenses services. Les terrains de jeux n'ont pas eu si bel aspect depuis des années, et tout ça à temps pour la journée sportive...

— C'est le moins que je pouvais faire. Mais je ne peux vraiment pas continuer comme ça à traîner. Je commence à déprimer un peu et je sais, ou plutôt je crois que je sais ce que je veux faire.

— Bien, dit Alexander avec chaleur.

— Je veux reprendre la musique.

— Vraiment ? Parfait. De quelle façon ?

— Eh bien, c'est précisément le problème. Je ne sais pas exactement à qui je devrais m'adresser...

— Si vous voulez chanter...

— Oh, non, dit Nicholas précipitamment, je ne suis pas assez bon pour ça, et de loin.

— Avez-vous parlé à Mr. Beckford ?

— Non. Il est tellement occupé et je...

— Voulez-vous que je lui en touche un mot ?

— Vous le feriez ?

— Il connaît beaucoup de monde en ville. Il pourrait avoir une idée. J'imagine que vous devez en avoir plus qu'assez de l'infirmerie.

— C'est un peu ça.

Le téléphone sonna. Sandra demanda :

— Voulez-vous que je vienne le chercher maintenant ?

— Merci. — Il se tourna vers Nicholas. — Excusez-moi, je dois vous mettre dehors. Mais je n'oublierai pas.

Dans la salle des professeurs, après le déjeuner, John Godwin, qui était infirme et sage et qui enseignait l'histoire à King's School depuis trente ans, tapota le fauteuil à côté de lui pour faire signe à Alexander de s'asseoir.

— Je regrette de vous dire, principal, que je sais pourquoi vous avez cette mine.

— Le téléphone arabe a déjà fonctionné ?

— Un des huissiers a dû certainement écouter. Ces commérages exaspérants, toujours pareil...

Alexander regarda autour de lui la pièce bondée.

— Tout le monde est au courant ?

— Je le crains. Le bruit des conversations est tombé dès que vous êtes entré.

Alexander soupira.

— Pouvez-vous me donner un conseil ? Je suppose que la brigade Farrell est derrière le doyen et donne des coups de sifflet...

— Ça passera quand le calme sera revenu et quand ils comprendront que notre plus grand signe de distinction universellement reconnue disparaît avec le chœur. De toute façon, il y a une charte royale. Il me semble avoir entendu parler d'un doyen qui a essayé au XIXe siècle de vendre le chœur pour augmenter ses revenus et qui en a été empêché à cause de la charte. Allez donc l'étudier. Elle se trouve aux archives.

— Quand même, je n'aime pas sentir que la salle des professeurs n'est pas avec moi.

John Godwin sourit et saisit ses cannes pour se préparer à se lever.

— Que cela ne vous fasse pas perdre une once de sommeil, principal. Quand on relèvera leur défi et qu'il faudra prendre parti pour l'école ou pour le chapitre, toute cette campagne cessera. Rien ne vaut une menace d'invasion pour donner à une nation une dose de patriotisme. — Il se hissa et se mit debout. — Farrell est un bon agitateur, mais il ne fait pas partie du corps enseignant classique, après tout. Allez voir les archives, et ensuite vous lirez la charte en assemblée.

— Merci, John, dit Alexander.

— Ne me remerciez pas, principal. C'est un luxe d'être écouté.

Quand il se fut éloigné, Alexander rassembla tout son courage et alla rejoindre à l'autre bout de la pièce le groupe entourant Roger Farrell. Celui-ci, en survêtement immaculé, parlait des épreuves d'athlétisme du comté pour les juniors. Alexander fit une remarque anodine et Farrell dit bien haut :

— Nous venons d'apprendre que l'école va être entraînée dans le XXe siècle, principal. Et à mon avis, ça tombe très bien.

— Tout ce que je vous demande, Farrell, dit Alexander avec une colère soudaine, c'est un peu de solidarité professionnelle. Comme vous le savez fort bien.

Tous se turent et Alexander réussit seulement

à franchir la porte une fraction de seconde avant de se mettre à trembler.

C'était le jour où le chœur travaillait après la classe. Leo devait être là-haut dans la salle d'étude avec vingt-quatre garçons qui mettaient au point le chant du service de l'après-midi ou toute autre affaire à l'ordre du jour. Cette pensée était une consolation prodigieuse. Ainsi que la cathédrale elle-même, comme toujours, mystérieuse dans la lumière de cette fin d'après-midi, imprenable, impersonnelle, offrant cependant tous les refuges. Alexander, déjà habillé pour le service, se faufila parmi les derniers touristes qui chuchotaient — il causait toujours un certain émoi en raison de sa magnifique allure — et se dirigea vers la porte du transept nord menant à la salle d'étude.

— Wooldridge, disait Leo mécontent.

— Excusez-moi, monsieur, excusez-moi, je n'ai pas vu le changement de clé...

Dans l'escalier sombre, Alexander attendit. Un morceau d'Ireland, en *fa* ; des notes tombant aussi fraîches que des gouttes de cristal.

— Doux, très doux sur « saint est son nom »...

Il posa la joue contre la vieille pierre froide. Il avait une immense envie de pleurer. Saint Paul connaissait la musique et Dieu ; unissez-vous, avait-il dit aux premiers chrétiens, unissez-vous pour chanter et offrir de la musique à Dieu. Rien n'était plus puissant que la musique, plus unificateur, rien n'élevait autant l'homme en adoration que la musique, la voix

154

de la trompette appelant : « Viens ici, viens à Moi. »

— Êtes-vous bien sûrs de votre *fa* dièse ?

Haendel avait écrit *Le Messie* parce qu'il voulait rendre les hommes meilleurs ; il l'avait dit lui-même, tout simplement. Il avait eu l'impression de voir le paradis quand il en composait l'« Alleluia ». Quel compositeur, engagé par un conseil municipal séculier dont les préoccupations étaient si étrangères à une telle vision, pouvait espérer écrire une musique comme celle-là ? La valeur spirituelle de ce qui lui venait de la pièce au-dessus le submergea. Là était le salut, la nourriture pour le besoin religieux naturel de l'homme.

Les dernières notes en cascade du dernier « Amen »...

— Vous êtes fatigués, dit Leo, tout ce cricket...

— Ça nous plaît, monsieur !

— À moi aussi. Mais pas quand ça vous rend trop somnolents pour tourner les pages de votre livre de chant, Ashworth.

Alexander ouvrit la porte. Le chœur se redressa respectueusement.

— À présent, filez vous préparer. Vous avez au moins dix minutes.

Il traversa la pièce poussiéreuse pour aller au piano, où Leo était assis, bien droit dans sa vieille veste de velours côtelé, les mains encore posées sur le clavier.

— Je n'aurais pas dû le prendre de si haut ce matin, dit Leo. Vous aviez entièrement raison. C'est une perspective horrible.

— Nous devons en parler. J'étais en bas dans l'escalier et j'écoutais...

— Nous n'étions pas très bons, ce soir. Un grand manque d'ensemble.

— Leo, le véritable privilège de cette musique, tout ce qu'elle est la seule à pouvoir faire...

— Vous n'avez pas besoin de me le dire.

— Je me battrai pied à pied.

— Moi aussi. Vous vous rendez compte que je pourrais devenir un *employé* du conseil municipal ? Imaginez-vous en train de parler musique chorale à l'hôtel de ville ? — Il se leva et se mit à bourrer n'importe comment sa serviette de musique. — Écoutez, je dois y aller, je ne suis pas habillé...

— Je vous accompagne. Je croyais que Martin jouait ce soir.

— C'est exact. Je veux l'entendre. Le *Nunc dimittis* a beaucoup perdu de sa vigueur et Martin voulait essayer un nouveau morceau, ce soir.

— Leo, je veux que vous hébergiez Nicholas Elliott pour quelque temps.

Leo s'immobilisa, sa serviette ouverte à la main.

— Mon Dieu, je l'avais complètement oublié, le pauvre. Il se cache toujours à l'infirmerie ?

— Oui. Il croit qu'il veut faire de la musique.

— Il a une excellente oreille, dit Leo en faisant claquer le fermoir de sa serviette, et un grand sens musical. Si seulement il n'était pas aussi mou...

156

— Il ne le serait peut-être pas s'il avait un vrai projet.

Leo ricana.

— Comme celui de me servir de chaperon ? Mais oui, je vais le prendre chez moi. Il pourra tout saboter. Mais ça ne changera rien, Alexander. Même si je ne pouvais rencontrer Sally que dans le silence de la salle de lecture à la bibliothèque municipale, ça ne changerait rien.

— Leo, je vous supplie de réfléchir. Cela ne peut que provoquer un terrible malheur pour tous, particulièrement pour ce petit.

— Occupez-vous de ce qui vous regarde, voulez-vous ?

Il passa devant Alexander et sortit en claquant la porte, laissant derrière lui les grains de poussière dorée tourbillonner follement dans la pièce.

La stalle du principal dans le chœur avait souvent servi de refuge à Alexander, comme à tous ses prédécesseurs pendant plus de cinq cents ans. Elle lui offrait une vue superbe de l'orgue et il avait l'impression que la musique s'élevait au-dessus de lui comme une vague de fond. Au début des services, les choristes juste devant lui étaient très conscients de sa présence, mais ils l'oubliaient dans le chant et il pouvait les observer avec l'admiration et l'affection qu'ils lui inspiraient toujours. Il y avait une telle dignité dans leur concentration ! Alexander en était frappé chaque fois. « Ils adorent ça, avait souvent dit Leo, ils adorent chanter ! » Trois ans plus tôt, avec l'autorisation — donnée à regret — du doyen et du chapitre, Alexander avait accordé un congé au chœur le jour de Noël parce qu'il avait pensé que, pour une fois, les garçons devaient être avec leurs familles, et, l'année suivante, ils avaient insisté pour pouvoir rester. Il était souvent frappé de voir qu'ils aimaient que l'on attende d'eux une conduite d'adulte, et que leur enthousiasme sincère pour leur musique était pour eux aussi naturel que de respirer. Un journal avait qualifié leur conviction de « miraculeuse » ; eux-mêmes la considéraient comme normale.

Le regard scrutateur derrière ses verres, comme un vieux blaireau, l'archidiacre avança dans le chœur pour commencer le service. En été, l'office du soir n'avait jamais tout à fait la magie qu'il avait en hiver, lorsque seules les lampes des stalles du chœur étaient allumées et que les voix s'envolaient dans l'immense quiétude obscure de la cathédrale, mais c'était quand même une heure surnaturelle. Alexander se leva. Les garçons et les frères convers attendaient devant lui, blancs et bleus sur le fond sombre du jubé, au-dessous des tuyaux de l'orgue ; le troisième à partir de la gauche était Henry Ashworth, dont la mère avait une liaison avec son maître de chapelle et organiste. Si ce n'était vers la musique, vers quoi pouvait se tourner un garçon comme Henry ? se demandait Alexander ; et pourtant, curieusement, si Henry apprenait la vérité à propos de Leo, la musique ne continuerait-elle pas à les unir ? Si forts étaient ses sentiments qu'Alexander, inconsciemment, frappa du poing dans sa paume ouverte et eut droit à un éclair de reproche des plus sévères de derrière les grosses lunettes.

— Si nous disons que nous sommes sans péché, nous nous abusons, et la vérité n'est pas en nous. Si nous confessons nos péchés, Dieu est fidèle et juste et il nous pardonnera nos péchés et nous lavera de toute iniquité...

Ils s'agenouillèrent.

— Je voudrais ne pas tout prendre tellement à cœur, pria Alexander. Je voudrais être sans passion, pouvoir juger avec sang-froid, avoir de la retenue. Mais comme je n'ai par nature aucune de ces qualités et que j'ai lamentablement échoué à les acquérir en un demi-siècle de vie, je Vous supplie de m'aider à utiliser plutôt toute mon énergie incontrôlable pour garder ce chœur à la cathédrale, car, lorsqu'il ne sera plus là, une terrible pauvreté frappera ceux que rien d'autre ne pourra jamais soulager. Et pendant que Vous y êtes, s'il Vous plaît, trouvez Felicity et faites-la rentrer à la maison, parce que je suis plus fort quand elle est près de moi et que j'ai besoin d'être fort. Et faites quelque chose pour éviter qu'Henry Ashworth soit la victime innocente d'une pagaille humaine. Pardonnez-moi pour cette liste de demandes alors que je suis ici pour Vous glorifier, mais ce soir les demandes sont au premier rang dans mon esprit et — comme Vous le savez mieux que personne — je suis toujours à la merci de ce qui est au premier rang dans mon esprit.

Il ouvrit les yeux et se leva avec les autres. Psaume soixante et un. Le chœur était calme, serein, prêt.

— Des extrémités de la terre, je crie vers vous dans le découragement de mon cœur. Vous m'élèverez sur un rocher...

Alexander saisit résolument son livre, en secouant la tête comme un chien qui sort de l'eau. De son rocher, il les défierait tous jusqu'au dernier.

7

L'archiviste du comté, une assez jeune femme à l'air grave, avec un gentil sourire et d'énormes lunettes d'écaille, déposa une boîte noire laquée sur la table, devant Alexander.

— Excusez-moi de vous avoir fait attendre mais, bien que vous ayez téléphoné à l'avance, je déteste sortir du coffre des documents comme celui-ci avant le moment voulu.

Le bureau des archives du comté était installé dans un long bâtiment à l'aspect temporaire, situé derrière la brasserie d'Aldminster, et il ne paraissait guère assez solide pour contenir un objet aussi substantiel qu'un coffre. La pièce où ils se trouvaient rappelait à Alexander les classes « baraquements » que l'on avait construites à King's School quand le nombre d'élèves avait commencé à augmenter, à son arrivée.

— Désolée, je suis obligée de rester avec vous...

— J'en serai ravi, dit-il galamment.

— C'est le règlement...

— Je vous en prie, ne vous excusez pas.

Elle tourna la clé et souleva le couvercle.

« Voilà », dit-elle avec révérence.

Ils regardèrent tous deux à l'intérieur comme si c'était une relique sainte. La charte reposait devant eux, vélin grisaillant du XVIe siècle, à l'encre brunâtre.

— Je peux la toucher ? demanda Alexander.

— Je regrette beaucoup, mais je ne peux pas vous le permettre. Je vais vous la sortir si vous voulez...

— Est-ce à dire que, si l'on doit la présenter au tribunal, vous devrez venir aussi en tant que porteur officiel de la pièce à conviction numéro un ?

Elle se troubla.

— Au tribunal ?

— J'espère que nous n'en viendrons pas à un véritable procès, bien entendu. J'espère que la seule existence physique de la charte dans ce bureau suffira à sauver le chœur. Le texte en a été imprimé plusieurs fois.

Elle le regarda avec effarement.

— Mais Mr. Troy, vous ne pouvez pas utiliser la charte comme preuve ! Vous vous en rendez bien compte.

— Et pourquoi donc ?

— Parce qu'elle n'a jamais été ratifiée. Elle a été rédigée, exactement comme vous le voyez ; mais elle n'a jamais reçu l'approbation

162

royale. C'est bien connu, c'est dans tous les livres d'histoire de l'école, dans les guides. La dispute avec l'évêque Fisher...

— Oui. Je sais que c'est techniquement le cas, bien sûr. Mais nous avons toujours observé la charte, dans chaque détail. Elle est notre pierre angulaire depuis quatre cents ans, l'école n'aurait tout simplement pas pu exister autrement !

— C'est volontairement que l'école a observé la charte. Mais je crains qu'au tribunal elle n'ait aucune valeur. C'est exactement comme un testament qui aurait été correctement rédigé dans le moindre détail mais qui n'aurait jamais été signé.

Alexander s'assit lourdement sur la chaise en plastique la plus proche.

— Vous étiez forcément au courant.

— De ce qui s'est passé lors de la fondation de l'école, oui, naturellement. Ça fait partie de l'histoire. Mais je n'avais jamais songé aux conséquences légales...

— Je ne pense pas que l'existence de l'école telle qu'elle a été fondée ait jamais été mise en question auparavant. Pas au tribunal, en tout cas. Bien sûr, les intentions du fondateur sont très claires dans ses lettres, mais je doute qu'elles aient une grande valeur légale.

Alexander s'anima un peu.

— Ses lettres ?

Elle se pencha sur la boîte et, avec une infinie délicatesse, sortit plusieurs feuilles de papier jauni enfermées dans un film transparent rigide.

— La correspondance entre l'évêque Thomas et Henri VIII. Les lettres qui expliquent au roi qu'il constitue un chœur qui lui est consacré et une école pour les choristes qui sera nommée en son honneur. Et voici la réponse du roi. Il dit qu'il est très satisfait, qu'il s'en réjouit, mais rien de plus. Et ensuite, regardez, l'évêque lui écrit de nouveau en suggérant une charte royale et le roi répond qu'il ne peut pas encore l'accorder parce qu'il connaît le grand amour que l'évêque continue de porter au pape. Vous comprenez, l'évêque voulait être nommé archevêque, et Henri refusait parce qu'il croyait qu'au fond de lui il était resté catholique. C'est passionnant, non ?

Elle était tout exaltée.

— Ces lettres sont uniques.

Alexander toucha légèrement la lettre du dessus.

— Elles sont extraordinaires, mais ce n'est pas ce dont j'ai besoin. J'ai besoin d'une charte royale en bonne et due forme.

Elle eut l'air tracassé.

— Il n'y en a pas. Il n'y a que les statuts de l'école, qui disent que la vie de l'école sera seulement la vie du chœur, mais naturellement, c'est loin d'avoir la même valeur légale.

Alexander reprit courage.

— Ça pourrait aider. Merci. Vous avez le texte dactylographié des passages intéressants ?

Elle hocha la tête.

— Je peux vous en faire une copie. Je voudrais vous aider. Je vais à l'office du soir tous les dimanches. — Elle lui fit son joli sourire.

— Si je le pouvais, je ferais apparaître une charte royale ratifiée.

Il grimaça.

— C'est plutôt un choc.

— C'est aussi une ironie du sort. Il me semble qu'Aldminster est la seule école du roi non protégée par une charte royale.

Il rentra chez lui d'humeur sombre, en passant par la cour du chapitre. Il frappa sans obtenir de réponse mais, quand il colla l'œil à la fenêtre, il vit Leo de dos, assis dans un fauteuil, les pieds sur la télévision, en train de téléphoner. Il cogna à la fenêtre mais Leo ne se retourna pas. Alors, il s'appuya contre le mur de la maison et écrivit un court résumé de sa découverte, sur une page vide de son agenda, qu'il déchira et glissa dans la boîte aux lettres de Leo.

— Judith était une authentique féministe, disait Leo au téléphone.

— Ne me parle pas des féministes. — Sally explosait au bout du fil. — Je ne veux pas entendre parler de ces sales féministes. Elles n'ont pas la moindre idée de comment vivent les femmes, alors elles les méprisent et les accusent de traîtrise. Elles sont un sexe à part des femmes ordinaires.

— Je sais. Je n'ai mentionné le féminisme de Judith que parce que tu es tellement différente, grâce au ciel. Et les femmes pasteurs alors ?

— Hmm, dit Sally toute joyeuse en réfléchissant.

Elle adorait ces conversations, elle adorait

que Leo l'interroge vraiment et s'intéresse sérieusement à ses réponses. Quelques jours plus tôt, elle avait dit qu'elle ne supportait pas les omelettes et il avait aussitôt demandé « Oh, pourquoi ? Dis-moi », et elle avait expliqué que c'était à cause des brins caoutchouteux que l'on pouvait rencontrer au milieu ; et même ça, il l'avait écouté avec sérieux. Elle avait lu quelque part que les premiers temps d'une histoire d'amour se caractérisaient par le fait que l'on se délectait à entendre l'être aimé lire à haute voix l'annuaire du téléphone, et, dans trois mois, peut-être Leo se ficherait-il complètement de son opinion sur les omelettes ou sur les femmes pasteurs, mais en attendant, c'était délicieux.

— Si tu étais une femme pasteur, demanda Sally, et que les vieillards et les malades aient besoin de toi mais que tous tes enfants aient la rougeole et que ton traitement ne te permette pas de te payer une nounou ?

— Très réaliste.

— Les femmes sont réalistes.

— Alors elles feraient de bons pasteurs.

— Et laisseraient les hommes prêcher, j'imagine...

— Et devenir archevêques, naturellement.

— Naturellement. Qu'est-ce que c'est que ce bruit ?

— Nicholas.

— Nicholas ?

— Nicholas Elliott est venu habiter chez moi pour quelque temps. Je t'en ai parlé. Il a claqué la porte d'entrée. Et ces bredouillements, c'est lui qui s'excuse d'avoir claqué la porte d'entrée.

— Je te rappellerai plus tard, dit Sally. Je vais faire des crêpes pour Henry.

— Pas beaucoup plus tard. J'ai encore beaucoup de questions à te poser.

— À propos de quoi ?

— Oh !... du désarmement nucléaire, de la santé publique, de l'inculture du gouvernement actuel, de l'état désastreux de ma garde-robe. Des questions de ce genre...

— Leo...

— Tu ris ?

— Oui. Je vais raccrocher.

Il y eut un déclic, puis le silence.

— Tu sais, dit Leo en regardant le combiné, même le téléphone est crasseux.

— Je le nettoierai, dit Nicholas. Tenez, j'ai trouvé ce mot pour vous.

Leo prit le papier distraitement et regarda autour de lui.

— Vous avez fait un travail formidable. Comment savez-vous vous y prendre ?

— La surveillante.

La surveillante était convaincue que Satan inspirait le mal aux mains oisives, aussi avait-elle appris à Nicholas, pendant les longues semaines qu'il avait passées à l'infirmerie, à balayer avant de laver par terre et à nettoyer les vitres avec de l'eau chaude et du vinaigre, en les frottant avec du vieux papier journal. Elle était déjà surveillante à King's School quand Nicholas était collégien et elle représentait donc pour lui une sorte de roc.

— J'imagine que le secret consiste à renoncer formellement à lire une seule ligne de ce que vous ramassez quand vous rangez ?

— Je ne lis pas beaucoup...

— Non. Je l'ai remarqué. Et ça m'agace. Pourquoi ?

— J'ai dû en perdre l'habitude.

— Vous la retrouverez. Je ne peux pas partager ma maison avec un illettré, quel que soit son art du chiffon.

— Je ne saurais pas par où commencer...

— Vous voulez vous faire cogner ? dit Leo exaspéré.

— Suggérez-moi un titre, dit Nicholas en luttant pour faire un effort.

— *The Hitchhiker's Guide to the Galaxy* et *The Collector* de John Fowles. Et ne me dites pas que vous n'avez ni l'un ni l'autre, parce que j'ai les deux. Et ne me demandez pas non plus lequel est le plus court.

— Ce n'était pas mon intention.

— Quelle était votre intention ?

— Aller voir un film.

— Bien. Parce que moi je vais travailler.

— Je vais me préparer.

Il monta au premier et redescendit cinq minutes plus tard exactement dans le même état. Leo était au piano et griffonnait sur une partition.

— Je rapporte « chinois » pour dîner ?

— Bonne idée. Il y a de l'argent sur l'égouttoir.

— Ça m'embête de ne rien pouvoir vous payer !

168

— Vous le ferez quand vous pourrez.

— Ça me plaît bien ici, dit Nicholas plein de reconnaissance et de maladresse.

— Nick...

— OK, OK, je m'en vais...

En descendant le Lyng en direction du cinéma, Nicholas pensa à Leo. S'entendre avec lui était plus aisé qu'avec la plupart des gens d'Aldminster parce qu'il était direct et vous disait que vous lui cassiez les pieds s'il le pensait. Nicholas était sincèrement ennuyé par cette histoire d'argent, mais Alexander lui avait interdit de s'inscrire au chômage s'il n'avait même pas essayé de trouver du travail, et il ne l'avait pas fait. Ensuite, Alexander avait découvert, quelque part dans les archives de l'école, une ancienne institution charitable et il donnait à Nicholas dix livres par semaine. Ainsi Nicholas n'était pas complètement indigent, et l'école contribuait à ses repas. Avec ses premières livres, il avait acheté une boîte d'encaustique qu'il avait l'intention d'utiliser sur tous les meubles de Leo. Il se doutait que Leo ne le remarquerait pas avant un bon moment, mais ce projet le réconfortait.

Il se soupçonna d'avoir un léger coup de cœur pour Leo. Leo paraissait se contrôler si bien que, tout en étant visiblement fou de Sally Ashworth, il pouvait se détacher d'elle complètement pour être musicien à cent pour cent. Leo donnait à Nicholas l'impression de savoir où il allait et ce qu'il voulait ; il n'avait rien de pitoyable, lui. Leo ne traînerait jamais tout seul vers un cinéma sans savoir ce qu'il allait voir, pour ensuite, probablement, être incapable de choisir entre la salle 1 et la salle 2 et finir par n'aller ni dans l'une ni dans l'autre. Leo lui avait dit qu'il était apathique, et Nicholas savait qu'il l'était un peu, sauf qu'il n'était pas indifférent à tout mais plutôt qu'il ne savait pas à quoi s'intéresser. Il s'était senti très bien quand il avait attaqué la cuisine de Leo, vraiment très bien, jusqu'au moment où Cherry Chancellor était arrivée pour dire : « Ça alors ! Qui a fait ça ? », et où il s'était rendu compte qu'il ne voulait pas dire que c'était lui. Elle lui avait donné des gants de caoutchouc, pour plaisanter, et il avait détesté ça.

Il y avait une file d'attente à l'entrée de la salle 1 pour un film tiré d'un roman d'E.M.-Forster. Nicholas n'avait pas très envie de le voir, mais il ne voulait pas que Leo le traite encore d'illettré, alors il prit place dans la file derrière un homme d'âge mûr avec de grosses lunettes et une femme qui portait une combinaison en jean trop jeune pour elle. Ils parlaient cinéma sur un ton très professionnel et la femme répétait : « Je crois qu'il connaît son métier. Ces films-là fonctionnent. » Ses cheveux étaient ébouriffés et inégalement teints, et elle portait des boucles d'oreilles d'argent énormes comme des boucliers, qui se balançaient. Nicholas supposa qu'ils étaient mariés ; il les voyait en train de faire des achats chez Habitat. L'homme dit : « Je me rappelle ce que je voulais te dire. Je l'ai appris aujourd'hui au déjeuner. On va liquider le chœur. »

170

La femme eut un brusque mouvement de la tête.

— Le chœur de la cathédrale ? Pas possible !

— Un signe des temps, sans doute. Ils ne peuvent plus se le payer. Le toit de la cathédrale s'effondre et tout l'argent doit aller là.

— C'est très grave, dit la femme.

— C'est loin d'être l'un des meilleurs chœurs du pays...

— N'empêche...

— Et puis, aussi, il y a un permis de la commission d'urbanisme pour construire un ensemble de toilettes publiques en plein milieu de ce joli coin médiéval en bas du Lyng.

— C'est pas possible...

— Des rampes pour les fauteuils à roulettes, une pièce où changer les bébés...

— Une annexe pour les junkies ?

— Ça ne m'étonnerait pas d'eux. Mon Dieu, j'espère que ce film vaut la peine, regarde les prix...

— Il vaut la peine, dit la femme, je te le promets. C'est sûr, ses films fonctionnent.

Nicholas aima beaucoup le film. C'était un film optimiste et romantique, et les images de l'Italie, notamment, étaient très belles. Il sortit du cinéma avec une grande envie d'aller en Italie et d'être amoureux, et ce n'est que lorsqu'il acheta des rouleaux de printemps et du poulet sauce aigre-douce au Wong Kee Fish Bar qu'il se souvint du chœur. Il rentra en courant à la cour du chapitre, avec un sentiment d'urgence qu'il n'avait éprouvé à propos de rien depuis des années, jeta les barquettes sur le piano et dit à Leo :

— Qu'est-ce que c'est que cette histoire à propos du chœur ?

Les pensées de Leo revinrent, à leur rythme, d'un lointain lieu musical.

— Quoi ?

— J'ai entendu dans la file d'attente un couple raconter que le chœur doit disparaître parce que la cathédrale s'effondre.

— En gros, c'est ce qui nous menace.

— Mais ils n'ont pas le droit !

— Si. Malheureusement. Nous nous croyions protégés par une charte royale mais, finalement, ce n'est pas vrai : apparemment, le chœur était une idée personnelle de l'évêque Thomas pour essayer de faire plaisir à Henri VIII parce qu'il voulait devenir archevêque... Mais nous ferons tout ce qui est en notre pouvoir pour les arrêter. Le doyen propose que le conseil municipal prenne le chœur en charge, pour que le chapitre économise cinquante mille livres par an.

— Le conseil municipal ne connaît rien à la musique.

— Je sais.

— Je... J'ai envie de tuer quelqu'un...

— Tant mieux.

— Qu'est-ce que vous allez faire ?

— Nous allons nous battre, dit Leo, écrire des lettres, faire signer des pétitions, nous creuser la cervelle pour trouver des moyens d'obtenir de l'argent...

— Le chœur est au courant ?

— Pas officiellement.

— Ça me rend malade...

Leo se leva.

— Si vous pouviez imaginer un plan, vous seriez instantanément canonisé. On peut manger ? Qu'est-ce qu'il y a là-dedans ?

— Je vais le réchauffer. Ça devient tout gluant quand c'est froid. J'ai lu un livre, ce soir, mais je l'ai lu au cinéma.

— Très bien, dit Leo. — Il regarda Nicholas. — Je suis content de vous voir en colère.

— Je suis furieux.

Ils mangèrent debout dans la cuisine, en se servant de cuillères pour le poulet et de leurs doigts pour les rouleaux de printemps. Puis Nicholas déclara qu'il allait se coucher et Leo sortit de la maison. Il traversa la Clôture et descendit les silencieuses rues en pente, jusqu'à Blakeney Street.

Quand elle ouvrit la porte, Sally s'exclama : « Comme c'est bien ! », puis elle l'embrassa et dit : « Henry a entendu dire des choses terribles à propos du chœur. »

— Monsieur le doyen, dit Alexander d'une voix sonore, la main sur l'épaule d'Henry en surplis, je vous présente Henry Francis Ashworth, afin qu'il soit admis choriste de cette cathédrale.

Henry s'avança d'un pas. Les stalles étaient pleines ; seuls lui, Chilworth, le doyen et le principal étaient debout au centre, au pied des marches de l'autel. Il leva vers le doyen son visage encadré par sa collerette neuve. Le doyen leva la main dans un geste de bénédiction.

— Henry Francis Ashworth, en vertu des pouvoirs qui me sont conférés, je vous nomme choriste de cette cathédrale. Que Dieu vous accorde la volonté d'obéir, la force de diriger et la grâce d'accomplir les diverses tâches de votre fonction. Que le Seigneur veille sur tous vos actes désormais et pour toujours. Amen.

Il posa la main sur la tête d'Henry. Henry l'inclina légèrement et répondit « Amen ». Il était profondément soulagé. Ce que lui avait dit Briggs ne devait pas être vrai, parce que s'ils devaient se débarrasser du chœur, ils ne nommeraient pas de nouveaux choristes. Wooldridge disait que Briggs était un tocard et Henry trouvait que c'était une expression qui lui allait à la perfection, quel qu'en soit le sens. Et l'évêque était venu. L'évêque ne serait pas venu si ça n'avait pas été une affaire importante. Henry pensait qu'il fallait absolument un chœur, autrement la cathédrale ressemblerait à un musée. C'était bien le genre de bobard que Briggs pouvait inventer, parce que sa voix n'était pas assez bonne pour le chœur ; sa dernière invention avait été de dire qu'il ne croyait pas en Dieu et, comme tout le monde en avait assez, il est parti sur le chœur.

— Michael Anthony Roper Chilworth, disait le doyen.

Chilworth avait les oreilles toutes rouges. Il avait dit à Henry que ses parents souhaitaient plus que lui qu'il soit choriste, mais qu'il voulait bien faire un essai. Il aimait chanter ; ce qui l'ennuyait, c'était que ça empiétait trop sur le cricket en été et le football en hiver. Chilworth était très désinvolte au sujet de sa propre voix mais toujours très généreux quand il s'agissait de celle d'Henry. Être dans le chœur, pensa Henry, ça vous aide à bien vous entendre.

De retour dans les stalles, ils cessèrent de se distinguer et se fondirent de nouveau dans le chœur. D'abord l'hymne du XVIIIe siècle à saint Magnus, puis Wooldridge et Henry seuls dans *O Mysterium ineffabile,* de Lalouette. Ils s'en tirèrent sans le moindre accroc. Ensuite prières, et une adresse du doyen sur la gloire unificatrice de la musique qui exigea beaucoup de sang-froid de la part de Leo et d'Alexander, l'un à la tribune, l'autre dans une stalle, puis *Loue, mon âme, le roi des cieux* ; et tous sortirent lentement, tandis que Leo mettait tout son cœur dans la *Fantaisie et fugue en sol mineur.* Dans le vestiaire du chœur, Chilworth et Henry se déboutonnèrent mutuellement leur collerette avec solennité.

— Le chœur des garçons de Vienne doit porter un costume marin, avec des culottes courtes...

— Je meurs de faim, dit Henry.

Chilworth sortit de sa poche la moitié d'une confiserie quelconque.

— Prends ça, si tu veux. J'ai laissé tomber les cacahuètes.

Henry dit :

— Briggs raconte qu'on va se débarrasser du chœur parce qu'il y a plus d'argent.

Chilworth cita son père.

175

— Il faut pas écouter les ragots. De toute façon, ils nous emmènent en Norvège l'année prochaine.

— En Norvège ?

— Tout juste. C'est mon père qui l'a entendu dire.

— J'ai jamais pris l'avion !

Martin Chancellor entra pour les secouer.

— Allons, dépêchez-vous. La collerette dans la boîte, s'il te plaît, Mason.

— Si tu prends une corde de violoncelle pour attacher le marron, tu frappes beaucoup plus fort.

— Harrison, ramasse ce surplis au lieu de mettre les pieds dessus...

— J'ai la cassette vidéo de *Superman III*...

— Botham est génial...

— Harrison, tu m'as entendu ?

— Pour aller en Norvège, il faut prendre l'avion, non ?

— Monsieur, monsieur, Briggs dit qu'on va supprimer le chœur...

Silence soudain.

— Il... en a été question, répondit Martin Chancellor. — Cherry et lui avaient préparé leur réponse à ce genre de question la veille pendant le dîner. — Mais il ne faut pas s'inquiéter. Il y a une forte chance que quelqu'un d'autre s'en occupe si le doyen et le chapitre décident de s'en séparer.

— Mais est-ce qu'on chantera toujours à la cathédrale ?

— Ça aurait pas beaucoup de sens de chanter ailleurs, si ?

— Mais si c'est plus le doyen qui commande ?

— Rien ne dit que ce sera plus lui.

Harrison dit avec méfiance :

— Je chanterai nulle part ailleurs qu'à la cathédrale. Ça a pas de sens.

— C'est pas à toi de décider.

— Mr. Beckford va être furieux.

— Mr. Beckford l'est déjà, dit Leo qui était à la porte du vestiaire.

Ils se tournèrent vers lui.

— J'espère, dit-il à Martin, que vous avez suscité un peu de soutien de la part de la jeunesse ?

— Ce n'est pas tout à fait mon rôle...

Leo respira profondément. Il regarda les garçons autour de lui.

— Que ceux qui sont pour que le chœur reste une part fondamentale de la cathédrale lèvent la main, dit-il.

Vingt-quatre mains se levèrent. Chilworth dit :

— C'est quoi, fondamental ?

— Bien. Baissez les mains. Je vous préviendrai quand je distribuerai des fusils pour défendre les stalles du chœur. Je devrais faire quelques exercices de tir.

Martin se dit que Cherry désapprouverait ces plaisanteries sur les armes à feu. Il remarqua :

— Je crois que nous ne devrions pas écouter les rumeurs. Rien n'a été décidé, après tout.

— J'essaie seulement d'éviter que l'on prenne la mauvaise décision.

— Mon père a un calibre vingt-deux...

— J'ai un pistolet à air comprimé...

— Nous avons un lance-pierres super...

— Voyez ce que vous avez provoqué, dit tranquillement Martin.

— Ce ne sont que des mots. Mais je les encouragerai, et leur opinion compte.

Martin ouvrit la bouche pour dire que, choristes ou non, ce n'étaient que des enfants ; mais il se tut. C'était l'opinion de Cherry, il le savait, mais pour une fois, il s'aperçut qu'elle avait tort.

— Alors, dit Bridget Cavendish d'un ton badin à Janet Young qu'elle venait de rencontrer à la poste, allons-nous, oui ou non, aborder *le* sujet ?

Janet Young avait reçu le matin une lettre superflue d'un groupe de Women Institutes ruraux qui se plaignaient que Mrs. Cavendish leur accordait de moins en moins d'autonomie. Elle sourit aussi chaleureusement qu'elle put et répondit :

— Non.

— Hugh recommence à ne plus dormir la nuit, dit Bridget sans tenir compte de la réponse — et elle observa que la femme de l'évêque était pieds nus dans ses sandales, ce qui, même si c'étaient de jolis pieds bruns — c'était le cas — et même s'il faisait chaud — c'était aussi le cas —, relevait de l'horreur.

— C'est vraiment injuste. Il essaie de préserver l'héritage de la ville, l'héritage de la nation, et tout ce qu'il reçoit ce sont les médisances les plus abjectes. Je savais que nous avions tort d'engager Leo Beckford comme organiste. Il ne convient pas du tout et son attitude est complètement laïque. Quant au pauvre principal, il ne sait plus ce qu'il fait avec ce qui arrive à sa femme, si bien que l'on ne peut attendre de lui aucune opinion sensée.

— Six timbres au tarif normal et ce paquet, dit Janet Young au guichet, et aussi une formule de demande de renouvellement de passeport, s'il vous plaît.

— J'avoue que je vous comprends, de vouloir vous éloigner un peu de tout cela...

— C'est pour Matthew. Il n'est pas très organisé...

— Ne me parlez pas des enfants. Ou plutôt des écoles. Si seulement Hugh m'avait écoutée à propos de Cosmo et l'avait envoyé à Marlborough où a été toute ma famille... Avez-vous parlé à Rachel Frost ?

Janet avait passé une heure au téléphone, à écouter ce que la femme de l'archevêque avait à dire au sujet du chœur.

— Elle m'a parlé.

— Elle nous soutient, naturellement.

Janet prit ses timbres et sa monnaie.

— Je ne la crois pas très musicienne.

Bridget posa la main sur le bras de Janet.

— Dites-moi donc ce que pense l'évêque. Confidentiellement, bien entendu.

— Robert et moi, nous nous efforçons de ne pas en parler en ce moment.

— Mais vous avez bien une opinion.

— Oh oui, dit Janet en souriant de nouveau, nous avons une opinion ; mais nous la gardons

179

pour nous jusqu'à ce que la situation s'éclair-
cisse un peu.

— Elle ne s'éclaircira pas si les gens ne
s'expriment pas, vous savez.

Le sourire de Janet se fit immense.

— Pardonnez-moi. Je dois absolument filer.
Robert a une confirmation à Handley et je lui
ai promis de l'y conduire en voiture pour qu'il
puisse préparer son allocution en route. Cette
chaleur est bien agréable, n'est-ce pas ?

— Très agréable, dit Bridget.

Puis elle passa sa mauvaise humeur sur
l'employée de la poste. Quelle était donc la
position des Young sur cette affaire ? Quel soutien pouvait-on espérer d'un évêque qui préférait manifestement les pasteurs de sa paroisse
à ses supérieurs, et les laïcs aux pasteurs ?
Quand elle l'avait provoqué, récemment, parce
qu'au synode il avait réclamé des sanctions
contre l'Afrique du Sud, il lui avait lancé un
regard pétillant en disant : « Ne pensez-vous
pas que c'est un devoir pour les évêques d'être
un peu rouges ? » Et elle avait été très décon-
tenancée de s'apercevoir qu'il la taquinait.
Quand, ensuite, il avait repris son sérieux et lui
avait expliqué qu'il avait voté les sanctions
parce qu'il croyait fermement que le synode
devait présenter un front uni, elle avait été très
embarrassée et n'avait pas su quoi penser, parce
qu'il semblait échapper à toutes les catégories.
Et maintenant Janet Young jouait la secrète et
se promenait jambes nues dans la ville de la
cathédrale. Au moins, elle ne ferait aucune
pression sur les femmes de pasteurs, ce qui

laissait la voie libre à Bridget ; Huffo obtiendrait un soutien massif, elle allait y veiller. Elle avait fait deux listes, l'une pour la Clôture et l'autre pour le diocèse, et heureusement Felicity Troy n'était pas dans le circuit pour le moment, parce qu'on ne pouvait jamais attendre d'elle une conduite orthodoxe, ni qu'elle s'abstienne d'attirer les gens rien qu'en les regardant, semblait-il.

— Deux livres soixante-quatre, dit l'employée.

— Dites-moi, demanda Bridget de sa voix la plus encourageante. Dites-moi ce que vous pensez du chœur de la cathédrale.

La jeune fille la regarda fixement.

— Ça ne m'intéresse pas, répondit-elle, ni d'une façon ni d'une autre.

Hugh Cavendish se dit que Napoléon avait dû éprouver le même sentiment avant Waterloo : il ne faisait pas vraiment confiance à de nouveaux alliés qui, encore quelques mois plus tôt, étaient des ennemis et il manquait de certitudes quant à l'ampleur de l'opposition. Il avait d'autant plus de mal à l'estimer qu'il ne souhaitait pas faire tout à fait le jeu de son plus fort allié, le conseil municipal, parce qu'il n'avait aucune intention de lui vendre la maison du principal mais bien de s'en servir comme d'une carotte. Personnellement, il pensait qu'il gérerait le chœur de façon catastrophique, mais il ne voyait pour l'instant aucun autre moyen d'atteindre ses divers objectifs, avoués et cachés, sans supprimer carrément le chœur. Ce à quoi il répugnait, même si ce n'avait pas été le cas au début ; mais, à sa grande irritation, Ianthe l'avait ébranlé quand elle lui avait téléphoné, enragée, disant qu'elle avait pour père non seulement un inculte mais un boucher de l'Histoire. Elle avait entendu Leo utiliser un jour cette phrase à propos d'une tout autre personne, mais le doyen ne pouvait pas le savoir et il avait été très blessé par son éloquence. Le chapitre, au moins, était avec lui — excepté le chanoine Yeats que tous les autres avaient réduit à un silence misérable : « Ils ne m'ont pas laissé parler », avait-il dit ce soir-là à sa femme, désespéré, et tous les chanoines avaient paru soulagés à l'idée de ne plus devoir être administrateurs de King's School, ce qu'ils considéraient comme une corvée, d'autant plus qu'ils n'étaient pas rémunérés.

— La vérité, dit le chanoine Ridley, c'est que nous sommes déjà écrasés de travail. Il y a conflit d'obligations. Nous sommes incapables de faire de l'école la priorité qu'elle devrait être.

Hugh Cavendish avait laissé s'établir un bref silence, puis il avait dit :

— Exact.

Quant à la musique chorale, seul le chanoine Yeats — encore lui — avait paru inquiet.

— Il y a toujours notre orgue, avaient dit tous les autres d'un ton encourageant.

— Mais ce n'est pas du tout pareil. Spirituellement parlant. Rien ne vous transporte comme une voix de soprano parfaite.

— Simplement parce que c'est à cela que

nous sommes habitués. En tout cas, je ne suis pas d'accord. Pour moi, l'orgue est le roi des instruments.

On avait dépêtré le chanoine Yeats de ses cannes, on l'avait aidé à descendre l'escalier avec une prévenance particulière et on l'avait installé très affectueusement dans sa voiture.

— Un brave homme, dit Hugh Cavendish, en regardant la voiture s'éloigner par saccades vers la ville. Un bon pasteur. Mais comme il hait le changement !

Cependant le chanoine Yeats ne représentait qu'une petite partie de l'opposition, et peu efficace. Le doyen savait qu'il pouvait compter sur l'hostilité de son organiste, peut-être aussi de son suppléant — bien qu'il fût d'un caractère plus docile —, du principal, et des alliés locaux qu'ils pourraient réunir. Il n'y avait guère de chance que l'affaire attire l'attention sur le plan national parce que le chœur d'Aldminster n'était pas célèbre et que, de toute façon, la nécessité de sauver la cathédrale mobiliserait l'immense lobby pour la restauration nationale. Il profiterait de la prochaine réunion du chapitre pour rédiger une proposition officielle et inviter le conseil à faire une offre également officielle pour la maison du principal. En attendant, il avait l'intention d'obtenir des devis et des calendriers des travaux afin d'affronter l'opposition, laquelle, il en était tout à fait certain, n'avait rien d'aussi efficace pour le contrer.

Quand Ianthe Cavendish descendit du train à Aldminster, le soir d'un vendredi gris de juin, la première chose qu'elle fit fut d'acheter l'*Echo* au kiosque devant la gare. La manchette annonçait : « Le chœur doit partir pour sauver la cathédrale », avec ce sous-titre : « Une maison de la Clôture sera achetée pour le peuple. » Il y avait moins d'un mille de la gare à la Clôture ; Ianthe acheta donc un paquet de cigarettes et une barre de caramel au premier confiseur pour se sustenter, attacha son sac de toile noire sur le dos et se mit en route, mâchant, fumant et lisant le journal. Apparemment, son père avait déclaré à l'*Echo* qu'en dix ans seulement on aurait économisé, en se passant du chœur, plus d'un demi-million de livres qui pourrait être dépensé pour la cathédrale. Il y avait une photo de son père et de Benedict devant la porte sud de la cathédrale, et au-dessous une autre du chœur en procession avec en gras la légende : « Frappé. » Il y avait des commentaires indignés de plusieurs parents de choristes, y compris une citation de Sally Ashworth, qui aurait déclaré : « C'est épouvantable, et nous allons nous battre pied à pied. » Le principal et l'organiste s'étaient apparemment refusés à tout commentaire, mais malgré cela l'article de fond décrivait la Clôture comme un lieu de grand bouleversement où les gens se sautaient à la gorge ou refusaient de se parler. Tout en délogeant de ses dents des restes de caramel avec la langue, Ianthe se dit que le week-end promettait d'être assez rigolo.

Elle n'avait pas prévu de venir à Aldminster avant plusieurs mois. Elle voulait rester loin de Leo, depuis qu'il avait été tellement odieux avec elle, et elle s'était donné beaucoup de mal pour tomber amoureuse d'un journaliste de rock, qui paraissait vraiment mordu et qui, à sa grande surprise — et en s'en étonnant certainement lui-même —, lui avait envoyé des fleurs. Personne n'avait jamais envoyé de fleurs à Ianthe. Elle en conçut une inclination temporaire très romantique à l'égard du journaliste ; mais seulement, semblait-il, lorsqu'il n'était pas là. Quand elle le voyait, elle pensait presque tout le temps à Leo, ce qui ne laissait pas beaucoup de chance au journaliste. Elle avait essayé d'en parler à Petra, mais Petra était absorbée par la réalisation d'un énorme cheval de métal fantastique, avec un petit côté grec, et elle ne pouvait se concentrer sur rien d'autre. En outre, c'était une commande, ce qui était exaltant, et de toute façon, Petra, lasse des déprédations de la femme de son amant dans son atelier, en avait éjecté celui-ci et essayait de ne pas souffrir de son absence ; elle n'était donc pas d'humeur très compatissante à l'égard de l'amour. La belle Minna de Fergus ne lui était pas non plus d'un grand secours, parce qu'elle avait été élevée en Amérique et pensait qu'une femme ne doit jamais laisser un homme la malmener. Si Fergus l'avait traitée *une seule fois* de la façon dont Leo s'était conduit avec Ianthe, elle l'aurait quitté dans la seconde qui suivait. Ianthe avait essayé d'expliquer que malheureusement elle n'avait jamais été en situation de quitter Leo, mais Minna était bien plus intéressée par son propre point de vue que par la triste situation de Ianthe ; aussi n'était-elle pas elle non plus une confidente valable.

Ianthe avait longuement réfléchi à ce qu'elle devait faire pour changer ses relations avec Leo. À l'évidence, il ne fallait plus le supplier ; elle devait vraiment se montrer aussi dégagée que possible. Et aussi lui montrer qu'elle n'était pas une loubarde, comme il avait l'air de le croire. Elle se fit faire une nouvelle coupe nettement plus seyante encore qu'un peu carrée, s'acheta des produits de maquillage moins agressifs et comme, à la surprise de tous, Ikon avait pris sous contrat un groupe dont le deuxième disque figurait au top 50, elle s'acheta aussi de nouveaux vêtements. Elle dressa un plan destiné à prouver à Leo qu'elle était un être humain responsable et à fournir en même temps à Ikon l'homme à tout faire dont on avait le plus grand besoin. Ils étaient tous convenus qu'il leur fallait un factotum compréhensif et musicien, pas cette fille du nom de Sharon qui ne pensait qu'à rentrer à Brentford à l'heure tous les soirs et à se limer les ongles entre les appels. Ianthe avait eu alors une illumination et avait dit qu'elle croyait pouvoir trouver une solution.

Quand elle arriva au doyenné, elle trouva sa mère dans la cuisine en train de préparer une salade, et Cosmo assis sur le bord de la table, qui en picorait les morceaux qu'il aimait.

— Arrête, disait Bridget.

— Les tomates me font du bien.

— Elles peuvent te faire du bien au dîner.

Ianthe dit : « Salut ! », jeta son sac par terre et le journal sur la table.

— On dirait que ça se bagarre ferme, par ici !

— Tu t'es fait couper les cheveux, chérie ? Très joli...

— Ce n'est pas joli.

— Non, dit Cosmo, en effet.

— Il y a des semaines que tu n'es pas venue, dit Bridget affectueusement. Vilaine fille !

— Beaucoup de travail, Maman.

— Ça n'existe pas, ça, dit Cosmo.

Bridget tapota son genou, revêtu de noir.

— Méchant garçon !

Elle fit le tour de la table pour embrasser Ianthe, et l'examina.

— Tu es en beauté, chérie. Quelles jolies boucles d'oreilles !

— Maman... supplia Ianthe.

— Va te laver et je te ferai du café. Tu sens le train.

— J'étais dedans. Et je préférerais du whisky.

— Ne prends pas des airs, chérie !

Cosmo gloussa.

— J'en ai du hors-taxes dans ma chambre. C'est Brent qui l'a rapporté quand il a pris l'hovercraft pour aller passer une journée en France.

— Cosmo !

— Je ne l'ai pas tout bu...

— Vous êtes trop bêtes, dit Bridget. Je ne sais pas si vous êtes pires séparément ou ensemble.

Le téléphone sonna dans l'entrée. Alerte immédiate. Bridget posa son couteau et alla répondre.

— Tu es venue pour voir Leo, dit Cosmo.

— Non.

— Tu perds ton temps.

— Qu'est-ce que tu en sais ? Tu n'es qu'un gamin. De toute façon, ce n'est pas lui que je suis venue voir.

— Qui alors ?

— Je ne te le dirai pas. Où est ton whisky ?

— Dans une botte, dans ma chambre. Qui tu es venue voir ?

— Nick Elliott.

— Nick Elliott !

— Pas pour ça, crétin. Pour affaires.

Cosmo descendit de la table.

— Si je te donne du whisky, je peux t'emprunter ton T-shirt noir avec la chauve-souris ?

— D'accord.

Ils traversèrent le vestibule, où Bridget était en train de dire :

— En fait, Rachel, nous sommes très satisfaits de la façon dont l'*Echo* a couvert l'affaire. Pratiquement aucune protestation, ma chère. Dans de pareils cas, Hugh retrouve vraiment toute son autorité.

— Qu'est-ce que tu en penses ? demanda Ianthe à Cosmo tandis qu'ils montaient l'escalier.

Il eut un grand sourire.

— J'aime la bagarre.

Ianthe attendit que le chœur ait fini de travailler, le samedi après-midi, avant d'aller à la cour du chapitre. Elle se lava les cheveux, mit un nouveau pantalon corsaire noir et un grand T-shirt blanc tout propre, et quand Nicholas ouvrit la porte il s'exclama « Wow ! Salut ! », ce qui était bien agréable. Dans la salle de séjour, qu'elle reconnut à peine, Leo était assis dans un fauteuil, les pieds sur le tabouret du piano, et il la regarda un bon moment avant de dire :

— Quelle bonne surprise !

Puis il se leva pour l'embrasser, lui offrit un siège et dit, chose stupéfiante :

— Comme ça me fait plaisir de te voir.

— J'ai été débordée, dit Ianthe. Je crois vraiment que nous commençons à réussir. Qui s'est occupé de cette pièce ?

— Mme Plumeau que voici, alias Nick. J'ai peur d'écraser les coussins à présent.

— Alors j'ai bien fait de venir, dit Ianthe.

— Qu'est-ce que...

— Je vais proposer du travail à ta femme de ménage.

— Quoi ?

— Nous nous développons. Nous avons besoin d'un homme à tout faire, coursier, téléphoniste, quelqu'un qui s'y connaît en musique. Tu as dit que Nick cherchait un débouché dans la musique...

— Nick ?

— Oh oui, oh formidable, formidable...

— Qui nettoiera ma baignoire ?

— Vous-même.

— Peut-être. Je laisserai les traces. Ianthe, tu parles sérieusement ?

— Bien sûr. Nous en avons discuté. Soixante livres par semaine, couchage gratuit sur le canapé de mon associé — Mike —, usage de la bicyclette que nous partageons tous pour les courses. Tu sais monter à bicyclette ?

— Je peux apprendre ! dit Nicholas.

Il lança un coussin en l'air.

— Formidable !

— Qu'est-ce qui t'a rendue si femme d'affaires ? demanda Leo.

— Je l'ai toujours été. Vous ne l'aviez simplement jamais remarqué.

— Tu as changé d'allure.

Ianthe voulut lui demander si ça lui plaisait mais elle devina à son expression que c'était probablement le cas ; et de toute façon il était si étonnamment gentil qu'elle se dit qu'elle ne le provoquerait pas.

— Je commence quand ? demanda Nicholas.

— Lundi en huit.

— C'est tellement bien !

— Oui, dit Leo. C'est la seule bonne chose qui arrive. Tu as entendu parler du chœur ?

Ianthe leva les yeux au ciel.

— Ça me rend malade.

— En emmenant Nick, tu m'enlèves non seulement ma nounou mais mon lieutenant par-dessus le marché ; j'espère que tu le sais. Nous préparons un siège dans les stalles. Le pauvre Alexander est hors de lui.

— Je peux revenir quand vous aurez besoin de moi, dit Nicholas tout excité.

Leo se leva et alla à la cuisine.

— Il faut fêter ça. J'ai même du vin, et depuis quelque temps, un ou deux verres propres...

— Vraiment, je te remercie, dit Nicholas à Ianthe avec force. Tu es sûre de ce que tu dis ?

Elle prit un air détaché.

— Décision de l'entreprise.

— Où est l'entreprise ?

— Dans une pièce, au septième étage, du mauvais côté de Charing Cross Road. Enfin... une pièce et demie, en fait, mais la bouilloire occupe la demi-pièce.

— Londres ! dit Nick.

— Absolument. Une cigarette ?

— Non, merci. Et ne fume pas ici. Leo serait fou.

Ianthe envisagea la bravade puis elle décida que l'ambiance était trop agréable pour la gâcher, et elle se contenta de jeter son paquet sur le tapis devant la cheminée pour montrer qu'elle aurait pu fumer si elle l'avait voulu. Leo revint avec la bouteille et une poignée de verres, et marcha sur le paquet en allant vers son fauteuil. Nicholas, ravi comme il ne se souvenait pas l'avoir jamais été avant, fut pris d'un terrible fou rire et se mit à lancer des coussins dans tous les sens.

— Tu es sûre de vouloir de lui ? demanda Leo.

Elle lui fit un grand sourire et leva son verre.

— Au chœur.

Il la regarda.

— Merci. Et à votre brillant avenir à vous deux. Puissiez-vous devenir millionnaires.

Elle se sentait follement heureuse et se leva pour embrasser Nicholas, puis elle embrassa Leo et il l'embrassa, et tout parut soudain trop fichtrement beau pour être vrai.

Sandra remarqua que le principal avait maigri ; beaucoup maigri, même, pour un homme
de sa taille. C'était injuste de sa part de le faire
précisément à ce moment-là, faire une chose
poignante comme maigrir de malheur, parce
que l'ami de cœur de Sandra venait de la
demander en mariage et que, tout en sachant
qu'elle et un homme comme Alexander Troy
vivaient dans des mondes différents et qu'elle
serait bien plus heureuse et plus naturelle avec
Colin, elle ne pouvait s'empêcher de le dési-
rer. Elle aimait bien Colin, elle l'aimait même
tout court et approuvait sa manière de vivre,
modestement ambitieuse, mais Colin n'était ni
admirable ni exaltant et ne provoquait jamais
en elle de ces instants d'émotion enivrants
devant l'attitude de ses épaules, ses gestes ou
ses inflexions de voix. Elle savait depuis des
semaines que cette demande allait arriver et,

suivant les mêmes règles de bienséance, elle avait répondu qu'elle y réfléchirait et répondrait le vendredi. Cela signifiait qu'ils pourraient acheter une bague le samedi et annoncer leurs fiançailles dix jours plus tard, pour l'anniversaire de la mère de Sandra. Ce qu'il ne fallait pas faire, se dit-elle, c'était passer son temps jusqu'à vendredi à regretter vainement ce qui ne pouvait pas être et apporter à Alexander des sandwiches aux crevettes mayonnaise faits maison — qu'il adorait, elle le savait — pour essayer de le persuader de manger. Elle resta donc très efficace toute la semaine, ce qui lui valut l'extrême gratitude d'Alexander ; et ne l'aida donc nullement dans sa résolution.

Ce fut Sandra qui lui suggéra d'aller voir l'évêque.

— Rappelez-vous Mr. Beckford. Sans l'évêque Robert, il ne serait pas là. Ma mère ne l'aime pas parce qu'elle dit qu'on ne sait jamais à quoi s'attendre avec lui, mais je pense que ça en fait quelqu'un de moderne. Et il est vraiment passionné de musique.

Elle téléphona au palais épiscopal et parla avec Janet Young, qui lui dit que l'évêque était libre vers cinq heures. Janet ajouta que, s'il y avait à l'école des garçons qui avaient besoin de faire quelque chose pour le bien de leur âme, la bordure d'herbacées se réjouirait de les voir. Sandra rit et dit que, dans ces conditions, elle pouvait recevoir toute la cinquième année. À cinq heures moins cinq, accompagné de trois garçons qui avaient été surpris en train de fumer avec une insolence provocante dans le jardin de la salle des professeurs, sous un bouquet de lilas, Alexander traversa la Clôture pour se rendre au palais et les livra à la bordure et à la femme de l'évêque qui, bien qu'universellement reconnue pour sa bonté, était aussi réputée intolérante pour le travail bâclé. Par la fenêtre du bureau, l'évêque et le principal pouvaient voir les coupables arracher les mauvaises herbes sous un regard d'aigle.

— Au jardin, elle me terrorise, dit l'évêque. C'est comme si j'étais un tout petit bateau commandé par un capitaine féroce. Les perfectionnistes ne peuvent pas comprendre que nous autres sommes de simples mortels.

— Ils ont beaucoup de chance de s'en tirer à si bon compte. Qu'ils se sentent tellement obligés de plastronner m'exaspère. En tant qu'externes, ils ont des heures et des heures pour mal se conduire quand nous n'avons aucun moyen de les en empêcher, mais il faut qu'ils enfreignent le règlement non seulement à l'école mais aussi près du siège de l'autorité et aussi publiquement que possible.

— Une séance de jardinage sous le commandement d'une femme est peut-être un châtiment approprié pour une démonstration de machisme fanfaron. Oh, regardez. Ils nous ont vus. Pauvres garçons, épiés de tous les côtés. Y a-t-il des choristes parmi eux ?

— Non. Ils sont trop âgés. Notre plus âgé a quatorze ans, et c'est vraiment la limite.

— Je suppose, dit l'évêque en quittant la fenêtre et en conduisant Alexander vers un vieux fauteuil recouvert de grosse toile délavée, je suppose que l'objet de votre visite est l'avenir de notre malheureux chœur ?

— Je ne peux le dire qu'à vous, dit Alexander en se jetant dans le fauteuil, et c'est en fait un énorme soulagement d'avoir quelqu'un à qui en parler, mais vraiment je suis au désespoir. Je ne sais pas vers qui me tourner. Le doyen et le chapitre sont apparemment favorables au projet à cinq contre un, la salle des professeurs à vingt-sept contre quatre parce que cela liquiderait la priorité des exercices du chœur que tout le monde déteste tellement, et je redoute la prochaine réunion des administrateurs, où le doyen et le chapitre seront présents ainsi que trois conseillers municipaux dont Frank Ashworth. Il me semble que si nous ne donnons pas au chœur une autonomie financière, nous le perdrons, et, si nous le perdons, nous perdrons avec lui quelque chose de si précieux que c'est à peine imaginable.

— Est-il impossible d'envisager cette autonomie ?

— Nous ne sommes pas un chœur de premier ordre, comme celui de Wells ; nous ne pouvons pas susciter comme lui l'attention du pays et du monde. Si on en laissait le temps à Leo Beckford, je crois que nous pourrions atteindre le niveau supérieur, encore qu'il sera toujours meilleur organiste que maître de chapelle, et c'est un merveilleux organiste. Mais nous n'avons pas le temps. Si le chœur s'en va, nous ne le retrouverons jamais, certainement jamais sous cette forme ancienne et irremplaçable.

196

Il regarda l'évêque, qui tenait ses lunettes par une branche et les balançait.

— Pourrais-je... Ce que je veux vous demander, c'est si vous acceptez de soutenir notre cause et de défendre le chœur. Cela changerait tout.

Il y eut un long silence et l'évêque mit ses lunettes. Puis il les ôta de nouveau et dit avec douceur :

— Je regrette, mais je ne le peux pas.

— Vous ne le pouvez pas...

— Non. J'aimerais le faire — ceci reste strictement entre nous — mais je ne peux pas. Comme vous, je crois au pouvoir unique de la musique chorale dans nos cathédrales mais, voyez-vous, mes devoirs et mes désirs premiers ne vont pas à cette cathédrale ni à la forme de culte qui s'y pratique. Ils vont à l'Église. Comprenez que je ne peux pas offrir le spectacle d'une Clôture d'Aldminster divisée, sur lequel la presse se jetterait avidement. Me montrer en opposition ouverte au doyen serait la satisfaction égoïste d'une opinion personnelle et minerait l'Église tout entière. Nous devons rester unis, pour le bien de ceux que nous servons. Si l'on nous voit nous chamailler, nous quereller, l'Église en sera diminuée dans l'opinion publique.

— Mais, ces mêmes personnes ne sont-elles pas diminuées si nous perdons l'influence qu'a le chant choral dans nos cathédrales ?

— Certes, dit l'évêque, mais moins. Rien n'est plus dommageable qu'une Église visiblement divisée, rien n'ébranle aussi gravement la foi des gens.

Alexander se leva et retourna à la fenêtre. Hargreaves, un jeune géant de quinze ans qui tenait à peine dans son uniforme, se faisait apparemment enseigner comment tailler les rosiers. Dans sa main, le sécateur ressemblait à des ciseaux à ongles.

Alexander se retourna.

— Il sera dissous. Et la maison du principal ?

— Alors là ! dit l'évêque avec soulagement, c'est très clair dans mon esprit. Elle devrait en effet appartenir à la ville, mais sous l'influence de la Clôture. Que ce soit un lieu de rencontre, c'est très bien, mais un lieu de rencontre chrétien.

— On dirait que vous êtes d'accord avec moi sur la plupart des points dans toute cette affaire, mais vous ne voulez pas me soutenir...

— Je ne le peux pas et ne le veux pas. Mais cela ne m'empêche pas de prier pour vous. En fait, je prierai comme un damné, comme disait le vieux chanoine Savile. — Il se leva. — Alexander, vous avez des nouvelles de votre femme ?

— Aucune.

— Depuis combien de temps...

— Cinq semaines.

L'évêque prit une branche de ses lunettes entre ses dents.

— Et vous allez simplement attendre ?

— Jusqu'à la fin du trimestre. Ensuite, je pense que j'aurai fait ma part dans notre pacte tacite de liberté de mouvement et j'irai à sa recherche.

— Les femmes ont un pouvoir extraordinaire, n'est-ce pas ? dit l'évêque pensivement. Il me paraît très réel et supérieur, mais pas visionnaire. L'est-il ?

— Non. Parce qu'elles ne sont pas romantiques, finalement.

— Pas romantiques ?

— Non. C'est une chose que j'ai apprise de Felicity.

L'évêque dit sombrement :

— Elles feraient des pasteurs extraordinaires.

— Mais un chœur de filles n'aurait pas l'effet exaltant, presque excessif, d'un chœur de garçons.

L'évêque prit Alexander par le bras.

— Il est certain que cette manifestation particulière de pureté, idéale et surnaturelle, disparaîtra avec le chœur.

— Ne parlez pas de cela...

— Rien n'est perdu, Alexander. Loin de là.

— En ce moment j'ai l'impression que l'opposition à mon égard grandit chaque jour, et que je m'amoindris d'autant.

— Sottises. Vous êtes un personnage considérable, bien trop considérable pour Aldminster, je le pense souvent. Janet dit qu'elle vous imagine en capitaine d'industrie missionnaire et je sais exactement ce qu'elle entend par là. Avec un peu d'aide d'en haut vous pourriez remuer des montagnes et je ne désespère pas du tout que vous le fassiez. Voulez-vous emmener les forçats de Janet, ou les gardons-nous jusqu'à ce qu'elle n'ait plus besoin d'eux ?

— Gardez-les, je vous en prie. C'est probablement l'heure la plus constructive de toute la vie de Hargreaves. Il ne sait absolument pas quoi faire de son énergie et de ses appétits féroces, excepté détruire. Les meubles se désintègrent tout bonnement dès qu'il approche. Merci de m'avoir reçu.

— Je n'oublierai rien de ce dont nous avons parlé.

Sur le seuil du palais épiscopal, Alexander se retourna.

— Croyez-vous que toute entreprise humaine naît du besoin de se singulariser, de se montrer... ?

— Psychologiquement parlant, c'est probable. Spirituellement, ce n'est pas obligé. — Il leva les yeux. — Voici Bridget Cavendish. Notre rencontre ne sera pas ignorée.

Alexander rattrapa Bridget à quelques pas de la porte du doyenné. Elle était vêtue d'une élégante robe imprimée et portait un panier d'osier plein de sacs en papier bien rangés.

— Juste de quoi faire des salades, dit-elle à Alexander, je n'arrive jamais à tout me rappeler en même temps.

— Je crois que je ne veux plus jamais voir de salade pour le moment. C'est l'unique idée culinaire de Mrs. Monk ces temps-ci, sous prétexte que nous sommes en juin, et quelle que soit la température réelle.

Bridget s'illumina.

— Mon cher Alexander, entrez donc. Vous dînerez avec le doyen et moi.

— Je ne pense pas... que ce soit le bon moment.

— Allons donc. Vous entendriez les excellents arguments de Hugh et nous pourrions avoir une discussion sensée dans un décor civilisé.

Alexander recula d'un pas.

— Je ne suis pas de très bonne compagnie, ces jours-ci.

— Ne vous excusez pas. Je comprends. Vous avez bien fait d'aller voir l'évêque.

Il la regarda avec un sentiment très proche de la répulsion, s'inclina, bredouilla un « au revoir » et s'éloigna rapidement. Elle le suivit des yeux quelques secondes, puis se précipita dans le doyenné et ouvrit la porte du bureau sans avoir frappé.

— Huffo, je viens de rencontrer Alexander Troy, qui sortait du palais, et il a refusé de dîner avec nous. Il ne peut qu'être allé voir l'évêque à propos de son satané chœur...

Le doyen écrivait à sa table et ne leva pas la tête.

— Pas nécessairement.

— Mais enfin, Huffo, sinon pourquoi ?...

— Pour des tas de raisons.

— Et refuser mon invitation !

— Tu t'attendrais à ce qu'il accepte, dans un moment pareil ?

— Huffo, je fais tout ce qui est en mon pouvoir pour t'être utile dans cette période difficile...

Le doyen se retourna et la regarda par-dessus ses verres demi-lune.

— Alors aurais-tu la bonté de m'apporter une tasse de thé ?

Pour la troisième fois consécutive, Sally travailla pendant l'heure du déjeuner de façon à retarder le moment d'écrire à Alan. Son patron, qui courtisait le nouveau jeune barman du bar à vin de Lydbrook Street, lui en fut infiniment reconnaissant et promit de la récompenser largement, le vendredi, quand il lui donnerait l'enveloppe de son salaire. Elle était meilleur vendeur que lui et réussissait généralement à persuader quelqu'un qui recherchait un exemplaire du *Pope* de Lytton Strachey — très rare — de prendre à la place *Elizabeth and Essex* — pas rare du tout — et, probablement même, une caisse de bourgogne ordinaire. Elle avait aussi des activités domestiques telles que passer de la cire d'abeille sur le dos des livres reliés en cuir et décorer le magasin avec des plantes et de vieilles assiettes trouvées à la brocante du jeudi pour qu'il attire des gens qui n'auraient pas normalement l'idée d'entrer dans une librairie d'occasion. Deux fois elle écrivit : « Cher Alan » sur un bout de papier, et la troisième fois : « Mon cher Alan, même si je n'étais pas amoureuse de quelqu'un d'autre, je ne veux plus être mariée avec toi. » Elle les déchira tous. Elle pensa soudain qu'Alan serait peut-être très soulagé de recevoir une telle lettre, mais ensuite elle se demanda si elle ne l'espérait pas seulement parce que tout serait alors beaucoup plus simple.

Elle voulait par-dessus tout ne pas tricher avec les gens, si elle pouvait l'éviter, et naturellement elle trichait avec Alan chaque jour qu'elle n'écrivait pas cette lettre. Il lui était difficile d'écrire uniquement parce qu'elle ne savait pas très bien ce qu'elle allait faire, à part le quitter. Leo voulait l'épouser, mais elle pensait qu'elle devait s'habituer à l'idée de ne plus être mariée avec Alan avant d'envisager sérieusement d'épouser quelqu'un d'autre. Elle était folle de Leo, aucun doute là-dessus, et encore plus depuis qu'il l'avait entraînée dans le lit de sa chambre biscornue dans la cour du chapitre et l'avait enchantée en lui faisant l'amour, au lieu de coucher seulement avec elle comme elle y avait été habituée. Se faire étudier dans tous ses détails avec un intérêt immense et approbateur était aussi séduisant que de voir ses opinions sérieusement prises en considération. Cela lui donnait une confiance en elle stupéfiante.

— Ça passera, dit-elle à Leo, ça ne peut pas durer, cet enthousiasme démesuré !

— Tu oublies que j'aime vraiment ton caractère. Sois toi-même et tu verras que tu ne pourras plus te débarrasser de moi. Quand apprendras-tu ? Je veux ce que tu es, pas ce que je voudrais que tu sois. Excepté mariée. Je voudrais que tu ne sois pas mariée.

Elle ne se sentait pas mariée. Elle se sentait profondément la mère d'Henry, mais pas du tout la femme d'Alan. C'était la première chose à lui écrire, ensuite elle devait lui dire que c'était un autre homme qui, en quelque sorte, l'avait rendue à elle-même. Alan n'aurait pas la moindre idée de ce que cela signifiait mais elle ne savait plus comment l'exprimer autrement sans paraître ultra-féministe, ce qu'elle n'était pas du tout. Alan ferait vraisemblablement du sentiment au sujet d'Henry, mais elle devait se préparer à l'affronter et essayer de s'abstenir de lui faire remarquer qu'il avait toujours été un père sur lequel elle ne pouvait pas compter. Elle décida qu'elle serait honnête.

Quant à Frank, elle était tellement furieuse contre lui à cause du chœur qu'elle allait le laisser mariner dans l'ignorance à propos d'Alan. Il n'était pas venu lui parler face à face et franchement de son accord avec le doyen sur le chœur et la maison du principal, il l'avait laissée l'apprendre par la rumeur, alors elle s'était précipitée à l'appartement de Back Street et l'avait bravé.

— De qui donc êtes-vous solidaire, avait-elle crié, de votre petit-fils ou de votre politique ? J'aimerais le savoir ! Vous n'êtes pas seulement un tricheur, vous êtes aussi un lâche. Vous nous avez laissés découvrir l'affaire par nous-mêmes, Henry et moi. Pas étonnant que vous ne veniez plus à Blakeney Street depuis des semaines ! Eh bien, tout est fini entre nous, Frank. Henry ou pas. Vous imaginez ce que c'est pour lui que d'avoir un grand-père, un personnage public, qui agit de cette façon et essaie de se débarrasser précisément du groupe dans lequel son petit-fils vient d'être choisi pour entrer ? Et tout ça derrière notre dos !

Une vague d'ancien chauvinisme mâle envahit brutalement Frank ; son père aurait frappé
sa mère, si elle lui avait parlé ainsi. Il ouvrit
la porte à Sally.

— Sors d'ici, dit-il, sors d'ici avant que je
te mette dehors.

Ils ne s'étaient pas parlé depuis. Henry avait
demandé une ou deux fois : « Est-ce que grand-
père va venir ? », et Sally avait répondu, distraitement, pour essayer d'indiquer que, s'il ne
venait pas, cela ne signifiait rien de particulier :
« Il est noyé de travail, en ce moment. Tu sais
comme il est. » Il n'alla pas à la cathédrale voir
Henry admis comme choriste confirmé. Mais,
si Henry le remarqua, il ne dit rien ; après tout,
il était habitué à ne pas avoir de second parent
auprès de lui en permanence.

Leo dit que Sally se trompait peut-être sur
Frank.

— Tu ne connais pas le doyen, Sal. Frank
s'est peut-être bien trouvé plus coincé qu'il ne
l'avait prévu, et comme il n'est pas habitué à
ce que l'on déjoue ses manœuvres, il n'arrive
pas à s'en remettre. Il a commis une erreur et
l'orgueil l'empêche de le reconnaître. J'ai une
certaine admiration pour lui. C'est le dernier
des véritables pères de la ville.

Mais Frank était le père d'Alan, et Sally ne
se sentait pas d'humeur à se réconcilier avec
lui. Elle l'informerait quand elle le jugerait bon,
tout comme Henry. Henry ne devait rien savoir
avant qu'elle ne puisse lui dire exactement ce
qui allait se passer.

Elle était consternée par la brouille entre Leo

et Alexander Troy. Ils s'étaient tellement fâchés à cause d'elle qu'ils se parlaient à peine, à un moment où ils auraient eu besoin de le faire à cause du chœur. Sally avait envisagé de s'éloigner quelque temps ou de ne plus voir Leo, mais ni l'un ni l'autre n'était vraiment faisable, et de toute façon Leo avait souvent déclaré à Alexander qu'il ne renoncerait pas à Sally où qu'elle se trouvât. Elle aimait beaucoup Alexander, Henry aussi, et elle souhaitait de tout son cœur que Felicity revienne pour qu'il ait quelqu'un à qui se confier.

Elle dit un jour à Leo qu'elle devrait peut-être aller voir Alexander et essayer de régler cette histoire, mais elle avait choisi un mauvais moment, où Leo était plongé dans ses réflexions à propos de son travail, et il lui avait jeté un regard impersonnel parfaitement étranger en disant que ça ne rimait à rien d'y aller, à rien du tout.

Elle se sentait si pleine d'énergie, si sûre d'elle qu'elle avait l'impression de pouvoir faire n'importe quoi. Elle nettoyait la maison de fond en comble, même dans les recoins, et préparait des plats compliqués pour le dîner. La seule réaction d'Henry fut de lui dire avec une pointe de reproche qu'il espérait qu'ils pourraient bientôt manger de nouveau des spaghetti. Elle l'emmenait se baigner après l'école, allait le voir s'entraîner au hockey avec Chilworth et assurait des tours de permanence à la braderie de l'école, dirigée par le genre « mère à l'esprit de groupe » qu'elle détestait le plus. Le jeudi après-midi, quand la librairie était fermée, et presque tous les soirs tard, elle voyait Leo ; il s'installait dans la pièce d'en bas, les genoux occupés par Mozart qui lui témoignait une sympathie possessive ; Sally et lui bavardaient, buvaient, et il lui jouait du piano. Henry descendit une seule fois, saisi de panique au milieu de la nuit à cause d'une leçon de français qu'il n'avait pas apprise, et s'il parut vaguement étonné de voir Leo, sa surprise céda la place au soulagement quand Leo se montra disposé à l'interroger sur-le-champ, même s'il était minuit vingt.

— Maintenant tu pourras dormir tranquille. Comment écris-tu « je dors » ?

— D-o-r-s.

— Et « il dort » ?

— D-o-r-t.

— Très bien. Le cauchemar est fini. Tu emmènes ce gros tas de poils avec toi ?

Henry ramassa Mozart.

— Merci, monsieur.

— Dors bien. Je te retrouverai demain matin à huit heures et demie pile, et très en voix.

Henry eut un grand sourire. Le lendemain matin, il demanda :

— Pourquoi est-ce que Mr. Beckford est venu ?

— Pour me parler.

— De moi ?

— Non, espèce de grand vaniteux. Rien que pour bavarder. Une conversation amicale.

— C'est un ami ?

— Oui. Un très bon ami.

Henry eut l'air gêné.

— Ça fait un peu drôle d'être amis avec un professeur...

— Ah ? Les professeurs n'ont pas le droit d'être aussi des personnes ? De toute façon, ce n'est pas un professeur.

— C'est tout comme, dit Henry.

Puis il ajouta :

— Mais il est OK quand même.

— Trop aimable !

Ce matin-là, Henry reçut une lettre d'Alan, la première pour lui tout seul depuis plus de trois mois. Il afficha une curieuse indifférence, ne voulut pas l'ouvrir, et, quand Sally la décacheta et la lui tendit, il regarda les deux premières lignes en disant vaguement qu'il la lirait plus tard. Quand il descendit après s'être brossé les dents, il déchira le coin de l'enveloppe pour emporter les timbres saoudiens à l'intention de Hooper. Sally lui dit : « Emporte donc la lettre pour la lire pendant la récréation. »

Mais elle la retrouva plus tard sur la petite table de l'entrée, qu'ils utilisaient tous les deux comme vide-poches. Elle la lut. C'était le récit enjoué d'une course de chameaux qui disait à la fin : « Occupe-toi bien de Maman, vieux frère, et je te verrai pendant les vacances. » Il voulait dire en août. Dans six semaines. En six semaines, elle devait avoir pris sa décision, le dire à Alan, à Henry et à Frank. C'était la première fois que la froide réalité se dessinait. Elle retourna dans la grande pièce pour prendre une autre tasse de café et faire le point. Elle trouva Mozart sur la table, en train de manger le beurre avec satisfaction.

Le journaliste de l'*Aldminster Echo* venu au siège du conseil municipal pour interviewer Frank Ashworth, à propos de l'intéressant projet de la ville consistant à reprendre les vingt-quatre chanteurs de la cathédrale, apprit qu'en fin de compte Mr. Ashworth ne pouvait malheureusement pas le recevoir. Il était habitué à ce genre de propos et il sourit gaiement, disant qu'il attendrait. La secrétaire de Frank ajouta qu'elle s'était mal fait comprendre : à l'évidence, Mr. Ashworth n'avait pas d'interview à donner à l'*Echo,* point final.

Le journaliste en prit note et demanda s'il devait supposer que la proposition avait été rejetée, et la secrétaire, tout en continuant à taper sans le regarder, annonça qu'elle n'en avait pas la moindre idée. « Très intéressant », dit le reporter avec ennui, puis : « Garde le moral, mon chou », et il alla, trois portes plus loin, au pub Lamb and Flag, où l'on offrait les ragots du conseil municipal gratuitement en même temps que des pintes de véritable bière Protheroe. Il y connaissait plusieurs habitués et, en une demi-heure, il avait obtenu le renseignement qu'il cherchait, à savoir que la proposition de Frank — faire adopter le chœur par la municipalité — s'était heurtée à un refus retentissant.

Frank ne se rappelait pas de pire réunion du conseil. Trois des plus jeunes membres — dont celui qui demandait qu'un congé de deuil soit accordé aux gays et aux lesbiennes employés par la municipalité qui perdaient leurs amours

— avaient bel et bien hué Frank et s'étaient moqués de lui en feignant l'incrédulité, d'une façon qu'il avait trouvée excessivement insolente. L'opinion générale était que le chœur de la cathédrale était dépassé, élitiste, et qu'il n'avait pas sa place dans un monde moderne qui ne nécessitait plus de supports superstitieux tels que la religion. Le militant gay fit ensuite remarquer, avec une malveillance souriante, que Frank avait un petit-fils dans le chœur et que sa proposition était donc d'un népotisme flagrant. Le délégué aux affaires scolaires dont Frank avait dénoncé l'incapacité lors de la grève des professeurs dit avec une certaine satisfaction que cinquante mille livres, c'était un peu exorbitant à son avis pour que Frank fasse passer cette somme en une faveur faite à sa famille.

Subir des sarcasmes était une chose, les subir en public de la part de gens sans valeur et ignorants, dans cette enceinte que Frank révérait plus que tout autre lieu dans sa vie, était intolérable. Il y était entré la première fois en tant que jeune conseiller, juste avant son trentième anniversaire. La lourde magnificence d'acajou rouge du lieu, sobrement rehaussée çà et là par la dorure des armes de la ville et du comté, les plaques commémoratives dédiées aux soldats tombés pendant les deux guerres, le « 1888 » inscrit au-dessus de la grosse horloge et qui datait le bâtiment lui-même, tout cela avait imprégné Frank de l'ampleur de sa responsabilité à l'égard d'Aldminster et de l'honneur qu'elle représentait. En trente ans, il avait naturellement assisté à des altercations et entendu des injures autour de cette immense table en fer à cheval ou parmi les sièges serrés de part et d'autre, mais il avait rarement vu le conseil municipal perdre son sens de la dignité, sauf pendant les cinq dernières années. Des individus qui se proclamaient progressistes avaient envahi le conseil uniquement pour y abuser de leur pouvoir, se disait Frank ; pour mettre en avant les obsessions d'une minorité qui ne servaient en rien le bien de la majorité des habitants d'Aldminster. Frank s'était rendu compte, avec horreur et tristesse, que beaucoup d'entre eux méprisaient en fait les gens pauvres et ordinaires pour la défense desquels ils avaient été élus. Et le débat était devenu personnel. Frank eut honte d'écouter certaines chamailleries de bas étage qui faisaient désormais figure de discussion publique, et voilà qu'il était mis lui-même au pilori à sa place habituelle, accusé avec des ricanements mauvais de chercher à se remplir les poches et à favoriser la carrière de son petit-fils.

Il ne pouvait même pas dire ce qu'il avait sur la conscience et déclarer qu'il avait permis au doyen de se faire des idées quant à l'avenir du chœur, qu'il l'avait laissé lui arracher son approbation parce qu'il brûlait de pénétrer dans le cercle enchanté de la Clôture en achetant la maison du principal. Il avait reconnu au fond de lui que cette maison constituerait une sorte de cinquième colonne du conseil dans la Clôture, mais il n'allait pas l'admettre à présent en session, devant un auditoire alléché par les saletés cachées, comme des rats dans des ordures. Et pourtant, s'il ne l'admettait pas, on en déduirait qu'il était de mèche avec le doyen ; d'ailleurs cette accusation lui était déjà lancée par une belle jeune femme en chemisier écarlate, qui disait bien haut depuis les bancs qu'un homme qui prenait plaisir à fréquenter Hugh Cavendish était le genre de socialiste à deux faces dont le parti pouvait bien se passer. Elle avait des cheveux noirs, un air effronté et violent, et un groupe de partisans lui hurla son approbation. Frank essaya de dire quelques mots à propos de l'héritage de la ville incarné par le chœur, et elle se leva en criant que la tradition était un mot ordurier parce qu'il ne signifiait rien d'autre que le maintien des inégalités sociales, dont le chœur n'était qu'un exemple répugnant. Elle répéta plusieurs fois le mot, et c'est alors que Frank, qui avait toujours soutenu que quitter une réunion était une défaite, se leva lentement, lourdement et se dirigea vers la porte. Au moment où il la refermait derrière lui, quelqu'un dit, surexcité :

— Voilà parti le dernier des fossiles.

Et il y eut un grand éclat de rire.

Frank en aurait pleuré. Pas à cause de l'insulte, mais bien de l'abîme dans lequel le conseil était tombé. Ce n'était plus une grande institution ; à peine en était-ce encore une, qui présidait de façon incohérente aux destinées d'une ville où trop souvent les jeunes manquaient d'instruction, et les malades, de soins. Frank alla dans son bureau et contempla son sous-main vide. Il eut conscience d'être à la fois découragé et amer, momentanément du moins. Le pire, c'est qu'il se sentait profondément déçu de lui-même.

Sa secrétaire, une femme d'expérience, fatiguée, qui avait travaillé pour des conseils de toutes les couleurs politiques au cours des ans et qu'il partageait avec un autre conseiller de sa génération, vint lui demander s'il voulait du café.

— Non, merci.

Elle ne lui demanda pas comment s'était passée la réunion ; elle ne le faisait jamais. Frank ne l'avait jamais vue s'intéresser à autre chose qu'aux soldes de janvier — pendant lesquels elle demandait toujours des heures de liberté au mauvais moment — et aux mariages des têtes couronnées. Elle rangea deux dossiers bruns dans le classeur métallique à côté du bureau de Frank, puis elle le surprit en disant : « Pourquoi n'allez-vous pas à l'école voir votre petit-fils ? Ils sont libres au moment du déjeuner, n'est-ce pas ? » et elle sortit. Quand il passa devant elle trois minutes plus tard, elle était à sa machine, comme d'habitude, et elle dit sans cesser de taper :

— Je m'occuperai du type de l'*Echo*.

— Merci, dit Frank.

Il était intrigué et décontenancé de découvrir qu'il aurait voulu faire un saut à Blakeney Street, Dieu sait pourquoi. Qu'aurait-il dit, en arrivant ? De toute façon, Sally aurait été à son travail, à ce moment-là. Il passa même devant la maison et remarqua à la fenêtre un grand vase d'iris, flanqué de Mozart qui surveillait la rue ; il vit aussi que le marteau en forme de dauphin que Sally et Alan avaient rapporté de leur voyage de noces à Malte et dont il leur avait toujours prédit qu'on le leur volerait était admirablement astiqué. Sans réfléchir, il écrivit sur un relevé d'identité bancaire, à la fin de son chéquier : « 1 h 15. Je passais. Frank », il le détacha, le plia et le glissa dans la boîte aux lettres. Aussitôt, Mozart quitta le rebord de la fenêtre pour aller enquêter.

Frank poursuivit sa route, prit les rues qui montaient en zigzaguant vers la Clôture, apaisé par la familiarité des constructions, des grilles et de la vue sur les allées. Il faisait frais, gris, calme, tous les bars à vin et à sandwiches étaient pleins ; et les portes des pubs, ouvertes sur le trottoir, lâchaient dans la rue des relents de bière. La Clôture était bondée, elle aussi, de gens endormis dans l'herbe ou qui mangeaient ce qu'ils avaient apporté dans des sacs et des emballages en papier, de bandes de jeunes qui fumaient ici et là, de chiens, de jeunes enfants, de personnes assises sur des bancs, qui lisaient le journal en essayant de ne pas se trouver trop près les unes des autres. L'herbe était jonchée de déchets et les poubelles débordaient. Au milieu de tout cela se dressait la cathédrale, dans sa superbe indifférence. Frank traversa la Clôture par le chemin qui menait directement sous la grande fenêtre ouest puis vers la masse néo-gothique du bâtiment principal de King's School. Le chemin passait également devant la maison du principal, à laquelle Frank ne jeta qu'un bref coup d'œil, puis s'arrêtait à l'entrée de pierre qui ouvrait sur la cour impressionnante de l'école. Elle était vide, mais les fenêtres du réfectoire qui en occupaient un côté étaient ouvertes, déversant un terrible fracas de couverts et des odeurs de cuisine scolaire. Frank intercepta un garçon qui courait vers le réfectoire et lui demanda où déjeunaient les plus jeunes.

— Oh, ils ont terminé, dit le garçon essoufflé, pressé de repartir, ils sont aux terrains de jeux maintenant. Ils mangent à midi et demi.

Les terrains de jeux descendaient en pente douce à partir de la Clôture, dans la direction opposée à la ville et à l'estuaire. Lors de leur installation, ils avaient été plantés de hêtres et de marronniers et bordés de champs qui s'étendaient vers l'est jusqu'à ce qui était alors le village de Horsley. À présent, des maisons, des petits bâtiments industriels et des centres commerciaux couvraient les champs, et l'on jouait au cricket et au football dans un décor de brique. Les arbres étaient toujours là, magnifiques, et sous un marronnier particulièrement imposant, Henry et une demi-douzaine d'autres gamins s'entraînaient au saut périlleux arrière.

— Il faut vraiment que tu fasses ça juste après le repas ? demanda Frank.

Henry alla vers lui avec une joie non dissimulée et dit :

— On a pas mangé, c'était du hachis, horrible...

Un autre dit d'un air important :

— Ma mère dit que de toute façon c'est tout du soja.

— Il paraît que ça a le même goût.

— Ben non, alors on laisse tout dans l'assiette...

— Ça te dit de faire une petite promenade ? demanda Frank à Henry.

Henry lui sourit, heureux.

— D'accord.

Ils s'éloignèrent sur le versant.

— Désolé de ne pas être allé vous voir, toi et ta mère, ces temps-ci.

— Elle dit que tu étais très occupé.

— Ça, c'est toujours vrai. Mais nous nous sommes un peu chamaillés, ta mère et moi, à propos du chœur. Elle t'en a parlé ?

Henry s'arrêta pour ramasser un bâton.

— Non.

— Qu'est-ce que tu penses du chœur ? Tu trouves que c'est quelque chose d'important ?

Henry agita son bâton avec un mouvement d'essuie-glace.

— Bien sûr.

— Pourquoi ?

Henry haussa les épaules.

— À cause de... la cathédrale. Et de la musique. Et... et à cause de Dieu.

— Tu crois en Dieu ?

— Oui.

— Pourquoi ?

Henry soupira. C'était le genre de conversation pénible, pas du tout du style habituel de Frank.

— C'est évident, dit Henry avec une nuance de mépris dans la voix. Sans Dieu, il y aurait rien de tout ça — il fit un geste avec son bâton —, et puis d'abord, il y aurait pas la cathédrale.

— Et les garçons des écoles publiques de la ville qui ne peuvent pas entrer dans le chœur comme toi ? demanda Frank qui avait remarqué le ton méprisant et le tour nouveau que prenait la conversation.

Henry lui lança un regard clair.

— Ils peuvent. Harrison était à l'école de Horsley et ses parents ne paient rien.

Frank s'arrêta de marcher. Il se rendait compte qu'il n'était pas d'humeur à essuyer une seconde défaite en quelques heures.

— Comment va ta mère ?

— Bien.

— J'ai vu le chat sur le rebord de la fenêtre, aujourd'hui.

— Il est en disgrâce. Hier, il a mangé le beurre et, ce matin, il a apporté un bébé rat et l'a lâché dans la grande pièce. Nous l'avons attrapé dans la poubelle.

Frank reprit sa marche.

— Il faut parfois des changements, tu sais, et on n'aime pas la tournure que ça prend. Mais, en fin de compte, on s'aperçoit que c'était pour le mieux.

Henry ne dit rien. Il pensait au petit museau sauvage du rat qui le regardait du fond de la poubelle.

— Des nouvelles de ton père ?

Henry répondit avec désinvolture :

— Il reviendra peut-être quelque temps en août.

— Il vaudrait mieux que je rentre, dit Frank.

Je voulais seulement bavarder un peu. Embrasse ta mère pour moi et dis-lui que je passerai bientôt la voir.

Henry lui fit un grand sourire.

— Hier soir, je l'ai appelée « ma vieille », et qu'est-ce que j'ai pris !

— Tu es un sale gosse effronté.

— Elle m'a traité de vaurien...

— Allons, garnement, retourne à tes cabrioles.

Henry se haussa sur la pointe des pieds et l'embrassa.

— Au revoir, Grand-Père ! Merci d'être venu.

Frank le regarda retourner en courant vers le marronnier. Il avait un plus grand faible pour Henry que pour toute autre personne, cela ne faisait aucun doute, mais il fallait ce qu'il fallait, et Henry ne pouvait pas grandir dans une société qui refusait de bouger. Par la fenêtre de la salle des professeurs, à une centaine de pas, Roger Farrell observa la silhouette bien connue qui se dirigeait vers l'école et se retourna pour dire avec satisfaction à ses collègues :

— Notre grand allié arrive. On sort tous pour le porter en triomphe ?

9

La vie à Londres n'était pas telle que Nicholas l'avait imaginée. Pour commencer, tout le monde — Ianthe, Mike, Steven et Jon — était toujours absent, ou en rendez-vous. Nicholas avait cru qu'une foule de groupes de rock passeraient par le bureau et qu'il remplirait ses journées de façon intéressante à leur faire du café et à les consoler quand Ikon les refusait, mais apparemment les affaires se traitaient ailleurs, et les séances d'enregistrement à l'extérieur prenaient vingt-quatre heures sur vingt-quatre, sept jours sur sept. Le bureau était le lieu où arrivait le courrier et où Nicholas répondait au téléphone. Quand on téléphonait, c'était généralement pour demander : « Est-ce que Mike est là ? » ou Steve, ou Jon, ou Ianthe, et quand Nicholas répondait qu'il était désolé, qu'ils n'étaient pas là mais qu'il pouvait prendre un message, on disait généralement que ce n'était pas grave, on savait où on avait le plus de chance de les trouver, et on raccrochait. Parfois, l'un des associés apportait à Nicholas un master pour qu'il aille le faire graver sur vinyle dans un studio de Wardour Street. Ça lui plaisait. Il aimait regarder le diamant tracer, et il avait alors la sensation qu'il se passait vraiment quelque chose dans sa vie. Mais quand il était des journées entières au bureau en attendant d'être envoyé au studio de gravure, ou mieux encore à l'atelier de pressage à Wimbledon, il trouvait qu'il ne se passait rien du tout.

Le bureau était une unique pièce d'environ cinq mètres carrés avec une petite alcôve attenante, des toilettes deux étages au-dessous, et une vue sur des murs de brique jaune et des escaliers de secours. Les associés l'avaient meublée au début avec enthousiasme : deux tables brun foncé en tubulaire, des sièges en mousse recouverts de velours côtelé, d'énormes plantes et un éclairage maniéré. Puis ils avaient compris la nécessité de récupérer leur investissement et avaient laissé l'endroit sombrer dans la pagaille de leurs activités désordonnées. On voyait partout des cendriers pleins et des marques de brûlure, le tapis brun foncé était usé et poussiéreux, et les feuilles des plantes avaient commencé à raidir de sécheresse.

En soupirant, Nicholas entreprit d'appliquer ses talents acquis auprès de la surveillante. Il n'y avait rien pour nettoyer, et une première expédition à Charing Cross Road lui révéla que le genre de boutique qui vendait des balais ou des seaux avait totalement disparu. Il s'adressa à la femme de ménage noire qu'il trouva en train d'inonder l'escalier interminable de l'immeuble, et qui s'interrompit aussitôt pour lui donner tout son matériel de nettoyage ; puis elle vint le regarder travailler parce que, dit-elle, elle n'avait jamais vu un homme faire une chose pareille. Il nettoya pendant toute une journée. Jon arriva à six heures, répandit des cendres de cigarette, renifla et dit : « Drôle d'odeur. Des messages ? »

Les soirées se passaient un peu mieux s'il réussissait à mettre la main sur l'un des associés et à se faire emmener là où il allait. Ils étaient très gentils avec lui, à leur façon distraite, mais, lui, continuait à avoir l'impression de vivre en marge de la vie des autres plutôt qu'au centre de la sienne. Quand même, c'était formidable d'avoir de l'argent et les vêtements trouvés chez un fripier de Covent Garden que Mike lui avait donnés — Nicholas les porta pour aller voir la vitrine, tout intimidé — ; et dormir sur le divan de Mike était bien plus agréable que l'infirmerie, quoique moins plaisant que la chambre d'amis de Leo. Mike avait un goût marqué pour le gothique, et un mannequin habillé en moine encapuchonné se dressait à un bout du divan, tandis que de l'autre côté une grande chauve-souris de papier noir était accroupie sur un portemanteau. Le divan lui-même était recouvert de velours noir rêche, et Nicholas reçut un duvet à rayures écarlates et noires. Il devait ranger ses vêtements dans plusieurs sacs en plastique derrière le divan. Il n'y avait pas d'autre endroit où les mettre parce que l'essentiel de la petite pièce de Mike était occupé par tout son matériel de travail, de magnétophones et de tables de mixage ; il fallait faire attention aux lames de rasoir par terre parce que, lorsque Mike s'enthousiasmait vraiment en mixant, il les laissait tomber. Ianthe disait à Nicholas que c'était un technicien du son génial. Apparemment, Mike ne voulait pas toucher d'autre loyer que le remboursement de la nourriture et une bouteille de vodka par semaine, aussi Nicholas se sentait-il obligé de faire un peu de ménage, et ça l'empoisonnait vraiment, pas parce qu'il en voulait à Mike, mais parce qu'il se trouvait horriblement faible ; finalement, il se retrouvait toujours dans la situation de nettoyer les saloperies de gens qui vivaient bien mieux que lui.

En pantalon de tweed à pinces et chemise boutonnée jusqu'au cou, il se rendit à Aldminster au bout d'un mois et habita chez Leo. Ce ne fut pas une grande réussite. Leo était d'humeur bizarre et ne voulait parler de rien. Nicholas l'interrogea à propos du chœur.

— Condamné.

— Vous voulez dire que le conseil municipal ne va pas s'en charger et que le doyen ne changera pas d'avis ?

— Oui.

— Qu'est-ce que vous allez faire ?

— Ça ne dépend visiblement pas de moi.

Nicholas essaya une autre approche.

— Comment va Sally ?

— Bien.

222

— Je la verrai pendant le week-end ?

— Non. Elle est partie chez sa mère.

— Sa mère !

— Elle dit qu'elle a besoin de réfléchir.

Il alla voir l'école, où tout le monde était sorti jouer, et l'endroit avait ce drôle d'air en suspens propre au samedi. Il vit Alexander de loin, très abattu, puis il rendit visite à Mrs. Monk, qui préparait le thé à la cuisine pour les joueurs de cricket, et elle lui donna un sandwich au jambon.

— Alors, Londres vous plaît ? demanda-t-elle.

— C'est formidable.

— Vous avez meilleure allure, il faut le dire.

Il sourit. Personne d'autre ne l'avait remarqué.

— Et ici ? Comment ça va ?

— Comme d'habitude. Mrs. Troy n'est pas revenue et le chœur va disparaître à Noël. Mr. Troy a lancé une pétition et a obtenu deux mille signatures mais on dirait que ça ne lui a servi à rien. C'est vraiment dommage... Vous allez pouvoir m'aider à couper ces petits pains. Pas plus d'un doigt d'épaisseur, sinon il n'y en aura jamais assez.

Nicholas assista aux vêpres le dimanche et il était au bord des larmes. On chanta un extrait d'un motet de Tallis, et il pensa que, si un jour on ne pouvait plus entendre de telle musique, ce serait la fin. L'horreur totale. Quand le service s'acheva, il aurait voulu suivre le chœur à la sacristie mais c'était naturellement impossible, alors il resta là jusqu'au moment où

223

Alexander quitta sa stalle, descendit dans la nef et le remarqua.

— Quel plaisir de vous revoir ! Tout se passe bien ?

— Parfaitement, monsieur.

— Vous êtes très occupé ?

— Débordé.

— Je suis ravi.

Nicholas dit en hésitant :

— Mrs. Monk pense que le chœur doit disparaître à Noël.

— Je crains que ce soit vrai. Nous avons reçu beaucoup de déclarations de soutien mais pas du tout d'argent. Et les réparations du toit commencent la première semaine d'août. Personne à la Clôture n'a l'air d'être vraiment de mon avis.

— Mr. Beckford l'est.

Alexander détourna les yeux.

— C'est... très compliqué pour lui. Vous repartez ce soir ?

— Oui. je dois.

— Bonne chance, dit Alexander. — Et il sourit. — Croisez les doigts pour nous tous ici.

Quand il rentra à Londres, Mike n'était pas chez lui, et il eut la surprise d'y trouver Ianthe. Elle lui expliqua que la douche était foutue chez elle et qu'elle était venue utiliser celle de Mike. Elle était assise sur le divan de Nicholas. Elle portait une robe noire qui ressemblait à un T-shirt trop long, des collants résille, et elle s'était enveloppé la tête dans une serviette éponge nouée en turban. Par un accord tacite,

elle et Nicholas s'évitaient depuis qu'il travaillait pour Ikon, au cas où les autres
l'auraient jugé incompétent, et c'était la première fois qu'ils se voyaient seuls.

Elle se montra très aimable avec lui à propos de son travail au bureau, puis elle lui
demanda avec une indifférence étudiée, tout en
feuilletant un magazine, s'il avait vu Leo pendant le week-end.

— Oui. J'ai habité chez lui.

— Alors ?

— Il va bien. Pas très bavard, cette fois-ci.
Le chœur va disparaître à Noël. Je crois que
Leo est très malheureux.

Ianthe laissa tomber le magazine.

— Disparaître ? Tu veux dire que mon père
a gagné ?

— Le conseil municipal a refusé de s'en
occuper et ceux de la cathédrale ne peuvent
plus se le permettre. Moi aussi, je suis malheureux. Je sais que cette musique ne te plaît pas
mais elle est très belle...

— Je n'ai pas dit qu'elle ne me plaisait pas.
Qu'est-ce que Leo a dit ?

— Pas grand-chose, je te le répète.

— Il va se retrouver sans travail ?

— On ne se débarrasse pas de l'orgue.
Seulement du chœur.

Ianthe regarda le plafond.

— Il y avait quelqu'un d'autre ? Chez Leo ?

Nicholas ouvrit la bouche pour parler de
Sally et se ravisa par pur instinct. Même s'il
devait beaucoup à Ianthe pour lui avoir fourni
du travail — et tous les jours, dès le début de

l'après-midi, il considérait qu'il ne lui devait rien —, sa solidarité première et fondamentale allait à Leo. Il savait que Ianthe éprouvait quelque chose pour Leo et il savait aussi qu'elle pouvait être passablement garce quand elle voulait. Lui parler de Sally risquait de mettre Leo en danger.

— Il devait travailler tout le week-end, dit-il. Je suis allé à l'école et j'ai vu quelques personnes. Je pense que Leo est vraiment préoccupé par le chœur.

— Personne ne peut rien faire ?

— Apparemment non.

— Fais-nous du café, Nick. J'ai eu une séance vraiment fatigante hier soir. Mais nous allons peut-être signer un contrat avec ces types à faire pâlir les Rolling Stones.

Nicholas obéit. Il alla préparer un gobelet de café pour Ianthe dans la minuscule cuisine peinte en rouge écarlate. Il le lui apporta et dit, soudain :

— Nous, nous pourrions les aider.

Elle écarquilla les yeux.

— Qu'est-ce que tu veux dire ?...

— Nous pourrions faire un disque. Un disque avec Leo sur la face B et Henry Ashworth sur la face A, à commercialiser à travers les circuits du rock. Un truc original...

— Déconne pas, dit Ianthe.

— Je déconne pas. Penses-y.

— Tu déconnes. On fait pas dans les choristes.

— C'est justement pour ça que les gens écouteraient...

226

Ianthe avala une gorgée de café et dit d'un air las :

— Arrête ton char, Nick. C'est cinglé, ton idée.

— C'est pas cinglé, c'est vraiment cool...

Elle cria :

— La ferme, tu veux bien ?

Et Nicholas attendit quelques minutes avant de déclarer :

— Ça aiderait Leo.

Puis il alla à la salle de bains.

Quand il revint, Ianthe s'était calmée. Nicholas fit des sandwiches au bacon pour tous les deux et elle lui parla de son week-end et de ce type, Gerry, « collant comme tu peux pas savoir ». C'était vraiment pénible. En rentrant chez elle, elle trouverait encore des fleurs devant la porte, elle en mettait sa main à couper. Et pour ça, il aura fallu qu'il aille les chercher dans un hôpital, au nom du ciel, parce que c'était dimanche. Mais jolie voiture, quand même. Une MG noire.

— C'est une idée de dingue, dit-elle en se levant pour partir, mais je vais y réfléchir. N'en parle pas à Mike.

Quand Mike arriva vers minuit, il était accompagné d'une fille et n'avait rien à dire à Nicholas. Ils allèrent directement dans la chambre et Nicholas mit de la musique assez fort parce qu'il n'y avait rien de pire que de les entendre à travers le mur alors qu'il était seul avec la chauve-souris, le moine et le duvet rouge sur lequel Ianthe avait laissé tomber des cendres. Mais, bizarrement, il ne se sentait pas aussi déprimé que les autres fois où Mike avait ramené une fille. Il était même plutôt excité — pas par ce qu'ils faisaient dans la chambre, mais par son idée. S'il pouvait trouver pour Henry une musique vraiment originale à chanter...

Hugh Cavendish accorda à l'*Echo* une longue interview. Il avait soigneusement prévu ce qu'il dirait et comment il insisterait sur ce qui n'était que la vérité, à savoir que le chœur de la cathédrale coûtait au chapitre environ le tiers de ses revenus annuels. Il donnerait beaucoup de détails sur les réparations du toit et ne mentionnerait pas le nouveau projet d'éclairage si on ne lui posait pas de questions. Celui-ci devait être mis en chantier au début de l'année ; il avait trouvé tout l'argent nécessaire, moins trois mille livres dont il pouvait espérer que le gouverneur les donnerait en mémoire de sa mère — qui s'était toujours plainte que la cathédrale était trop sombre — en échange d'une plaque commémorative dans la chapelle qu'elle préférait. Sur le front domestique, il y avait enfin une trêve temporaire, bien que fragile, entre lui, Bridget et Cosmo ; et en ce qui concernait la Clôture, il avait le soutien tacite de tous — et certains le proclamaient haut et fort, comme l'archidiacre, de dix ans son cadet, qui comptait bien avoir ses dix ans de décanat lorsque Hugh Cavendish se retirerait.

Le journaliste voulait savoir ce qu'il pensait du fait que le conseil municipal avait refusé de se charger du chœur.

— Je dois avouer que je comprends leurs raisons. Bien entendu, je suis navré. Nous regrettons tous profondément d'être victimes de notre époque comme tant d'autres cathédrales. Nous devons seulement nous réjouir de posséder un orgue qui figure parmi les plus beaux instruments d'Angleterre et un organiste qui peut lui faire honneur.

« Minable », dit Leo lorsqu'il lut l'interview. Lui-même était blessé et irrité, inquiet à l'idée que Sally puisse se décider pour la liberté plutôt que pour lui, et incapable de se rapprocher d'Alexander, qu'il voyait lutter tout seul, rongé par les soucis, décomposé.

En lisant le même article, Frank Ashworth eut une réaction très semblable. Pour lui, la « compréhension » du doyen à l'égard du conseil municipal n'était que du vent et, si elle était réelle, alors il était indigne d'être doyen. Il préparait son prochain coup, tout simplement. Il ne faisait qu'amadouer le conseil de façon que, lorsque Frank proposerait l'achat de la maison du principal, il subisse une nouvelle défaite honteuse. S'il le pouvait, le doyen allait mettre le conseil dans sa poche, et les compliments qu'il lui faisait n'étaient qu'un début. Frank ferait tout pour lui rendre la tâche difficile. Il n'avait pas l'intention de se laisser rouler deux fois, ni isoler de ses alliés légitimes du conseil par d'habiles manœuvres ecclésiastiques. Le doyen avait demandé à Frank de lui soumettre une proposition détaillée quant aux projets du conseil pour la maison du principal ; ce n'était qu'une feinte de la part du doyen,

Frank en était sûr, mais il allait présenter un plan qu'aucun conseil ne pourrait rejeter. Une petite voix intérieure, désagréable, lui demanda s'il ne confondait pas objectifs socialistes et vengeance personnelle, et il lui fallut un certain temps pour la faire taire. L'expérience lui avait appris que cette petite voix était l'une des rançons de la vie solitaire.

La réunion des administrateurs de King's School eut lieu dans la salle à manger, rarement utilisée, de la maison du principal. C'était une belle pièce avec un plafond à caissons aux moulures compliquées et une cheminée massive ; les quelques meubles que Felicity et Alexander avaient pu lui réserver y prenaient un air un peu indigent. Il y avait une vieille table victorienne à rallonges, abîmée, qu'ils avaient achetée quinze livres des années plus tôt, pour que Daniel y installe ses trains électriques, et que Felicity avait cachée sous un immense tapis de table qui tombait jusqu'à terre, dix chaises excentriques sans aucun rapport entre elles, une petite bibliothèque et une énorme potence de fer forgé, jaillie d'un des murs, d'où pendaient plusieurs grappes de raisin en métal doré terni — Felicity l'avait trouvée au début de son mariage, certaine de la placer un jour à l'endroit idéal. En entrant, les administrateurs lui jetèrent un regard inquiet, et la chaise située directement au-dessous revint au dernier arrivé, le chanoine Yeats, qui ne pouvait jamais se presser à cause de ses cannes.

Il s'assit en levant vers la potence des yeux suppliants.

Ils étaient vingt-deux administrateurs, une assemblée considérable. Alexander dut rassembler bruyamment une douzaine de chaises supplémentaires, et il se retrouva assis à côté du doyen, qui était le président, ce qu'il aurait préféré éviter. Ils abordèrent sans heurts les questions habituelles, les projets de nouvelle salle de sport, le rapport de la commission financière chargée des affaires courantes, l'ouverture de l'école aux filles dès les petites classes ; puis le doyen dit, sans changer de ton :

— Et maintenant, messieurs, le chœur.

L'atmosphère se figea. Alexander regarda autour de lui les chanoines et les conseillers, Frank Ashworth, les amiraux, les avocats, magistrats et éducateurs qui constituaient l'administration, et il ne vit une lueur de sympathie que dans les yeux du chanoine Yeats.

— Nous sommes confrontés à une décision inéluctable. Je crains que ce ne soit même plus une affaire de choix. Plus d'un tiers des revenus du chapitre est absorbé par le chœur, et les nouvelles conditions économiques ne nous permettent plus le maintien d'un tel luxe...

— Ce n'est pas un luxe, dit Alexander d'une voix forte.

Le doyen se tourna vers lui.

— Mr. Troy.

— La tradition chorale d'Angleterre est la plus belle du monde, et elle a un caractère unique. Elle ne constitue pas seulement une part essentielle de notre héritage, elle est tellement importante pour l'humanité que nous n'avons pas le droit d'en priver les générations à venir...

De l'autre bout de la pièce, l'archidiacre cria presque :

— Je crois que l'on peut dire que nous n'avons pas non plus le droit de refuser aux générations à venir l'édifice intact de notre cathédrale ! La maison de Dieu doit passer avant tout !

Le délégué aux affaires scolaires d'Aldminster, qui regrettait finalement d'avoir attaqué Frank dans la salle du conseil et voulait faire amende honorable, cita aussi fidèlement que possible ce que Frank lui avait dit.

— Il est tout à fait injuste de favoriser certains enfants de cette ville. Notre politique doit être de décourager l'injustice de classe des privilèges.

Frank le regarda froidement. Il n'aurait jamais utilisé un mot aussi chargé d'affectivité que « classe » mais il savait reconnaître un rameau d'olivier quand il en voyait un. Il adressa à l'inspecteur un bref signe de tête et dit :

— Le conseil regrette beaucoup de ne pas avoir les moyens de prendre en charge le chœur. Nous ne pensons pas seulement que les fonds sont plus nécessaires ailleurs, mais que les distinctions sociales dans notre ville ne mènent qu'au désordre, ce qu'il est de notre devoir d'éviter en tant que conseillers.

Le thème fut repris avec ardeur. C'était intolérable d'encourager vingt-quatre enfants à se croire supérieurs aux autres d'une quelconque façon ; les chœurs étaient un anachronisme, et notre héritage était bien mieux représenté, en tout cas, par la cathédrale elle-même ; la musique religieuse n'avait d'ailleurs pas sa place dans un monde scientifique, c'était une réalité qu'il fallait voir en face. Les administrateurs laïcs firent remarquer que l'on trouvait beaucoup de bonne musique à Aldminster, qu'il y avait là un organiste de premier ordre et que la cause défendue par le principal paraissait plus qu'un peu mince.

— Spirituelle ! cria le chanoine Yeats — ce qui n'aidait pas du tout Alexander.

— Naturellement, le principal est lui-même musicien, dit le doyen avec onction, ce qui doit nécessairement influencer son jugement.

— Je suis aussi pasteur...

— L'adoration de Dieu devrait-elle dépendre de la musique ? demanda l'archidiacre d'un ton venimeux.

Alexander se leva.

— L'un des aspects que je déplore le plus dans le débat qui a fait rage ces derniers mois à propos du chœur, c'est qu'il est devenu personnel. Si nous sommes divisés, c'est parce que nous avons tous été touchés profondément sur un point sensible, et l'ironie, c'est que cela m'apporte mon unique lueur d'espoir, parce que le chœur a une réelle importance pour vous tous, dans un sens ou dans un autre. Tout ce que je demande, c'est un sursis d'un an pendant lequel je tenterai de trouver un moyen de sauver ce dont je crois sincèrement que nous avons tous besoin.

La salle se déchaîna. Le doyen laissa le vacarme enfler et gronder une minute avant de rappeler tout le monde à l'ordre.

— Un an ! Il demande cinquante mille livres !

Le doyen leva la main.

— Puis-je suggérer un compromis ? Nous allons en effet accorder un sursis, mais pas d'un an. Si Mr. Troy souhaite explorer des voies susceptibles d'assurer l'autofinancement du chœur, je propose que nous lui permettions de soumettre un projet viable lors de la prochaine réunion des administrateurs. Elle se tiendra en octobre, dans quatre mois. Une proposition honnête, messieurs, ne trouvez-vous pas ?

Alexander se rassit lourdement et courba la tête.

— Quatre mois ne servent à rien du tout, et vous le savez.

— Je crois, Mr. Troy, que vous vous oubliez. Puis-je mettre ma proposition aux voix ? Ceux qui votent pour...

Des mains se levèrent vivement tout autour de la salle, vingt au total.

— Et contre.

Le chanoine Yeats et Alexander, seuls à avoir la main levée, se regardèrent avec désespoir à travers la table.

— Vous devriez l'écouter, dit le chanoine Yeats, irrité, en s'adressant à toute l'assemblée, vous devriez vraiment. C'est avoir la vue courte que de ne pas le faire. — Il regarda

Alexander. — « ... Je viens en ce lieu sacré/ Où pour toujours avec Ton chœur de saints/Je deviendrai Ta musique... »

— C'est d'Herbert, dit l'archidiacre je-sais-tout.

Le chanoine Yeats tourna la tête.

— En fait, c'est de Donne.

— Messieurs...

— Un instant, monsieur le doyen... monsieur le président, dit le chanoine Yeats. Mr. Troy et moi-même nous trouvons opposés à une énorme majorité et — il jeta un coup d'œil à Alexander — nous ne sommes pas, si Mr. Troy veut bien me pardonner, des hommes politiques. Nous ne sommes pas experts en, dirons-nous, manœuvres, mais avant que nous ne soyons balayés je dois préciser publiquement une chose, et personne ne m'en empêchera. C'est la suivante : notre point de vue est le seul réellement chrétien et, par conséquent, nous avons raison. Vous pouvez tous vous évertuer à nous mettre en minorité, vous n'y changerez rien.

Il y eut un court silence embarrassé, puis Alexander dit, trop fort : « Bravo. »

Après la réunion — qui s'acheva sur une prière pour l'unité, à laquelle Alexander ne put se résoudre à se joindre —, il fit le tour de la table pour aller aider le chanoine Yeats à se mettre debout.

— Mon Dieu, Mr. Troy, dans quelle arène d'intérêts personnels sommes-nous tombés, vraiment !

— Vous avez été splendide.

235

Le chanoine Yeats dégagea ses cannes des pieds de la chaise.

— Mais ça ne nous a menés nulle part, absolument nulle part. C'est tellement injuste. Je disais encore hier à ma femme que l'on ne dirige pas une cathédrale comme une simple église, et la Clôture comme une paroisse. La responsabilité spirituelle vis-à-vis d'une cathédrale est infinie. Des décisions comme celle qui concerne le chœur ne sont pas de notre ressort.

Alexander marcha lentement à ses côtés, jusqu'à la voiture qui l'attendait, avec les gros autocollants orange des conducteurs infirmes.

— Et ne les croyez surtout pas quand ils parlent d'argent, dit le chanoine Yeats enfin installé sur son siège orthopédique, ce n'est que du bluff. On trouve toujours l'argent, toujours, quand on y est décidé. — Il regarda Alexander. — Quatre mois, Mr. Troy. Improbable mais pas impossible. Je ne suis bon qu'à prier et à faire des enveloppes mais je le ferai avec entrain. Vous n'avez qu'à me le demander.

Alexander regarda la voiture s'éloigner, en hoquetant, le long de la Clôture puis il retourna lentement à son bureau de l'école. Et là, au bord de la table de Sandra Miles, était assise Felicity, les mains autour d'un gobelet de café.

— C'était au bord de la mer, disait Felicity, pas loin de Southwold, une petite communauté, associée à celle où j'étais allée une fois. Seulement six religieuses et quatre laïcs dirigent un hospice pour alcooliques mourants, des gens ramassés dans les ports de la côte est, des femmes pour la plupart. J'ai vraiment travaillé dur — elle montra ses mains —, tu n'imagines pas combien il a fallu frotter.

Ils étaient seuls dans la pénombre du salon, assis dans des fauteuils qu'Alexander avait tirés près de la fenêtre pour profiter des dernières lueurs du jour.

— J'avais deux heures de liberté tous les après-midi. Parfois j'allais marcher près de la mer, parfois j'essayais d'écrire, ou bien je trouvais quelqu'un à qui parler. Je dormais dans une mansarde avec une autre volontaire et c'était ça le pire, parce qu'elle venait de perdre son bébé ; elle était venue essayer de se remettre et elle pleurait terriblement dans son sommeil. Les malades pleuraient sans fin, eux aussi. Ce n'est pas du tout une façon paisible de mourir, même entre les religieuses et les dunes du Suffolk.

Alexander avait passé l'après-midi en retenant sa respiration. Il n'avait rien osé lui demander, il l'avait même à peine touchée de crainte qu'elle ne s'enfuie de nouveau ou ne se dissolve sous l'intensité de ses sentiments, comme Eurydice. Étourdi, il vécut un après-midi ordinaire, résistant au désir de bondir chaque minute et d'abandonner le livre XXX de Tite-Live et sa classe de première, pour se précipiter et vérifier qu'elle était encore là. Miraculeusement, elle y était. Il l'entendait parler à Sandra, Mrs. Monk, à Roger Farrell, qui était visiblement venu pour se plaindre qu'une fois encore Wooldridge avait été empêché de se présenter pour la course de haies — et son ressentiment avait été irrésistiblement désamorcé. Alexander conserva tout l'après-midi un sang-froid surhumain jusqu'au moment où Felicity entrebâilla la porte de son bureau pour lui dire qu'elle allait à la maison et qu'ils s'y retrouveraient quand il aurait terminé. Il parvint à ne pas être prêt à partir avant dix bonnes minutes.

— J'ai l'impression qu'il n'y a rien à boire, dit-elle.

— C'est exact. Je n'ose rien avoir, sinon je l'aurais bu.

— Les Cavendish ont toujours une cave archipleine. Je vais leur demander une bouteille de vin.

— Felicity...

Elle lui sourit.

— Je dois y aller. Imagine un peu...

Elle avait donc traversé la Clôture dans sa longue jupe de coton noir avec son châle à franges. Et, quand le doyen ouvrit la porte, elle lui dit :

— Hugh, malheureusement ce n'est pas une tasse de sucre en poudre dont j'ai besoin, mais d'une bouteille de vin.

Le doyen perdit tout contrôle et il la prit dans ses bras, pour dire avec chaleur :

— Ma chère enfant...

— Il n'y a pas une goutte à la maison. Et j'étais dans un petit couvent où il n'y avait rien non plus.

La porte de la cuisine s'ouvrit.

— Huffo, j'ai entendu frapper...

Le doyen se retourna brusquement.

238

— Regarde, ma chérie, regarde qui est là !

Bridget s'avança, assaillie par une foule de sentiments contradictoires.

— Ma chère Felicity, mais c'est tout à fait extraordinaire...

— Que je sois revenue ?

Le doyen, radieux, agita l'index.

— Ne commencez pas déjà à céder aux provocations de Bridget.

— Huffo, je ne vois vraiment pas ce que tu veux dire...

— Je suis venue pour extorquer une bouteille de vin, je le crains, dit Felicity.

— Un bourgogne blanc ? Un blanc de blanc ? Un vin du Rhin ?

— Un vin très ordinaire. Merci beaucoup, Hugh.

Bridget bouillait de curiosité.

— Vous venez d'arriver, Felicity ?

— À l'heure du déjeuner. Encore toute sale du voyage. Et je vous trouve tous en train de vous étriper.

— Il y a eu de graves malentendus. Et quelques réactions d'une violence excessive.

— Je vais vous chercher le vin, dit le doyen précipitamment, en s'éloignant.

— Il faut que vous veniez me voir, dit Bridget. Nous devons parler calmement de tout cela en prenant un café. Je me dis toujours que les femmes analysent bien mieux les situations. Elles sont tellement moins émotives.

— Je viens de passer six semaines avec des femmes. Je dois dire qu'elles étaient extrêmement émotives. — Elle regarda Bridget en face.

— J'ai aidé à soigner des alcooliques mourants dans le Suffolk. Des femmes alcooliques. Ce n'était pas prévu.

Elle ajouta :

— J'ai pensé que vous aimeriez être informée.

— Mon Dieu...

— Et voilà, dit le doyen en revenant. Une bouteille de bon bourgogne blanc. C'est mon cadeau... notre cadeau ! Pour fêter votre retour.

— Je ne voulais pas que ce soit un cadeau.

— Mais moi, si.

Après qu'elle fut partie, Bridget dit, furieuse :

— Ce que tu peux être ridicule, Huffo. Et en plus tu me ridiculises.

Il la regarda longuement.

— Tiens, tiens. Vraiment.

— Voilà, dit Felicity, en tendant la bouteille à Alexander.

— Mais c'est du très bon vin !

— Je sais. C'est un cadeau d'Hugh.

— Mais Bridget...

Ils rirent, pour la première fois.

— Comme tu peux l'imaginer.

Elle s'approcha de lui et posa la joue contre sa poitrine. Il ne la toucha pas. Puis elle dit :

— Nous allons le boire ? Dans le salon sans allumer la lumière ?

Et, là, elle lui dit ce qu'elle avait déjà dit à Bridget Cavendish. À la fin, il lui demanda tout à fait sincèrement :

— Et pourquoi as-tu arrêté, pour revenir ?

— Pour être avec toi.

Elle leva son verre contre la lumière qui faiblissait.

— Je ne pars pas par perversité.

— Alors pourquoi ?

— Je m'y sens obligée.

— Es-tu sûre que ce n'est pas une épreuve ? Pour toi ? Pour voir si tu veux encore vraiment vivre avec moi ?

— Si c'est le cas, alors chaque fois je découvre que oui. Cette fois-ci plus encore que d'habitude. — Elle le regarda dans les yeux. — Je ne peux pas te promettre que cela ne se reproduira pas, pas plus que l'on ne peut promettre de ne jamais laisser commencer une nouvelle dispute. Mais j'essaierai. Je ne veux pas que cela se reproduise.

— Et si je te quittais ?

— Je ne serais pas aussi indulgente que tu l'es avec moi. Tu veux partir ?

Il avala sa salive.

— Non. Je ne l'ai jamais voulu. Je...

Elle l'interrompit :

— Surtout ne parle pas de Dieu.

Il attendit.

— Il faut concilier tant de choses, dit Felicity. Je n'avais jamais pensé que la vie pouvait être si difficile, où que ce soit. Au moins, il me semble que j'apprends qu'il n'y a pas d'endroit moins difficile à vivre, et que si je suis avec toi, c'est plus facile. Mais cela n'empêche pas les pressions, toutes les exigences comme dans un roman d'Henry James,

241

tous les devoirs et les besoins. Je suis une épouse lamentable.

— Seulement pour ce qui est des chaussettes propres et des confitures maison. Et, de toute façon, ça ne compte pas pour moi. Ce qui est grave, c'est la séparation et l'exclusion.

— Je sais.

Puis :

— J'essaierai. Je veux essayer. Je vais beaucoup écrire. Et lire. Sœur Winifred, au couvent, m'a recommandé de commencer par saint Benoît.

— Peut-être...

— Tu as faim ?

Il y réfléchit.

— Pas vraiment.

— Il doit y avoir des œufs...

— Plus tard.

Elle se leva et remplit leurs verres.

— Raconte-moi ce qui s'est passé. Sandra m'a parlé du chœur et il paraît que tu soutiens tout seul un siège parce que, pour une raison quelconque, même Leo refuse de te parler. Pauvre Sandra. Elle avait l'air si triste en me montrant sa bague. Tu lui as appris ce que le bon sens a de fondamentalement lugubre.

— Viens, dit-il.

Elle s'assit par terre près de son fauteuil et s'appuya contre ses genoux.

— Tu te souviens du petit Henry Ashworth ?

— Oui. Un gentil garçon, spontané, avec une jolie voix...

— Leo est amoureux fou de sa mère et veut

242

l'épouser. Pour le moment, même le père d'Henry n'est pas au courant.

— Le fils de Frank Ashworth ?...

— Oui. Et Frank Ashworth cherche à faire acheter cette maison au doyen et au chapitre pour en faire un centre social.

— Cette maison ? Ici ?

— Cette maison, oui. On m'a donné quatre mois pour faire en sorte que le chœur s'autofinance. J'ai lancé une pétition en ville qui a obtenu près de deux mille signatures mais personne n'était disposé à donner de l'argent. J'imagine que je vais devoir faire un appel national.

— Seigneur. Je crois que je devrais retourner à mes ivrognes.

— Ça n'est pas drôle.

Elle se leva.

— Tu as raison. Ils n'étaient pas drôles. Je connais Sally Ashworth.

— Ah, oui ?

— Je lui ai acheté beaucoup de livres chez Quentin Small...

— Tu lui parleras ?

— Je risquerais d'être de son avis.

— Mais, Henry...

— N'empêche. Mais je lui parlerai. Et Leo t'a rejeté parce que tu le désapprouves.

— Le rejet est devenu mutuel. Et comme dit si justement le chanoine Yeats, je ne suis pas un politicien. Je ne sais pas manipuler les gens.

— Tu es honnête.

— Et maladroit...

Elle lui tendit la main pour qu'il se lève.

— Tu as eu le moindre signe de Daniel ?

— Aucun.

— Mon Dieu, dit-elle en glissant son bras sous le sien, comme tout est compliqué...

Il lui sourit.

— Tu peux parler.

Elle sourit à son tour.

— Salut, dit-elle.

Il se pencha pour lui donner un baiser rapide.

— Allons-y, dit-il. Les œufs.

10

Sally se dit que sa visite chez sa mère lui avait éclairci les idées. Jean Jefferies était veuve et vivait dans le village où elle avait passé toute sa vie de femme mariée. Elle avait un chien, un jardin, des partenaires de bridge et une vieille amie de classe avec qui aller en vacances aux îles Scilly. Elle fréquentait assidûment la bibliothèque itinérante, avait toujours des jumelles à la fenêtre de son salon pour observer les oiseaux, et après avoir dit une seule fois à Sally qu'Alan n'était pas un mari pour elle, pour des raisons de classe, elle n'en avait plus jamais parlé et n'en tenait pas rigueur à Alan. Elle avait été habituée à n'avoir pas d'opinion personnelle sur les gens, et le terme le plus élogieux qu'elle employait pour exprimer son approbation était « raisonnable ». Le projet de Sally — quitter Alan, et tout ce qu'il pouvait lui apporter, pour un organiste bohème qui gagnait un peu moins de treize mille livres en tout — n'était absolument pas raisonnable.

« Ce n'est pas une question d'argent », dit Sally.

Quand elle parlait ainsi, Sally lui rappelait son mari décédé. Ils s'étaient mariés à la fin de la guerre et avaient découvert trop tard qu'ils n'avaient rien en commun en dehors du groupe d'amis grâce auxquels ils s'étaient rencontrés. Graham avait toujours répété qu'il était important de communiquer, mais pour Jean la communication consistait à échanger des opinions raisonnables et des informations. Rien de plus. Graham lui disait souvent — et sans gentillesse — qu'elle manquait d'imagination, mais cela ne l'avait jamais dérangée. D'après ce qu'elle voyait, l'imagination ne menait ceux qui en possédaient qu'à d'effrayants labyrinthes inutiles de conversations et de sentiments, une pure perte de temps. C'était idiot de se mettre dans tous ses états, comme le faisait toujours Graham, parce que ensuite on était paralysé et on ne pouvait rien faire pendant des heures. Elle se rappelait de nombreux après-midi de week-end où elle avait désherbé une bordure entière pendant que Graham pestait inutilement à l'intérieur à cause d'une chamaillerie insignifiante qu'ils avaient eue au déjeuner. Et, à présent, elle voyait Sally tout agitée parce qu'elle n'arrivait pas à se fixer sur ce qui était évident et prudent.

— Ça passera, dit Jean. Tout le monde a des périodes de nervosité, c'est généralement vers quarante ans mais ça t'arrive peut-être plus tôt.

Ne lui donne pas de biscuit, ma chérie, sinon il en demandera à tous les gens qui viennent.

— Il vaudrait mieux lui donner ce morceau, il l'a léché...

Jean expédia le terrier dans son panier et revint pour dire :

— Tu me connais, ma chérie. Je ne te dirai ce que je pense qu'une seule fois. Si tu es venue me demander de t'approuver, je ne le ferai pas. Ton père et moi étions très mal assortis et nous avons réussi à passer ensemble trente années très acceptables. Je suis sûre qu'Alan a fait des sottises, les hommes en font souvent et ça ne signifie rien, mais c'est ton mari, un point c'est tout. Il est temps qu'il revienne et que vous viviez ensemble comme une vraie famille. Et il y a Henry. Qu'est-ce que tu serais devenue si j'avais décidé de prendre la porte avec ma valise parce que je n'aimais pas ergoter ?

— Je suppose que j'aurais eu une enfance beaucoup plus calme.

— Merci beaucoup.

— Voyons, Maman...

— Je ne veux pas que tu le prennes comme une remarque personnelle, Sally, mais on n'épouse pas des musiciens.

— Lady Elgar l'a pourtant fait, ainsi qu'un certain nombre de frauen Bach...

— Tu sais très bien ce que je veux dire. Être organiste, c'est la bohème, Sally, rien de solide. Où habiterais-tu ?

— Dans une maison toute de travers de la cour du chapitre.

— Et Henry ?

— Rien ne changerait pour Henry sauf qu'il aurait un beau-père qu'il verrait tout le temps au lieu d'un père absent.

— Alors tu es décidée.

— Presque...

— Il faudrait que tu trouves mieux qu'un petit boulot.

— Ça me ferait du bien.

— Bon, dit Jean. Tu es ma fille et tu le resteras toujours quels que soient nos points d'accord ou de désaccord. Si tu poursuis ton idée, tu sauras ce que j'en pense, mais personne d'autre ne sera au courant. Tu ferais bien de m'envoyer Henry pour qu'il aille un peu à la pêche avec sa grand-mère. Ça lui réussira mieux de parler de poissons que de sentiments.

— Et Leo ? Tu voudras bien connaître Leo ?

— Naturellement. Mais je ne vais pas tourner le dos à Alan. Ça suffit maintenant. Tu peux venir m'aider à attacher les delphiniums. Les pauvres, le vent les a complètement couchés.

Dans sa voiture, en rentrant à Aldminster, Sally analysa ses sentiments ; c'était devenu récemment une habitude, comme de prendre sa température. Elle n'avait jamais attaché de valeur à l'opinion de sa mère, qu'il s'agît de morale ou de tissu à rideaux ; alors pourquoi avoir pris la peine de la lui demander cette fois, puisqu'elle savait exactement ce qu'elle dirait ? Elle n'en avait pas la moindre idée. Peut-être par habitude, peut-être — explication bien séduisante, certes — était-ce une preuve supplémentaire qu'elle n'avait plus rien à demander à personne, qu'elle atteignait une réelle indépendance. Peut-être avait-elle utilisé sa mère pour se tester. Et le test avait réussi puisqu'elles avaient attaché toutes deux les delphiniums effondrés dans la plus parfaite égalité, et Sally avait eu l'impression d'obtenir une petite victoire en cessant de n'être qu'une fille pour devenir aussi une personne. En ayant grandi, peut-être, enfin. Elle traversa le centre pentu de la ville avec plus d'entrain que d'habitude et, comme elle avait encore une heure devant elle avant d'aller chercher Henry chez les Hooper, elle se gara dans la Clôture et se rendit à la cour du chapitre.

Leo était dans la cuisine en train de surveiller les gémissements d'une bouilloire. Quand elle entra, il ne se retourna pas mais planta simplement un second bol sur la table, y jeta un sachet de thé et demanda d'un ton enfantin :

— Alors, j'ai l'approbation de ma future belle-mère ?

La satisfaction et la fierté de Sally disparurent en un instant.

— Ce n'est pas pour ça que je suis allée chez elle, et tu le sais. Je ne veux pas de thé.

Leo versa de l'eau bouillante dans les deux bols.

— Je ne le sais pas. Je ne comprends pas que tu aies besoin de parler à d'autres que moi.

— Tout est plus compliqué pour moi, dit Sally. J'ai un mari et un enfant. Pour moi ce sera davantage une bataille.

Il retira des bols les sachets de thé détrempés et les lança sans viser vers l'évier.

— Et de quel côté se battra ta mère ?

— Elle ne me donne pas raison mais elle me soutiendra.

— Et ça t'avance à quoi ?

Sally soupira.

— Leo, ne te fâche pas.

— Je ne me fâche pas. Je suis horriblement tendu et j'ai passé un sale week-end. Tu ne me laisses pas t'approcher. Tu parles de tes futures batailles mais tu ne me permets pas de les partager avec toi. — Son ton monta. — Ça t'étonne que je sois tendu ?

Sally sentit sa gorge se serrer. Elle allait pleurer. Pas à cause de la dispute qui s'annonçait mais de rage, de rage contre Leo pour avoir gâché le sentiment de liberté triomphante qu'elle avait en arrivant dans la cour du chapitre. La fureur l'aveuglait. Elle se sentait devant lui comme devant Alan quand elle lui reprochait de rechercher égoïstement son plaisir et qu'il répondait par une incompréhension et une indifférence tranquilles. Elle ne devrait rien à personne, homme ou femme, elle ne croulerait plus sous la reconnaissance et la culpabilité, obligée de se sacrifier en échange de ce qu'on lui donnait, affectivement ou matériellement. Elle frappa des poings sur la table de la cuisine, si violemment que le thé sauta des bols et se répandit en traînées brunes sur sa surface.

— Ce sont *mes* décisions, hurla-t-elle à Leo. Tu m'entends ? Les miennes ! Je les prendrai moi-même, toute seule, quand je serai vraiment prête, et je n'ai pas à les justifier devant personne, ni ma mère, ni Alan, ni Henry, ni toi. Reste là à faire la tête si ça te chante. Je m'en moque. Ce n'est que du chantage, l'éternel chantage masculin. Eh bien, je suis blindée contre ça maintenant ; et si ça ne te plaît pas, tu peux aller te faire voir avec tous les autres !

Elle sortit et claqua la porte si fort que Cherry Chancellor qui faisait les carreaux des fenêtres de devant sentit la vitre trembler sous son chiffon.

— Il y a un feu d'artifice à côté, dit-elle à Martin. Naturellement, je ne voudrais rien dire...

— Non.

— Mais ça n'est pas très convenable dans l'enceinte d'une cathédrale. On dirait que nous habitons à côté d'une auberge de jeunesse.

— C'est un brillant organiste...

Cherry frotta encore plus vigoureusement.

— Mais ça n'est pas tout.

Martin se tut un instant, puis il dit :

— Non. Mais c'est beaucoup. Tu as laissé un bout dans le coin, en haut à gauche.

Le lendemain matin, au petit déjeuner, Henry demanda s'ils ne pourraient pas avoir un petit chien, les Hooper en avaient bien deux, Mack et Tosh — est-ce que Sally comprenait ? « Mackintosh ». Sally répondit que non, qui s'en occuperait ? Henry remarqua que la maman de Hooper restait à la maison toute la journée, à faire la cuisine, des tas de choses, et Sally fondit en larmes. C'était déroutant et angoissant mais, comme il était huit heures et demie, Henry mit ses livres dans son sac de sport, embrassa Sally en vitesse et partit répéter avec le chœur ; alors qu'ils s'attendaient tous au *Magnificat en ré* de Dyson, Mr. Beckford leur fit travailler des *Chants mystiques* de Vaughan Williams et personne ne trouvait le sens juste ; alors, Mr. Beckford se mit en colère et gronda Henry, qui avait horreur de se faire même un tout petit peu rabrouer et qui blêmit. Après quoi ils marchèrent tous vers l'école en ordre dispersé, silencieux, et Leo rattrapa Henry qui traînait tristement en arrière, temporairement banni par les autres parce qu'ils étaient embarrassés. Il lui dit :

— Désolé de t'avoir aboyé après, vieux frère.

C'en était trop. Henry s'effondra dans les larmes et l'humiliation, et il fallut à Leo faire les cent pas avec lui dans le cloître jusqu'à ce qu'il soit suffisamment calmé pour se précipiter — en retard — au rassemblement. Ce qui lui valut un regard de reproche sévère de la part de Roger Farrell, qui était son surveillant. Après l'appel, Farrell le prit à part pour le réprimander et Leo intervint alors pour dire que c'était lui qui avait retardé Henry. La colère monta publiquement dans le corridor principal, si bien que Felicity, venue voir dans l'agenda de Sandra quels étaient les engagements de la semaine, remarqua que certaines choses n'avaient apparemment pas changé.

— Mr. Farrell est enchanté que le chœur disparaisse, dit Sandra. Malheureusement, presque toute la salle des professeurs est du même avis.

On ne peut pas faire admettre à Mr. Farrell que quoi que ce soit vaut la peine s'il ne faut pas courir dans tous les sens pour le faire.

— Et Leo ?

Sandra prit un air pincé.

— Entre nous, je pense que Mr. Beckford est seulement un peu irritable en ce moment. Vous comprenez, je sais que son poste est protégé, au moins, mais ce ne serait pourtant qu'un demi-poste sans le chœur et il le sait.

— On dirait que dans cette affaire tout le monde joue à ne pas se laisser prendre. La cathédrale bourdonne d'ingénieurs électriciens, il y a un camion de chez Harveys devant, ce matin. J'ai l'impression de voir une douzaine de factions qui refusent toutes de se parler.

— Oh, Mrs. Troy, vous savez comment sont les gens...

Felicity se mit à la recherche de Leo et découvrit qu'il s'était réfugié à la tribune d'orgues où il improvisait dans un bruit de tonnerre. En sortant de la cathédrale retentissante, elle rencontra Bridget Cavendish, portant son panier à provisions bien ordonné, et qui arborait un sourire indulgent.

— Et n'oubliez pas, ma chère. L'invitation tient toujours. Il suffit que vous me téléphoniez. Un dîner n'importe quel soir de cette semaine sauf jeudi, ou la semaine prochaine sauf mercredi et jeudi.

— Bridget, répondit Felicity, ne soyez pas obtuse. Et ne nous traitez pas non plus avec condescendance.

— Je dois dire que vous prenez une attitude très regrettable...

— Remerciez Hugh pour le vin, s'il vous plaît. Il était délicieux. Bien plus délicieux que ce à quoi nous sommes habitués. Mais à moins que vous vouliez une véritable scène dans votre salle à manger, il est hors de question que nous dînions ensemble en ce moment et je crois que vous le savez.

Bridget rentra au doyenné et se réconforta avec une indiscrétion en disant à Mrs. Ray, qui lavait par terre dans la cuisine, que visiblement le retour de Mrs. Troy s'était mal passé, la pauvre, elle était d'une humeur tellement bizarre ce matin. Mrs. Ray, qui prenait le même autobus que Mrs. Monk pour venir travailler, remarqua simplement que le monde était ainsi fait et épargna à Bridget son indignation pour en parler à Mrs. Monk le lendemain. Felicity se dirigea vers le Lyng à travers la Clôture et fut arrêtée un court moment par Janet Young, qui la serra dans ses bras et dit qu'elle était heureuse de la voir.

— Comme Robert et moi sommes incapables d'en discuter, nous sommes un peu en quarantaine. Je pense que vous êtes exactement la personne dont la Clôture a besoin. C'est comme si une fenêtre s'ouvrait pour laisser entrer de l'air frais pendant une réunion particulièrement orageuse...

Felicity regarda le visage usé et sympathique de Janet et se dit encore une fois qu'être la femme d'un évêque devait être l'un des rôles les plus solitaires du monde. Inévitablement et sans le vouloir, elle était placée au-dessus des autres mortels, isolée tout aussi inévitablement au cœur de la communauté même où l'on est forcée d'habiter, la Clôture étant le royaume du doyen et de sa femme. Elle embrassa Janet Young et descendit le Lyng parmi les gens qui faisaient leurs courses, les voitures d'enfants, les poubelles vertes, jusqu'à Brewer Street et la librairie de Quentin Small. En longue jupe bleue et T-shirt, les cheveux attachés en arrière par un ruban et sans maquillage, Sally était montée sur un tabouret et tenait à la main un chiffon dont elle ne se servait pas. Quand Felicity entra, elle se retourna.

— Enfin ! dit-elle — puis, gauchement —, Henry m'a dit que vous étiez revenue. Je pense que toute l'école est au courant.

Elle descendit de son tabouret.

— J'imagine que vous n'êtes pas venue pour acheter un livre.

— Non.

— C'est un tel soulagement de vous voir de retour, dit Sally. Nous sommes tous dans une situation bloquée. Vous... vous savez tout ?

Felicity soupira.

— Oui. Je n'avais pas l'intention de venir si vite mais il y a eu une complication à l'école, ce matin. Leo et Roger Farrell vociféraient l'un contre l'autre et Henry pleurait...

— Henry...

— Leo lui a crié dessus et ensuite il s'est excusé.

— Et moi, j'ai pleuré au petit déjeuner parce

que Henry voulait un petit chien et une maman toujours à la maison.

— Ce n'est pas vraiment ce qu'il veut.

— J'ai hurlé comme une folle contre Leo hier soir. Je ne peux pas supporter de sortir d'une boîte pour entrer dans une autre.

— Vous n'êtes pas obligée d'entrer dans une autre...

— Il veut que je lui dise tout, dit Sally d'un air de défi.

Felicity la regarda calmement.

— Ce n'est pas du tout la même chose.

Un jeune homme entra et demanda très doucement s'il y avait un rayon d'histoire ancienne. Sally l'emmena au premier étage et, quand elle redescendit, Felicity était assise dans le fauteuil de bureau de Quentin, tenant une lettre par avion adressée à Alan Ashworth à Djedda, en Arabie Saoudite.

— Je l'ai écrite hier soir et je l'ai recommencée deux fois ce matin, dit Sally. Quelle drôle de conversation ! Je devrais vous demander si vous allez bien.

— Oh oui, dit Felicity en reposant la lettre.

— Vous voulez raccommoder Leo et Alexander. Je ne peux pas vous aider pour le moment. J'aimerais le faire mais je ne peux pas. Je verrai probablement Leo dans quelques jours. — Elle mit en pile quatre livres qui traînaient sur le bureau. — Ensuite il faudra que je parle au père d'Alan.

Felicity leva les yeux vers elle.

— Vous avez de l'argent ?

— Non. Rien de sérieux.

— Vous pourriez trouver un endroit où vivre seule pendant quelque temps ?

— Je pourrais me débrouiller.

— La seule personne avec qui on est vraiment collé toute sa vie, c'est soi-même...

— Je viens seulement de m'en apercevoir. Henry allait bien ?

— Je pense. — Elle se leva. — J'irai voir Leo.

— Faites-le, s'il vous plaît.

Felicity se dirigea vers la porte.

— Je ne veux pas avoir l'air d'une sauvage, dit Sally, mais j'ai besoin d'espace.

— Ah, l'espace ! je vois ce que vous voulez dire...

Le jeune homme redescendit l'escalier dans un silence étudié.

— N'y a-t-il pas de Gibbon moins cher que celui à dix livres ?

— Si, si, je pense qu'il y en a un dans la collection Every-man, un instant...

— À bientôt, dit Felicity.

Dans la rue, Felicity retrouva un soleil sans conviction. À peine avait-elle fait quelques pas que Sally la rejoignit en courant.

— Écoutez, je n'ai pas parlé de Leo dans ma lettre à Alan. Je quitte Alan pour des raisons totalement indépendantes, c'est très important. C'est ce que je dirai aussi à son père. C'est la vérité.

— Je sais, dit Felicity.

Des gens se bousculaient sur le trottoir autour d'elles.

— Leo m'a ouvert les yeux sur ce qui

n'allait pas, sans rien dire, mais par son attitude. Au fond de moi je l'avais toujours su, je le savais depuis une éternité...

— Vous n'avez pas besoin de me le dire.

— Si, dit Sally. Je dois être réaliste.

— Si c'est vrai, vous n'êtes pas obligée de le dire aux autres.

— Je ne veux pas qu'il y ait d'équivoque.

— C'est inévitable. Les gens interprètent les actes d'autrui comme ils l'entendent. Surtout ne vous excusez de rien.

— Merci d'être venue.

Felicity sourit.

— Bonne chance. Du moment que vous savez ce que vous voulez...

— Oh, dit Sally en riant, oh...

Et elle retourna en secouant la tête vers le magasin, où le jeune homme attendait poliment devant le bureau vide pour payer.

— Écoute, dit Mike. Franchement, mon vieux, je ne suis pas là pour rendre des services.

Ils étaient dans la pièce de Mike, Nicholas sur le divan, Mike derrière son barrage de matériel, Ianthe assise par terre avec, devant elle, un cendrier et une bouteille d'eau minérale.

— Ce n'est pas un service, dit Nicholas, c'est une affaire que je te propose...

— Tu n'en vendras pas un seul, je peux te le garantir. Ça n'est pas un bon coup.

— Qu'est-ce que ça coûterait ?

Mike plissa les yeux, soupira beaucoup et se

livra à de nombreux calculs sur un morceau de papier. Ianthe fixa Nicholas avec un regard qui lui interdisait d'ouvrir encore une fois la bouche, à cet instant délicat, et de faire une gaffe. Au bout de cinq minutes de gribouillages et de marmonnements, Mike déclara que ce n'était pas avantageux, même avec un truc sans espoir comme ça, de presser moins de mille albums, ce qui revenait à un minimum de trois mille livres et un maximum de cinq.

— Seigneur, dit Nicholas.

Mike haussa les épaules.

— C'est le prix.

Toujours par terre, Ianthe demanda avec une infinie nonchalance :

— Et si nous trouvions l'argent ? Je ne dis pas que nous pouvons, mais enfin, « si ». Tu nous aiderais ? Autrement dit, tu nous le produirais ? C'est juste une idée...

Mike se leva et tenta de marcher de long en large dans le peu d'espace laissé par les meubles. Il était dégingandé, habillé de fripes recherchées et avait horreur que l'on sache que ses parents habitaient Sunningdale.

— Laissez-moi réfléchir, dit-il. Ça me ferait perdre pratiquement une semaine, parce que j'imagine que vous ne pourriez enregistrer que le soir, trois séances de trois heures, plus un week-end de travail pour moi. Vous me demandez beaucoup, franchement. Et je m'inquiète pour l'image d'Ikon. Je m'inquiète vraiment. Nous devons penser à notre crédibilité.

— Tu devrais venir les entendre, dit Ianthe. Ils sont cools.

Mike secoua la tête.

— Ça n'est pas mon genre de musique.

— Si nous pouvions trouver l'argent, dit Nicholas avec beaucoup trop de conviction, tu viendrais ? On se met d'accord ? Si nous pouvons trouver les trois mille livres, est-ce qu'au moins tu viendras à Aldminster ?

Mike s'accroupit pour prendre une cigarette dans le paquet de Ianthe. En temps normal, elle lui aurait sauté dessus. Il dit :

— OK. Mais pas de blague. Il faut que ce soit vrai.

— D'accord, dit Nicholas.

Son cœur cognait. Quand Mike se leva et s'éloigna, Ianthe prit la main de Nicholas et la serra fort. Mike se retourna.

— Ça ne marchera pas. Vous le savez, non ? Ça ne peut pas marcher. Qui l'achèterait ? Une poignée de vieilles dames, et elles n'achètent pas nos disques. Et puis trois briques, ça ne pousse pas sur les arbres...

Le week-end suivant, Ianthe et Nicholas allèrent à Aldminster. Ils devaient loger tous les deux au doyenné — ce qui rendait Nicholas extrêmement anxieux — et aller voir Leo. Bridget installa Nicholas dans la chambre de Fergus — les murs étaient couverts d'immenses reproductions effrayantes de dessins de William Blake — et le terrorisa avec des recommandations d'hôtesse à propos de l'eau du bain et des toilettes qu'il devait utiliser. Ianthe lui avait fait jurer le secret sur leur mission et lui avait recommandé de n'en surtout pas parler à Cosmo, qui le répéterait à son père par pure méchanceté. Cosmo avait retrouvé ses bonnes habitudes. On l'avait trouvé en train de distribuer un tract de son cru qui incitait les élèves asiatiques de Horley — nombreux — à mener une guerre sourde contre les Antillais, qui étaient rares. Depuis des années, le meilleur ami de Cosmo était antillais, ce qui causait encore une fois au malheureux Mr. Miller les pires difficultés pour mettre en évidence la méchanceté, connue mais insaisissable, de Cosmo.

Le week-end s'annonçait mal. Les repas étaient terriblement tendus, même si Nicholas fondait de reconnaissance devant la robuste cuisine de Bridget, et Leo s'était montré odieux lorsqu'ils lui avaient téléphoné, disant qu'il ne pouvait les voir qu'une demi-heure le samedi soir parce qu'il sortait. Il avait l'air vraiment fâché. Bravement, Ianthe dit à Nicholas de ne pas y faire attention. Elle mit sa nouvelle petite jupe et s'inonda de parfum ; elle avait raison puisque lorsqu'ils arrivèrent, Leo leur ouvrit, éreinté, en s'excusant de s'être conduit comme un ours à cause de la tension qui le gagnait.

— C'est pour ça que nous sommes venus, dit Ianthe.

L'explication prit un peu de temps mais l'idée enchanta Leo. Il eut enfin un vrai sourire. Il dit même qu'il pensait pouvoir mettre deux cents livres dans le disque et, lorsqu'ils s'exclamèrent sur les deux *cents,* il s'excusa de ne pas avoir plus. Puis il demanda.

— Vous en avez parlé au principal ?

— Non...

261

— Allez-y maintenant. Allez. Le samedi après le cricket, il y a toujours un moment de calme. Et Felicity est revenue...

— Felicity !

— Elle a travaillé dans une espèce d'asile. Elle brûle d'envie de faire quelque chose pour le chœur.

— Mes parents ne m'ont jamais rien dit...

Ianthe et Leo se regardèrent et éclatèrent de rire.

— Ta mère s'en serait bien gardée...

— Attention, Leo, ma mère...

— Elle est toute à toi, mon petit. Et c'est une presque jupe tout à fait chic que tu portes là.

Ianthe entraîna Nicholas à travers la Clôture en courant presque. Elle avait envie de chanter. Ça marchait et Leo avait été... Oh, il fallait garder ça en réserve pour y penser plus tard. Et cela continua à marcher, car les Troy furent emballés, et Felicity appela sur-le-champ son frère à Londres, qui leur promit cinq cents livres. Il expliqua qu'il avait eu un dégrèvement d'impôts.

— Tu ne les récupéreras peut-être pas, dit Felicity.

— C'est aussi ce que je me disais quand c'était le percepteur qui les avait. Pour le chœur, au moins, je ne les regretterai pas...

Ils firent une liste des autres personnes auxquelles faire appel. Felicity dit qu'elle essaierait les magasins et les banques, et la légion de promoteurs du Lyng qui, dit-elle, leur devaient moralement de l'argent pour occuper de précieuses devantures avec d'insupportables publicités en jaune et bleu pour leurs taux d'intérêt. Elle ferait aussi passer un appel dans le journal. Gênée, Ianthe remarqua qu'il faudrait mettre son père au courant.

— Il y a des frais de location. Leo dit que le doyen et le chapitre nous les feront payer...

— Mais il dit aussi qu'il renoncera à son cachet, et, si nous n'avons pas besoin de tout le chœur, seulement d'Henry...

— Et le syndicat des musiciens ?

— Henry n'en fait pas partie et j'imagine que ce que fait Leo avec son cachet ne regarde que lui...

— Je peux faire la maquette de la pochette, dit Ianthe, ça nous économiserait dans les deux cents livres...

— De combien sont les droits ?

— Dix à quinze pour cent...

Nicholas dit tristement :

— Mes chers amis, dix pour cent sur mille disques vendus, six livres ne vont pas sauver le chœur.

— Mais c'est un début ! Ça pourrait le faire connaître !

— Si on fait du battage en disant que c'est un disque pour sauver le chœur, si on en met vraiment un coup sur la publicité...

— Tu t'y connais en publicité ?

— Un peu...

— Écoutez, dit Alexander, je ne veux pas être un vieux rabat-joie mais je crois vraiment que vous vous préparez une grande déception. J'ai rendez-vous la semaine prochaine avec un ancien de King's School qui passe pour être musicien et riche, et même si ça vous paraît bien terne, je pense que ce genre d'homme est notre seule chance réelle de trouver l'argent dont nous avons besoin.

Le visage de Nicholas était tordu par l'effort qu'il faisait pour qu'Alexander comprenne.

— Nous devons absolument essayer...

Alexander sourit.

— Oh ! Quelle bande d'enthousiastes amateurs...

— Du calme, dit Ianthe avec une indignation feinte, certains d'entre nous sont des professionnels.

Puis elle ajouta :

— J'imagine que mon père pourrait tout simplement refuser de nous laisser la cathédrale ?

Alexander se mit à rire.

— Ianthe, je crois que nous avons l'air d'une telle bande de malheureux rêveurs qu'il ne se sentira pas du tout menacé.

— Vous êtes des héros... dit Felicity. — Elle les regarda tous avec un grand sourire. — Est-ce qu'il ne faudrait pas demander l'avis d'Henry ?

La vue de Back Street déprimait Sally. Il n'y restait plus aucune humanité alors qu'il y en avait eu tant autrefois, avec les cordes à linge, les poireaux de concours, les conversations sur le pas de la porte et les brouilles des soirs de paie. Il ne restait plus que quatre maisons identiques serrées les unes contre les autres, écrasées par les grands immeubles d'habitation et de bureaux, avec en bas d'inquiétants parkings hérissés de pylônes ; elles paraissaient sans vie, miteuses. Les nouvelles constructions avaient formé un goulet où s'engouffrait le vent, et des bouffées sales venues des quais soufflaient des détritus à mi-hauteur d'homme.

Sally se dit que si Frank était né dans l'une des petites maisons encore debout il y vivrait encore, avec ses livres, son frigo et son tourne-disque entassés dans des pièces encore revêtues de la dernière couche de badigeon que son père leur aurait flanquée dessus. Traditionnel, tenace, tendre et progressiste — finalement, pensa Sally en prenant l'ascenseur, l'homme véritable que son fils ne serait jamais.

Quand il ouvrit la porte, Sally demanda :

— On s'excuse tous les deux, ou ni l'un ni l'autre ?

— Tu devrais savoir que ce n'est pas une question à poser.

— Je peux entrer ?

Il la fit passer. La grande table de son salon était jonchée de papiers et le tourne-disque jouait l'air de *L'Enclume*. Il l'éteignit et demanda :

— Henry t'a fait la commission ?

— Il m'a dit que vous étiez allé à l'école...

Sally s'assit à la table et s'y accouda.

— Frank, je suis venue vous dire quelque chose. Je quitte Alan.

Il ne répondit pas.

— Je ne peux pas continuer à vivre comme ça, en marge de l'existence de quelqu'un d'autre. C'est à peine si nous nous connaissons encore et je pense même que ça ne m'intéresse pas. Je n'ai pas confiance en lui et, tout en lui étant attachée, je ne l'aime pas. Il n'est pas mon compagnon.

Elle était sur le point d'ajouter : « Je suis désolée, Frank », mais elle se retint et préféra dire :

— Je lui ai écrit hier.

Frank alla au buffet imitation Jacques Ier qu'il avait offert à sa mère dix ans avant sa mort parce qu'elle en avait une telle envie, et il versa du cognac dans deux verres. Il en posa un devant Sally.

— Je ne peux pas le boire sans eau gazeuse...

Il retourna en silence ajouter de l'eau gazeuse dans le verre, puis il le donna à Sally et s'assit face à elle.

— Alors. Qu'est-ce qui a provoqué tout ça ?

— Il y a longtemps que ça couve.

— Ce n'est pas un très bon mari, dit Frank, et il n'a jamais été assez bien pour toi. Mais je ne crois pas qu'il soit pire qu'avant...

— Ce n'est pas lui, c'est moi.

Frank la dévisagea.

— Qu'est-ce qui s'est passé ?

— J'ai changé. La situation a atteint un point critique...

— Un autre homme ?

— Un ami m'a permis d'y voir clair. C'est tout.

Frank grogna.

— Les filles comme moi se mariaient parce

266

que c'était la chose à faire. Nos mères ne tra-vaillaient pas, nous n'étions pas préparées à penser à long terme. Mais je ne peux pas mar-quer le pas de cette façon jusqu'à la fin de mes jours. Je n'ai que trente-quatre ans.

— Qu'est-ce que tu veux faire ?

— Vivre quelque temps seule et travailler sérieusement.

— Comment tu vas pouvoir y arriver ?

— Je ne sais pas encore.

Il leva la tête.

— Tu as pensé que je t'aiderais ?

— Non.

— Je pourrais.

— Frank...

— Les femmes doivent gagner leur vie comme les hommes, à présent. C'est leur choix. Et Henry ?

— Il ne sait rien encore.

Frank se leva et alla regarder la cathédrale par la fenêtre, en l'admirant malgré lui. Quand Gwen lui avait annoncé qu'elle partait avec Peter Mason et qu'il pouvait toujours essayer de l'en empêcher, il n'avait pas du tout voulu l'arrêter. Il avait pensé qu'au fond elle cher-chait la scène, qu'elle voulait voir deux colosses se battre pour elle comme dans un film d'Hollywood, parce que lorsqu'il prit la chose calmement, Gwen se mit de plus en plus en colère, elle serra passionnément le petit Alan contre elle en faisant des déclarations stupides et délirantes qui ne servirent qu'à effrayer l'enfant. Gwen n'avait aucune envie de liberté ; elle voulait être au centre de la vie confortable de quelqu'un d'autre et se faire dorloter. C'est ce qu'elle exigea de Peter Mason, des chocolats, des dîners dansants, du champagne, et des orchidées mauves pour leurs nombreux petits anniversaires sentimentaux. Elle était à des années-lumière de Sally, qui regardait son cognac avec dégoût et parlait d'être libre et de s'en sortir toute seule. Il n'était pas certain non plus que Gwen ait vraiment voulu prendre Alan avec elle, malgré la douce image maternelle qu'il lui permettait de présenter ; un bébé caniche aurait probablement fait l'affaire. Frank était sûr que jamais personne n'avait rien essayé d'expliquer à Alan, ni Gwen, ni lui-même, ni Peter Mason, qui s'était révélé un beau-père bienveillant et indulgent — ils avaient laissé faire et Alan s'était accommodé de la situation. Il se retourna.

— Qu'est-ce que tu vas lui dire ?

— Que je ne veux plus vivre comme la femme de son père parce que nous ne nous voyons jamais et que nous sommes trop loin l'un de l'autre. Je lui dirai qu'il ne peut pas comprendre maintenant mais qu'il comprendra plus tard. Que je suis prête à répondre à toutes les questions qu'il voudra me poser. Je ne lui dirai rien avant d'avoir vu Alan.

— Tu lui as demandé de revenir ?

— Je ne lui ai rien demandé.

Frank eut un long soupir. Il passa derrière la chaise de Sally et lui effleura l'épaule.

— Je suis désolé, Sally. Je ne suis pas en mesure de te conseiller et, de toute façon, je ne le ferais pas. Mais ne te précipite pas. Et, si tu as besoin d'aide, tu sais où me trouver.

— Zut, dit Sally, je vais me mettre à pleurer...

— Mais non. Pas ici.

Elle leva brusquement la tête vers lui.

— Je suis tellement envahie par mes problèmes que je ne vous ai même pas posé de questions à propos des vôtres.

— Les miens ? répondit-il de l'autre bout de la pièce. Eh bien, j'essaie de me remettre d'avoir été ridiculisé en public.

— Frank !

— Le doyen m'a embobiné. Je croyais qu'en soutenant son projet de dissoudre le chœur j'aurais en échange une chance d'acheter la maison du principal. Mais pas du tout. Il a été soutenu tout au long par la Clôture, le conseil municipal et l'école, et c'est comme ça que je me retrouve à recevoir des tomates à la figure en pleine salle du conseil, avec une chance sur mille d'obtenir son appui à propos de la maison. Alors le doyen se débarrasse du chœur et garde la maison. Je perds une réputation de trente ans.

Sally se leva et alla le rejoindre.

— Frank, non, vous ne l'avez pas perdue, elle est trop grande...

— La taille n'y change rien. On peut perdre la plus grande réputation du monde en trois secondes quand vos ennemis en ont envie. Je sais que ça peut paraître amer. Je suis amer, en effet. Mais ça ne durera pas. — Il regarda

Sally. — Tu as beaucoup à apprendre sur la solitude.

Elle prit l'ascenseur, sortit dans la rue et trouva une contravention sur son pare-brise, ce qui l'exaspéra parce que la rue était vide, qu'il n'y avait pas de circulation à cette heure-là et qu'elle ne gênait personne. Elle écrivit rageusement sur la contravention : « Utilisez notre argent pour mettre des amendes aux gens qui sont vraiment en infraction », la remit dans son enveloppe en plastique et fit un détour pour aller la jeter dans la boîte aux lettres de la mairie. Cela la calma un peu, encore qu'elle aurait voulu aussi injurier un agent de la circulation. Puis elle continua vers Blakeney Street, gara sa voiture et, en entrant chez elle, trouva Henry, que Mrs. Chilworth avait raccompagné, assis par terre devant la télévision en train d'enrouler des spaghetti en boîte sur sa fourchette.

11

L'idée de produire un disque pour tenter de
sauver le chœur provoqua chez Hugh Cavendish une fureur tout à fait disproportionnée. Il
détestait qu'on le défie ouvertement dans sa
Clôture, il avait horreur des passions démesu-
rées et mal contrôlées d'hommes tels
qu'Alexander Troy, il était offensé par l'ama-
teurisme grossier du projet et considérait qu'il
outrageait aussi la dignité sacrée de la cathédrale elle-même. Le retour de Felicity — et elle
dérangeait particulièrement le doyen parce qu'il
se savait sensible à sa personnalité — avait
relancé toute l'affaire au moment précis où il
avait l'impression rassurante que tous les pouvoirs essentiels passaient entre ses mains.
L'affaire du chœur avait réussi à détourner
l'attention générale du projet de nouvel éclairage, et il n'avait presque aucun doute quant
au soutien qu'il obtiendrait pour les énormes

réparations ; on avait même engagé un nouvel apprenti au chantier de la cathédrale au vu des donations qui affluaient et des promesses de subventions substantielles. Ensuite, le conseil municipal s'était moqué de l'idée de reprendre le chœur, ce qui était précisément ce que voulait le doyen puisqu'il souhaitait sa disparition, mais ce qui devait aussi passer pour une tentative de le sauver.

C'est alors que Felicity Troy était revenue. Il se dit que son opinion ne l'intéressait pas plus que celle de l'organiste, des choristes, enfants ou adultes, ni même de l'évêque, d'ailleurs. À son avis, les vieux diocèses anglais étaient mal servis par des hommes comme Robert Young : malgré leurs qualités, leur conception de la pure et ancienne tradition doctrinale de l'Église avait souffert de leur long service outre-mer. Hugh Cavendish savait que l'évêque ne le soutenait pas en privé et, bien qu'il s'y fût attendu, il en était plus ennuyé qu'il n'aurait voulu. Quant à Leo, la camaraderie fragile qu'ils avaient établie à propos de la restauration de l'orgue semblait s'être totalement désintégrée et, ce qui était pire, l'animosité entre Leo et le principal — quelle qu'en fût la cause — qui avait paru si prometteuse s'était apparemment beaucoup atténuée.

Au milieu de tout cela, voir Ianthe et ce garçon désespérant, pour lequel ils s'étaient tous décarcassés en vain, venir lui demander de pouvoir enregistrer gratuitement dans la cathédrale, c'était le bouquet. Il s'était mis en colère. Non, avait-il dit, il ne ferait aucune dérogation. Il demanderait trois cents livres qu'il verserait au fonds pour l'éclairage, et de toute façon il doutait beaucoup que l'on puisse trouver trois soirées consécutives pendant les mois d'été, de grande activité. Les ingénieurs travaillaient plus tard pour profiter de la lumière du jour et on ne pouvait pas les interrompre ; ils étaient prioritaires. Ianthe avait été très grossière avec lui. Elle l'avait traité d'hypocrite indigne d'être doyen. Quand ils étaient partis, il s'était rendu compte qu'il tremblait.

Il regarda sur son bureau. Nicholas y avait laissé une liste des morceaux que devait chanter Henry Ashworth. *Greensleeves*, naturellement, une chanson de carnaval florentine, un chant de berger d'Auvergne et un tas d'autres sottises sentimentales. Ils avaient l'intention de faire un « single » — le doyen ignorait de quoi il s'agissait — avec le chant de berger. C'était un projet d'une bêtise mortifiante, condamné au désastre par l'inexpérience et l'incompétence absolues de ses auteurs. Alors pourquoi était-il si fâché, si ce projet ne représentait absolument aucune menace ? Qu'y avait-il dans la simple force de leur enthousiasme pour le rendre malade à ce point ? Il rôda dans son bureau tandis que, sur le tapis devant la cheminée, Benedict, mal à l'aise, l'observait. Il ne fallait pas perdre le contrôle, ni de la Clôture, ni de soi. Il ne devait pas oublier un seul instant qu'il devait, à juste titre, tout ce qu'il pouvait donner à la consolidation et à l'enrichissement de la cathédrale. Il décrocha le téléphone et fit le numéro de l'architecte.

— Mervyn ?

— Ah ! bonjour, monsieur le doyen...

— Puis-je vous demander un service ?

Mervyn faisait toujours des chichis de vieille fille pour montrer qu'il était très occupé.

— Bien sûr, monsieur le doyen, mais naturellement je suis complètement débordé en ce moment...

— Une simple estimation...

— Une estimation ?

— Pourriez-vous vous en charger pour moi ? Il s'agit de la maison du principal. Inutile d'en parler à qui que ce soit. Si vous rencontrez Mr. ou Mrs. Troy, vous pourriez dire que ce n'est que de la routine.

Il y eut un silence.

— Monsieur le doyen, je ne voudrais pas de dissimulation...

— Mon ami, ce sont vos devis qui nous causent de terribles soucis financiers. Trois ans de maçonnerie rien que pour les parapets ! J'explore simplement toutes les pistes, vous comprenez ? Naturellement, j'aimerais toujours mieux mendier et emprunter que vendre, mais les gens finissent par n'avoir plus un sou en poche, vous savez.

— Tout à fait...

— Pourriez-vous faire cela dans le courant de la semaine prochaine ?

— Je ne peux pas vous le promettre, monsieur le doyen, mais naturellement je ferai de mon mieux...

— Merci, Mervyn, merci.

— Monsieur le doyen, je crois que je

devrais vous dire que j'ai rencontré votre fille et un de ses amis qui parlaient avec John, sur le chantier. Ils cherchaient apparemment une plate-forme quelconque pour y placer un choriste qu'ils vont enregistrer. Je me demande si vous...

— Je suis tout à fait au courant, dit le doyen, c'est un projet enfantin. Je vous en prie, ne les aidez en rien.

— Oh, monsieur le doyen, il n'en est pas question, mais je crois que John...

— Je parlerai à John...

Au déjeuner, Bridget se montra d'une étrange noblesse. Elle lui servit sa quiche et sa salade et emplit son verre d'eau avec une sorte de sollicitude majestueuse ; ce n'est qu'après, au dessert, alors qu'ils pelaient leurs pommes, qu'elle fit un discours solennel sur ce qu'elle éprouvait à être déchirée entre le devoir naturel d'une épouse et l'amour maternel.

— Je suppose que tu veux parler de cette ânerie de Ianthe à propos du disque.

— Elle y a mis tout son cœur, Huffo.

— Je m'appelle Hugh. Si elle y mettait sa tête, le projet aurait peut-être une minuscule chance de réussir. Tel que ça se présente, elle va se ridiculiser et ridiculiser aussi la Clôture si nous ne sommes pas vigilants. Tu ne peux tout de même pas penser qu'elle a raison.

— Elle m'a parlé, dans la cuisine. Elle m'a parlé de l'âme de la cathédrale.

Le doyen posa sa pomme.

— Moi aussi, je t'ai parlé de l'âme de la cathédrale. La différence c'est que je suis très clair sur ce que cela signifie pour moi. Ianthe se laisse emporter par ses émotions. La bêtise qu'elle fait en ce moment est sans aucun doute une tentative pour se faire bien voir de Leo Beckford.

— En tout cas, cria Bridget, je peux dire que je connais mes enfants ! Tu es si dur, Huffo, si implacable...

— C'est certainement ce que tu veux croire, dit le doyen. — Il se leva. — Si tu veux bien m'excuser, je dois m'en aller. Je te laisse méditer sur les angoisses que tu traverses.

Alexander se rendit à Londres dans un tout autre état d'esprit que lorsqu'il y était parti à la recherche de Felicity. Il ne trouvait pas d'explication précise à sa gaieté, mais le moral de la Clôture avait tellement remonté depuis son retour, et l'opinion s'était tellement retournée en faveur du chœur qu'il se sentait autorisé à se fier à sa confiance instinctive. Il portait son col romain pour des raisons psychologiques — un banquier dans son repaire de verre teinté de Bishopsgate aurait du mal à l'éconduire dans cette tenue — mais il acheta *Private Eye* pour lire dans le train et s'offrit un taxi jusqu'à la City.

L'ancien de King's School, nouveau directeur de la branche bancaire d'un énorme groupe anglo-américain, l'accueillit au sixième étage à la réception, une pièce lambrissée où les bruits étaient étouffés par l'épaisse moquette. La réceptionniste avait l'air d'une épouse extrêmement onéreuse, mais efficace, et elle leur apporta du café dans des tasses de porcelaine blanche. Ils s'installèrent dans un bureau tapissé de gravures de bateaux dans des cadres d'étain, meublé dans le style ancien impeccable qu'Alexander associait avec le troisième étage de Harrods et donnant sur le bizarre horizon cubiste de la City jusqu'au dôme rassurant de St. Paul.

Paul Downey dit aimablement quelques banalités sur l'époque où il était à King's School. Non, il n'avait pas été choriste, trop occupé qu'il était à courir après des balles de toutes sortes probablement, et non, il n'était pas retourné à Aldminster depuis, et pourtant il en avait toujours l'intention...

— La légende de l'école assure que vous êtes musicien, dit Alexander en souriant.

Soudain, Paul Downey ne laissa présager rien de bon.

— L'opéra, répondit-il.

Ainsi Felicity avait raison. « Tu verras que c'est l'opéra qu'il prétend aimer », avait-elle remarqué quand elle avait appris qu'il était banquier. « Ça va avec le trictrac, le ski à Verbier et les chaussures faites à la main. C'est une des façons de prouver que l'on n'est pas obsédé seulement par l'argent. C'est terriblement chic d'aimer l'opéra. »

Il avait été stupéfait.

— Comment sais-tu des choses pareilles ?

— Par observation malveillante et en lisant les journaux de Mrs. Monk.

— Moi aussi, j'aime l'opéra, disait à présent Alexander à Paul Downey. Je souhaiterais seulement que notre propre style de musique attire autant d'argent que l'opéra.

— Les cathédrales font une œuvre admirable.

Alexander se pencha en avant.

— Si je ne peux pas obtenir au moins la promesse de cinquante mille livres d'ici à octobre, notre chœur n'aura plus du tout d'œuvre à faire, admirable ou pas.

Paul Downey tira une enveloppe blanche de la poche intérieure de son magnifique costume.

— J'ai cru l'avoir deviné d'après votre lettre. J'ai fait quelques calculs parce que, comme vous vous en doutiez, nous avons un fonds de bienfaisance. Je vous explique. Notre but est philanthropique et nous nous intéressons surtout à la recherche médicale. Nous aidons beaucoup la recherche sur les maladies cardiaques...

Le regard d'Alexander descendit involontairement sur le renflement prospère du gilet de Paul Downey. Il dut se retenir pour ne pas dire qu'un tel soutien ne lui paraissait pas vraiment altruiste.

— ... et le cancer, naturellement. Et, bien entendu, nos prêts au tiers-monde s'accompagnent de programmes d'aide considérables. Je suis dans une position délicate, comme vous pourrez certainement le comprendre, parce que la demande d'aide du chœur d'Aldminster a dû paraître très personnelle à mes collègues du conseil d'administration. Mais ils ont très bien réagi, je trouve. Ils ont considéré qu'un prêt était trop compliqué à mettre en place à cause des garanties, mais ils sont heureux de faire un don... de cinq mille livres.

Alexander se leva vivement pour cacher sa consternation à la fenêtre, devant la vue de St. Paul. Derrière lui, Paul Downey poursuivit de sa voix égale et raisonnable :

— Voyez-vous, nous avons pensé que votre chœur, aussi important soit-il pour sa ville, a une valeur très locale. Nous sommes convaincus que notre devoir est de subventionner des projets d'importance au moins nationale et de préférence internationale. Dans votre lettre vous avez été très éloquent sur la musique religieuse, mais c'est votre goût personnel, bien entendu. Je réagirais de même si l'on essayait de démanteler le chœur de Covent Garden. J'espère que vous comprenez notre point de vue.

Il y eut un silence tandis qu'Alexander était en proie à un débat intérieur, puis il se retourna et dit avec une maladresse qu'il ne sut pas éviter et qui le désola :

— Ne pourriez-vous pas, en tant qu'ancien, nous aider à titre privé, quand ce ne serait que pour nous permettre d'obtenir un prêt ?

Paul Downey prit un air extrêmement sérieux.

— Oh non, Mr. Troy, ça m'est impossible.

— Alors il me reste à vous remercier sincèrement de votre don et retourner à Aldminster.

Paul Downey se leva.

— J'aurais aimé que nous puissions faire davantage, mais nos responsabilités sont... globales.

— Y a-t-il d'autres anciens auxquels vous puissiez penser et qui se sentiraient peut-être moins... détachés, dirons-nous ?

Paul secoua la tête.

— J'ai malheureusement perdu de vue la plupart de mes contemporains. C'est regrettable, je sais, mais mes obligations ne me laissent plus de temps.

Dans l'ascenseur silencieux qui l'amenait au niveau de la rue, Alexander considéra avec répugnance le daim blond dont les parois étaient tapissées. Au-dessus de lui, Paul Downey retourna promptement dans son bureau en réfléchissant deux minutes sur la carrure des pasteurs anglicans et sur le fait que l'on pouvait facilement perdre le sens des proportions quand on vivait dans une ville de province. Sa secrétaire vint alors à sa rencontre pour lui dire que son correspondant de Tokyo était en ligne et attendait.

Le voyage de retour d'Alexander fut à certains égards tout aussi déprimant que le précédent. Ce bref contact avec l'immense monde extérieur impersonnel n'avait servi qu'à rendre sa propre cause plus désespérée. Tout isolé qu'il fût dans son monde, Paul Downey avait une vision tout à fait juste de la Clôture de la cathédrale d'Aldminster : admirable, remarquable, estimable, mais *petite* ; un endroit qui posait un problème local. Alexander se dit qu'il pouvait aller mendier d'entreprise en entreprise mais qu'il ne réunirait jamais assez d'argent pour assurer l'avenir du chœur, et il était prêt à toutes les bassesses pour y parvenir. Voir sa cause avec les yeux des autres était salutaire mais profondément décourageant, et il devait tirer profit de la leçon s'il en était capable. Si le monde extérieur, avec la meilleure volonté, ne pouvait pas apprécier l'ampleur du problème, alors il fallait obliger le monde d'Aldminster à le faire.

Le jour de la distribution des prix à King's School s'annonçait maussade mais sec. À midi, les classes, les laboratoires et les ateliers étaient déjà pleins de parents soumis qui se penchaient pour admirer le meilleur travail du métal ou des illustrations criardes pour des couvertures de revues imaginaires. La tradition voulait que l'on apporte des paniers de pique-nique et que l'on déjeune sous les arbres des terrains de jeu — ce qui avait donné lieu à une énorme compétition gastronomique au cours des dernières années — tandis que l'équipe de gymnastique de Roger Farrell se produisait au centre du terrain et que la fanfare de l'école flonflonnait sur la terrasse au pied du bâtiment principal. Après le déjeuner, le troupeau des parents fut conduit dans le grand réfectoire gothique et s'assit en rangs disciplinés sous les poutres rouges et massives du plafond voûté. Sur l'estrade, une table chargée de tous les livres qui allaient être distribués était placée devant la phalange des administrateurs, le principal et l'invité d'honneur — un ancien de l'école devenu un héros national dans la guerre des Malouines. Les garçons — et les filles de terminale — s'étaient assis parmi leurs parents avec une docilité forcée et avaient les yeux fixés sur l'extravagante composition florale orange et jaune que Sandra Miles avait commandée pour l'estrade et dont elle avait compris, dès qu'on l'avait livrée, que c'était une erreur. Alexander lui avait dit que c'était très gai et Felicity avait eu la bonté de ne pas en parler du tout.

Tout le monde dans le réfectoire vit que le principal était dans un état de grande exaltation. Il avait toujours été imposant, ce jour-là il paraissait immense. Il débordait de vitalité et de bienveillance. C'était un très bon signe pour la plupart des parents puisque, vivant sur place, ils étaient bien informés du schisme dans la Clôture et que leurs opinions divergeaient presque exclusivement en fonction des aptitudes de leurs enfants. Les parents des musiciens et des élèves qui s'orientaient vers les arts souriaient à Alexander ; ceux dont les fils et les filles étaient des athlètes et des physiciens doués se renfrognaient. Oublieux de tout ce qui n'était pas tant sa foi passionnée dans ce qu'il allait dire que l'optimisme qui montait en lui depuis le retour de Felicity, Alexander se leva pour prononcer son allocution annuelle. Le public attendit sagement l'exposé traditionnel des réalisations de l'école pendant l'année.

— Les cathédrales de France, commença Alexander, parmi les plus belles du monde occidental, sont silencieuses.

Ce début inattendu fit brusquement taire les légers bruissements de la salle.

— Certes elles ont des orgues, et de la musique à vent. Mais pas de chœur. Dans vingt-sept cathédrales anglaises, entre quatre et six fois par semaine, vous pouvez entendre des offices chantés, et non seulement cette musique est unique en elle-même, mais en outre elle nous rattache, dans une tradition musicale ininterrompue, à Thomas Becket, à saint Augustin.

Mr. Vigors, le vice-principal, se pencha légèrement pour pousser un peu la feuille des statistiques qu'il avait préparées méticuleusement comme tous les deux ans pour le principal, et lui en rappeler ainsi la présence. Alexander sourit amicalement à Mr. Vigors et remit le papier exactement dans la position où il était.

— Sans le chœur des voix de jeunes garçons, cette musique particulière, d'une beauté et d'une puissance incomparables, ne pourrait pas exister. On compose de la musique depuis cinq cents ans pour atteindre à cette perfection de son, et ce n'est que dans les cathédrales anglaises qu'elle demeure encore intacte, forte et pure, avec chaque année un niveau supérieur de qualité des voix.

Au douzième rang, Sally remarqua que Hugh Cavendish, assis à deux places du principal, croisait les jambes avec une extrême lenteur. Elle baissa les yeux sur Henry. Il ne la regarda pas ; il écoutait.

— S'il existe un privilège dans la musique chorale anglaise, c'est le nôtre, celui des auditeurs. Le chœur n'est interdit à aucun garçon d'Aldminster qui ne peut pas payer. Mais si nous perdons le chœur, non seulement nous nuisons à notre âme, à notre vie intérieure, appelez cela comme vous voudrez, mais en outre nous privons les générations à venir d'un bien si précieux et si ancien qu'il ne nous appartient pas de le détruire, un bien qu'elles pourraient très légitimement tenir à préserver. Ce que nous perdons en rompant avec une tradition restée vivante jusqu'ici, nous risquons de ne jamais le retrouver. Et pourtant — son ton monta —, et pourtant, dans cette cathédrale, en ce moment, c'est exactement ce que l'on se propose de faire.

Il y avait à présent une nette agitation sur l'estrade. Alexander se tourna vers la droite et vers la gauche en faisant voler sa robe, comme pour prévenir une tempête. Sa voix se fit plus forte.

— Cette menace n'est qu'un début. Un changement de gouvernement pourrait bien représenter un danger beaucoup plus grand. Mais, si nous ne luttons pas dès maintenant, nous ne serons pas prêts lorsque la bataille deviendra une guerre. Permettez-moi de vous rappeler que la première résolution de la Convention européenne des droits de l'homme stipule que l'État doit respecter le droit de tous les parents à s'assurer que l'éducation et la formation de leurs enfants sont conformes à leurs propres convictions religieuses et philosophiques. Beaucoup d'entre vous, si l'on vous interrogeait de but en blanc, pourraient déclarer que la musique chorale n'a pas d'importance, mais je crois que presque chacun de vous, à la réflexion, défendrait jusqu'au bout le principe clair du choix et des opportunités.

La musique est l'un de ces choix. Je ne suis pas le seul à penser qu'il est vital.

Il jeta un coup d'œil à Mr. Vigors et sourit de nouveau.

— J'ai presque terminé. J'irai droit au but. Pour sauver ce chœur rien que pendant un an, ce chœur qui comprend vingt-quatre élèves de cette école et douze laïcs dont trois ont été élèves ici autrefois, qui tous vivent dans cette ville ou à proximité, nous avons besoin de cinquante mille livres d'ici à octobre. Nous faisons un disque et nous avons besoin de trois mille livres rien que pour le réaliser. Nous organisons des concerts d'été en ville. Deux jours avant la fin du trimestre, aura lieu dans cette salle un marathon de cantiques sponsorisé. Nous avons besoin de votre aide. Nous avons besoin de vos dons, nous avons besoin d'événements qui nous apportent de l'argent. Nous avons besoin de publicité. Chaque année, en Angleterre, un ou deux de nos trente-sept chœurs et manécanteries sont ruinés ; mais Aldminster ne sera pas de ceux-là. Ensemble, nous ferons en sorte qu'aussi longtemps que nous vivrons pour l'obtenir, King's School enverra ses choristes à la cathédrale comme elle le fait depuis quatre cents ans.

Il se tut. Hugh Cavendish avait les yeux fermés. Le visage de l'archidiacre grimaçait furieusement. Alexander saisit la feuille de papier de Mr. Vigors.

— Et maintenant, passons aux autres triomphes de notre école. Je suis heureux d'annoncer qu'un enthousiasme sans précédent pour les études supérieures s'est traduit par un nombre d'entrées à l'université également sans précédent...

Sally se pencha de nouveau vers Henry.

— Qu'est-ce que tu en dis ? demanda-t-elle.

— Super, répondit-il. Génial.

Il pivota sur sa chaise pour faire signe à Chilworth, quatre rangées derrière lui. Ensemble, ils levèrent le pouce en jubilant.

— Je n'ai rien pu dire en public cet après-midi, bien entendu, écrivit Hugh Cavendish le soir même dans une lettre à Alexander Troy qui lui fut aussitôt remise, mais à mes yeux et à ceux de la plupart des administrateurs auxquels j'ai parlé depuis, votre discours d'aujourd'hui n'était qu'un abus d'autorité des plus grossiers. Vous savez mieux que personne que la décision de supprimer le chœur a été prise avec de profonds regrets et uniquement — j'insiste là-dessus — afin de préserver la cathédrale, dont l'entretien est d'une suprême importance. L'intempérance de vos paroles ne sert qu'à semer la désunion dans une école et une ville où chacun s'efforce de parvenir à une indispensable harmonie. Je suis excessivement peiné que vous ayez pris la décision arbitraire de parler sans avoir même la courtoisie de consulter d'abord les administrateurs. Ceux-ci considèrent que la seule façon dont vous pouvez réparer le mal causé par l'épisode d'aujourd'hui est d'adresser des excuses à tous les parents, qui seront envoyées en même temps que les bulletins trimestriels ; vous y affirmerez votre loyauté à vos supérieurs. Sans cela, je ne peux que craindre que vos chances de rester principal de King's School ne soient faibles.

« Lis ça », dit Alexander en lançant la lettre à Felicity. Il avait ôté son col et était assis avec elle, la chemise ouverte, dans le jardin de la maison du principal, tandis que l'obscurité bleue s'épaississait autour d'eux.

Elle leva la lettre à la lumière qui venait de la fenêtre du salon.

— Qu'il est bête. Il ne faudrait jamais écrire de lettres quand on est si en colère.

— Je le fais souvent...

— Il te menace de renvoi si tu n'abandonnes pas. Il a l'air d'oublier que l'école prospère sous ta direction. Je me demande ce qui l'a tellement piqué au vif.

Alexander bâilla.

— C'est *sa* Clôture. *Sa* cathédrale.

— Tu parais bien calme. D'habitude, une lettre comme celle-ci te met dans une fureur noire.

— Eh bien, vois-tu, dit Alexander, cinq pères nous ont fait un chèque immédiatement. Je n'ai pas compté le nombre de mères qui ont proposé de s'occuper d'organiser des ventes. Et le chœur a été porté en triomphe sur le terrain de cricket...

— Et la salle des professeurs, dit Felicity. Je n'en reviens pas. La faction de Farrell s'est réduite à une poignée de gens en survêtement...

— C'est l'œuvre de John Godwin.

— Pas du tout. C'est ton discours.

— C'est de l'intérêt bien compris. Ils ne

veulent pas que l'école perde la face ou son statut parce que c'est contagieux.

— Jamais de la vie. C'est ton discours.

— Je vous dérange ? demanda Leo qui était à la porte du jardin.

— Cher Leo ! Pas du tout. Vous avez entendu...

Leo se pencha pour embrasser Felicity.

— Si j'ai entendu ? La Clôture bourdonne littéralement et l'*Echo* veut publier votre discours. Comme vous ne répondez pas au téléphone, on m'a appelé. C'est pour ça que je suis venu.

— Très bien.

— Et le doyen ?

Felicity lui tendit la lettre.

— Voyez vous-même.

— Je vais nous apporter à boire, dit Alexander. Du moins, je vais voir s'il y a quelque chose à boire et, si oui, nous le boirons.

— Ça me fait plaisir de vous voir ici, dit Felicity à Leo.

Il leva les yeux de la lettre.

— Vous êtes allée voir Sally.

Elle hocha la tête.

— Vous vous êtes réconciliés ?

— Non. C'est aussi pour ça que je suis là. Je ne peux pas continuer à ne parler à personne. Je commençais à me sentir un peu comme un paria.

— Il faut que Sally puisse vous prendre au sérieux. Dans l'intérêt de tous. Vous devez le comprendre.

— Vous insinuez que je ne prends pas la

288

chose au sérieux ? Que ce n'est qu'un flirt ? Pour l'amour du ciel, je veux épouser cette femme. Elle me dit que personne ne lui a donné confiance en elle autant que moi ; et qu'est-ce qu'elle fait de cette confiance ? Elle la brandit contre moi et prétend qu'elle n'est pas du tout sûre de vouloir un mari, qu'elle veut sa liberté.

— Il faut que vous attendiez, dit Felicity.

Alexander sortit dans le jardin tout joyeux.

— Voyez-moi ça.

Il laissa tomber une bouteille de whisky sur les genoux de Felicity.

— Elle était sur la table de la cuisine. Avec un mot qui dit : « Pour Mr. Troy, avec les meilleurs vœux de M. et B. Harrison. » Leur fils est choriste. Ils sont marchands de vin à Horley. C'est une jolie contribution.

— Tu ne devrais pas le boire, dit Felicity pour le taquiner, ça représente sept livres de plus pour notre cause...

— Si ce n'était que demain je reçois les élèves et que je donne un cours de grec avancé avant neuf heures, je le boirais jusqu'à la dernière goutte.

— Qu'est-ce que tu fais de la lettre ?

Alexander reprit la bouteille sur les genoux de Felicity et la brandit.

— Je vais la laisser se replacer dans sa perspective, déclara-t-il avec grandeur.

La jeune chambre de commerce d'Aldminster, réunie pour son déjeuner habituel dans une salle privée du Stag's Head — un pub célèbre aux XVIIIe et XIXe siècles à cause de la Stag's

Head Flyer, la chaise de poste la plus rapide entre l'ouest et Londres —, découvrit que tous ses membres sauf trois avaient été sollicités pour contribuer au fonds de soutien du chœur et s'étaient exécutés. Les trois auxquels on n'avait rien demandé s'aperçurent qu'ils étaient plutôt blessés d'avoir été oubliés et deux décidèrent sur-le-champ d'envoyer un chèque dans l'après-midi. Ils représentaient presque tous de petites entreprises privées et rechignaient à être contrôlés par un conseil municipal travailliste — du moins, travailliste nouvelle formule, car Frank Ashworth continuait à jouir d'une admiration quasi générale —, leur générosité relevait donc d'un parti pris politique, ainsi que d'une sympathie pour David face à Goliath. Il apparut aussi que le doyen n'était pas très aimé. Ses cannes à pêche, son vin, ses manières et sa femme constituaient autant de pierres d'achoppement. Il était, dit quelqu'un, trop imposant pour Aldminster.

Presque tous avaient lu l'article de l'*Echo* à propos du discours d'Alexander. Alors que, pour la plupart, ils auraient instinctivement préféré écouter Frankie Vaughan ou Sir Harry Secombe, ils sentaient une bouffée d'orgueil civique à l'idée qu'un choriste né à l'hôpital de la ville, qui avait grandi et étudié dans la ville, allait faire un disque. Felicity avait fortement exploité cet aspect au cours de sa grande tournée, expliquant aux donateurs potentiels que leur argent irait à un fonds de trois mille livres pour un usage immédiat plutôt qu'à un autre de cinquante mille dont l'avenir était moins précis. Il lui avait suffi d'une semaine pour réunir de quoi faire le disque.

Le plus drôle, dit-elle au propriétaire du bar à vin de Lydbrook Street qui l'avait surprise et ravie en lui donnant un chèque de cent livres, c'est que j'ai horreur d'organiser quoi que ce soit et de demander des services aux gens. Vous êtes tous d'une gentillesse incroyable.

Ce n'était pas un homme très porté sur les femmes, mais il savait quand il fallait se montrer galant.

— Ça dépend de la façon dont on nous le demande, vous savez...

Sally consacrait à Felicity ses demi-journées, et l'on vit une foule de parents brûler d'une sorte de zèle missionnaire. Une mère qui avait l'instinct d'organisation de Bridget Cavendish établit une liste des paroisses, des grands ensembles, des entreprises industrielles et des écoles, et leur assigna un représentant chargé de réunir les fonds. Deux filles de terminale réalisèrent une affiche et le père d'une troisième en fit deux cents photocopies sur sa machine. Des volontaires de classes plus jeunes en reçurent des paquets et furent chargés de les coller. Un matin, quand elle ouvrit la porte pour laisser sortir Benedict avant le déjeuner, Bridget Cavendish vit qu'une affiche avait été attachée aux barreaux du portail du doyenné pendant la nuit. Elle la prit et alla aussitôt l'agiter sous le nez du doyen d'un air outragé, sans remarquer du tout, tant sa réaction était violente, qu'il était moins fâché que profondément malheureux.

— Tu n'as qu'à t'en débarrasser.

— Mais, Huffo, tu ne vas donc rien faire ?

— Je ne ferai rien.

— C'est une provocation et une trahison.

— L'affrontement n'est pas la bonne riposte.

— Huffo, qu'est-ce qui t'arrive ?

Il ne pouvait pas la regarder, il supportait à peine d'être en ce moment dans la même pièce que cette compagne de vie qui ne comprenait absolument rien aux articles de foi qui l'animaient. Son isolement était terrible, tellement terrible que dans de tels moments il ne pouvait même pas regarder son Dieu, encore moins le prier. Il leva la main dans un curieux geste d'impuissance et la laissa retomber.

— Rien. Rien du tout. Je livre mes batailles par la diplomatie, Bridget, pas avec des canonnades.

— Je crois que tu as besoin de vacances. Tu n'es vraiment plus toi-même, mon pauvre Huffo, fatigué...

Il ne répondit pas. Elle posa l'affiche et s'activa dans la pièce, tapotant les coussins, déplaçant les vases, redressant les cadres. Puis elle dit d'une voix maternelle accablante :

— Le petit déjeuner est prêt dans une seconde, mon chéri.

Et elle s'éloigna. Comme d'habitude, il alla à la fenêtre. C'était un matin nacré et la Clôture apparaissait dans la sainteté mystérieuse qu'elle revêtait chaque jour tôt le matin et tard le soir. Dans la lumière douce, la cathédrale semblait flotter légèrement sur son grand coussin vert. Hugh Cavendish agrippa l'appui de la fenêtre.

— Doyen, murmura-t-il. Doyen de la cathédrale d'Aldminster. *Doyen.*

— Oh, je ne savais pas qu'il y avait quelqu'un. Qui êtes-vous ? dit Felicity Troy.

Le jeune homme en costume roux qui avait à la main un mètre de professionnel répondit qu'il appartenait au bureau de l'architecte de la cathédrale et que la femme de ménage de Mrs. Troy, dans la cuisine, l'avait laissé entrer en voyant que c'était officiel.

— Officiel ?

— Mr. Mount allait venir lui-même, Mrs. Troy. Il a tenu à ce que je vous le dise. Mais il a la migraine. Il souffre de migraines épouvantables...

— Je ne voudrais pas manquer de compassion, dit Felicity, en tout cas mon côté aimable ne le souhaite pas. Mais je me demande si le mal de tête de Mr. Mount a quelque chose à voir avec le relevé de cette maison.

Le jeune homme parut choqué.

— Il n'a certainement rien à voir. Mr. Mount est cloué au lit. Il a passé une très mauvaise nuit et pouvait à peine me parler au téléphone.

— Et pourquoi ne m'a-t-il pas téléphoné à moi ? Pourquoi n'a-t-il pas commencé par me téléphoner pour prendre rendez-vous ?

— Je crois qu'il a essayé plusieurs fois mais que personne ne répondait. Il avait très peu de temps, vous comprenez. Le doyen voulait que l'on examine cette maison d'urgence.

— Le doyen ?

Ils se trouvaient dans le magnifique escalier aux pilastres baroques, aux larges marches basses, à l'endroit où une grande fenêtre, à mi-étage, garnie de vitre ancienne, offrait une large vue de verdure sur le jardin.

— Le doyen a ordonné le relevé de toute la propriété de la Clôture, dit le jeune homme d'un air angoissé. C'est de la pure routine.

— Alors pourquoi avez-vous besoin de mesurer quoi que ce soit ?

— Le doyen a demandé un relevé détaillé de cette maison.

Sur un coffre à la fenêtre se trouvait une énorme coupe bleu et blanc pleine de pot-pourri. Le jeune homme le remua nerveusement du bout de son crayon.

— J'ai essayé moi aussi de téléphoner, Mrs. Troy, mais on ne répondait toujours pas, et j'avais l'ordre de venir aujourd'hui.

— Où êtes-vous déjà allé ?

— Rien qu'au rez-de-chaussée, et j'étais précisément en train de monter...

— Mais vous ne le ferez pas.

— Je regrette, mais les ordres...

— Je n'aime pas ces ordres, dit Felicity. Je les trouve suspects. Et je n'aime pas la façon dont ce relevé détaillé nous tombe dessus sans prévenir. Je veux savoir ce qui se passe.

Désespéré, le jeune homme dit :

— Je dois voir le toit...

Felicity se déplaça très légèrement, de telle

sorte qu'il ne pouvait pas monter plus haut sans la bousculer.

— Je sais que cette visite n'est pas de votre faute, mais vous n'irez pas plus loin. Je suis sûre qu'il s'agit en réalité d'une estimation et, si c'est bien le cas, nous aurions dû en être avisés en bonne et due forme. Allez-vous-en gentiment et dites cela à Mervyn.

Il rougit.

— Mais Mr. Mount m'a envoyé.

— Dites-lui que je vous ai renvoyé.

Il commença à descendre, vaincu. Il était pitoyable. Elle le suivit, deux marches plus haut que lui.

— À vue de nez, combien croyez-vous qu'elle vaut ?

Il la regarda, ébahi.

— Je ne pourrais pas vous le dire !

— Un quart de million ?

Les yeux lui sortirent de la tête.

— Je ne sais pas.

Elle passa devant lui et ouvrit la porte. Le soleil frappa les dalles. Le jeune homme sortit en hâte.

— Au revoir, Mrs. Troy.

— Au revoir, dit-elle, puis elle referma la porte sur lui et sur le soleil.

Elle se sentit mal. L'entrée, avec ses lambris peints, ses proportions agréables qu'elle aimait tant, régulières et accueillantes, se mit à osciller, à enfler dans sa direction. En suivant les murs, elle se glissa jusqu'à l'escalier et s'accroupit sur la première marche. Perdre la maison. Alexander l'avait évoqué avec légèreté mais ils savaient tous deux qu'Hugh Cavendish préférerait vendre ses enfants plutôt qu'un seul bâtiment de la Clôture. Cependant, si l'impensable arrivait, si quelque changement étrange, complètement illogique et imprévisible, s'était produit dans le cœur du doyen, ils n'auraient aucun droit à rester. Certes, le principal devait être logé, et dans de bonnes conditions, mais pas nécessairement dans la plus jolie maison de la Clôture. En arrivant à Aldminster, ils avaient eu cette chance incroyable : le principal, de toute tradition, habitait cette maison. Ç'avait été pour Felicity un lieu de réconfort indicible, plein de charme et de bienveillance. Le perdre était-il le prix à payer pour le chœur ?

Elle se leva lentement et alla dans le salon. Elle y avait écrit de la poésie. Elle n'en écrivait plus depuis des mois, et son exubérance récente était naturellement le pire état d'esprit pour la poésie. Elle s'assit dans le fauteuil crapaud — qu'elle avait récupéré un jour dans une benne — et contempla le jardin. Si le chœur exigeait effectivement le prix de la maison, était-elle prête à le payer ? Pour quoi se battait-elle ? Pour la musique, pour l'Histoire, pour Dieu, pour Alexander, pour tous, pour personne...

Elle ferma les yeux. Elle luttait contre l'obscurité, ses ténèbres intérieures insoupçonnées, les noirceurs extérieures. Ses lèvres remuèrent.

— Car ce n'est pas contre des hommes de chair et de sang que nous avons à lutter, mais contre les principautés, contre les puissances, contre les princes de ce monde ténébreux, contre les forces spirituelles du mal répandues dans les airs.

Ses cils étaient humides. Saint Paul, cette espèce de misogyne, implacable, illuminé, l'un des hommes les plus entêtés de tous les temps, n'aurait pas aimé ses larmes. Elle se moucha. C'était peut-être ridicule de rester là un jeudi matin à se lamenter sur le destin de sa maison ou de l'âme du monde. Elle se dirigea d'un pas décidé vers le téléphone — un instrument qu'elle redoutait — et composa le numéro d'Ikon à Charing Cross Road.

12

— Ça bouge, dit Henry Ashworth.

— Pas si tu te tiens tranquille.

— Il ne peut pas chanter s'il doit penser à
se tenir tranquille...

— Il faut vraiment qu'il soit aussi haut ?

— Absolument. Je veux que le son se
répande dans le bâtiment...

Henry fit l'expérience de mettre son poids
sur un pied puis sur l'autre. La pile de caisses
vacilla fortement.

« Des cales », dit Mike à Nicholas, par
l'interphone placé dans le vestiaire du chœur
où était installé tout le matériel. Mike fascinait
Henry. Il portait des lunettes noires même dans
la cathédrale, et le traitait comme un adulte.

— Je veux que le son ait de l'espace, dit
Mike. OK ? Et déplace-moi un peu ces micros.
Les micros d'ambiance. Il nous faut de la pré-

sence là-dedans. OK ? Maintenant, Henry, chante une note.

Henry chanta un *fa* dièse.

— C'est bizarre ici, dit Mike, les niveaux habituels sont insupportables. Il va peut-être falloir que tu descendes un peu, en bas de ces marches, dans le...

— La nef, les marches du sanctuaire, dit Henry pour l'aider.

— OK, dit Mike en agitant les mains à l'intention de Ianthe. — Il détestait qu'elle voie qu'il ne savait pas quelque chose. — OK, OK ! La nef...

Il était stupéfait de se trouver là et encore plus stupéfait d'y prendre plaisir. Il n'avait jamais enregistré ailleurs qu'en studio et n'avait plus rencontré de professionnels comme Leo et Henry depuis l'école, des professionnels étrangement détachés en comparaison des musiciens de rock auxquels il était habitué. Il se dit que c'était, en fait, une autre façon de s'affirmer. Il y réfléchirait. Ianthe lui avait apporté un enregistrement qu'elle avait fait d'Henry dans *My Sweet Love* de George Harrison, et il avait été réellement impressionné. Ce n'était pas seulement la voix, c'était le phrasé. Il l'avait écouté à la fin d'une mauvaise semaine où il avait dû annoncer à Jon qu'Ikon ne pouvait tout simplement plus le porter à bout de bras. Jon l'avait très mal pris, Steven avait menacé de s'en aller lui aussi, et il leur avait donné trois jours de réflexion. Alors, sur une impulsion, il avait dit à Ianthe qu'il viendrait à Aldminster et il était là, avec tout l'équipement, qu'il avait installé avec elle dans le vestiaire, Nick chargé d'un chronomètre, lui-même de la partition, ce gentil gamin qui avait l'air de pouvoir faire de sa voix à peu près tout ce qu'on lui demandait et cette *cathédrale*. Il trouvait ça sensationnel, mais effrayant aussi.

— Ça va, là-haut ? demanda Nicholas à Henry.

Henry lui fit un sourire radieux.

— Oui.

La cathédrale était peu éclairée mais pas obscure, et se trouver tout seul là-haut dans le grand espace sombre était très exaltant. Cependant, il aurait voulu que ce soit plein ; il aurait aimé chanter pour des rangées pleines de gens. On commença avec le Haendel. Henry était très excité, il sentit ses poumons se gonfler, se gonfler, et ses bras s'élevèrent involontairement comme des ailes. Puis il fit une faute.

— Mr. Beckford, je me trompe toujours à cet endroit, troisième ligne à partir du haut, deuxième mesure : « et prêcher l'évangile de paix »...

Il fallut plusieurs prises. Puis ce fut *Greensleeves,* qu'il avait répété cent fois avec Leo, puis la chanson française qu'il adorait et dans laquelle sa voix imitait une cascade. Il se mit à faire de grosses grimaces entre les prises.

— Il commence à s'ennuyer, dit Leo. Faisons une pause...

Henry sauta un moment sur sa tour, pour voir.

— Oh, j'aime ça. Vraiment. Mais j'ai personne à regarder...

300

— Encore une fois, demanda Mike depuis le vestiaire, encore une fois. Retiens chaque note jusqu'au dernier moment. Compris ?

Henry ferma un œil et claqua des doigts.

— *Yeah, man !* murmura-t-il seul sur ses caisses. *Yeah, man !*

Sally s'était imaginé que pendant les soirées où Henry était à la cathédrale elle aurait le temps de réfléchir tranquillement. Elle avait déjà quelques projets. Quentin Small avait accepté de l'employer à plein temps à condition qu'elle tienne aussi ses livres à un tarif inférieur à celui du comptable, et elle avait visité trois appartements qui tous l'avaient épouvantée. Elle avait décidé de ne pas voir Leo pendant ce temps, de peur que l'effet qu'il avait sur elle ne lui trouble les idées, mais naturellement elle pensait à lui aux moments où elle aurait dû penser à son avenir. Puis Alan téléphona. Il était parfaitement logique qu'il le fasse puisqu'il avait reçu sa lettre, mais elle avait voulu croire aux difficultés de liaison habituelles avec l'Arabie Saoudite ; aussi éprouva-t-elle une terrible frayeur quand elle décrocha le téléphone et sut que c'était lui. Il était d'un calme exaspérant, presque jovial.

— Alors, Sal. De quoi s'agit-il ?

— Tu n'as pas lu ma lettre ?

— Si, bien sûr, mais...

— Alors tu le sais. J'en ai marre d'être enchaînée à un homme qui ne s'intéresse strictement qu'à lui.

— C'est vrai que j'ai été longtemps absent,

dit Alan, mais tu sais que je l'ai fait pour nous...

— Ne me raconte pas de salades...

Après un bref silence, Alan poursuivit :

— Écoute, nous ne pouvons pas parler de ça à je ne sais combien de livres la minute. Je ne peux pas rentrer dans l'immédiat. Nous sommes en pleine installation et je ne peux pas les laisser seuls une seconde. Mais je serai de retour dans un mois et nous parlerons.

— Je ne serai peut-être pas là dans un mois.

Alan déclara, comme s'il s'agissait d'un fait établi :

— Tu ne quitteras pas Blakeney Street. Dans quelle situation ça te mettrait ?

— Pourquoi appelles-tu, exactement ? demanda Sally.

— Dans ta lettre, tu avais l'air à cran.

— À cran ?

— Oui. Je regrette d'être absent depuis si longtemps.

La colère rendait Sally fiévreuse.

— Je ne veux plus te parler, Alan. Je vais raccrocher...

— Ne me pousse pas, Sal, ne me pousse pas...

— C'est une menace ?

La voix d'Alan changea.

— Comment va Henry ?

Elle poussa un cri perçant et jeta le combiné contre le mur. Il sautilla deux ou trois fois au bout du fil extensible puis tomba par terre avec fracas. Quand elle le ramassa, la ligne avait été coupée. Alan avait dû raccrocher presque immédiatement. Elle brûlait littéralement de rage et de dégoût, elle en tremblait, au point de ne plus pouvoir pleurer. Elle se coucha à plat ventre sur la natte de la grande pièce et hurla de toutes ses forces. C'était répugnant qu'un homme comme Alan puisse seulement exister dans sa vie, et à plus forte raison qu'il soit le père d'Henry. C'était insultant, révoltant, c'était un viol. Son indifférence, sa vanité, son faux sentimentalisme. Elle se rappela le jour où elle l'avait accusé de fréquenter des call-girls. Il l'avait admis et avait dit avec de grands yeux incrédules : « Mais, Sal, ce n'est pas te tromper ça ! » Sally sentait toute sa vie outragée, à devoir la partager avec un tel homme.

Elle cessa de crier et s'assit. Mozart, endormi dans le panier plein de linge à repasser, n'avait pas bronché. Les vieilles assiettes bleues étaient toujours alignées sur les étagères du vaisselier, la lumière de la lampe tombait sur le journal qu'elle avait jeté par terre, le pain qui restait après qu'elle eut fait un sandwich pour Henry trônait parmi les miettes sur la planche à découper. Même le téléphone, replacé sur son support mural, faisait comme si rien ne s'était passé. Alors elle se mit à pleurer, bruyamment, salement, en criant la bouche ouverte comme un enfant malheureux. Mozart ne supportait pas que l'on se plaigne ; il sortit posément du panier à linge, traversa la pièce et passa par la chatière qui donnait sur le petit jardin à l'arrière de la maison. Après qu'il fut parti, Sally se sentit horriblement seule.

Elle se releva et alla faire couler de l'eau

froide dans l'évier pour s'asperger le visage. Puis elle tira des mètres du rouleau de papier, s'essuya et se moucha ; sa peau tirait comme si elle était trop petite pour elle. Un des chandails d'Henry traînait sur une chaise paillée à côté de la table. Elle le ramassa et le serra contre elle en montant l'escalier puis, rebutée par sa sentimentalité, elle le plia avec une précision rigoureuse et le rangea dans son placard. Elle avait à peine fini de se maquiller que la porte d'entrée s'ouvrit avec fracas. Henry se rua dans la pièce en criant : « Maman, Maman, c'était gé... »

Elle descendit vers lui. Il était follement excité.

— Il m'a dit : « vide tes poches » et j'ai demandé pourquoi, alors il a dit que sinon ça ferait du bruit, alors j'ai dû enlever ma montre et puis j'ai toussé pendant l'*Ave* en attendant ma note, et tout à coup le ton a déraillé et il a fallu refaire des millions de prises, alors ils m'ont construit cette espèce de tour, je suis très très haut, et puis Mr. Beckford devait tenir l'orgue, alors je ne pouvais pas le voir, et le micro, il coûte cinq mille livres, c'est Mike qui l'a dit. C'était fantastique !

Elle lui fit des œufs brouillés. Mozart, pour qui le retour d'Henry était la garantie qu'il n'y aurait plus de démonstrations d'émotion désagréables, revint réclamer du lait.

— Je peux pas attendre demain ! dit Henry. C'était tellement beau !

— Ne t'excite pas trop. Le disque ne se vendra peut-être pas du tout, tu sais. C'est une petite maison, presque personne ne la connaît.

— Mais il sera en vente à la cathédrale, et Ianthe va me prendre en photo pour la pochette et elle fera un dessin dingue tout autour...

— Avec ta collerette ?

— Non, en normal. — Il eut un regard de convoitise. — Elle a demandé si j'avais un blouson de base-ball.

— Et alors ?

— Je pourrais ?

— Mais ils sont tellement horribles...

— Ils sont géniaux.

— Si nous en parlions demain quand tu seras redescendu sur terre et que j'aurai révisé mes préjugés ?

Il rit.

— Tu parles comme Mr. Troy. Il est venu nous voir. Il a dit que j'étais épatant.

Elle se leva et lui prit son assiette.

— Mozart et moi, nous pensons que tu as la grosse tête.

Il était ravi.

Il monta l'escalier en gambadant, avec des exclamations d'excitation, puis elle l'entendit ouvrir les robinets à fond et, dans le bruit de l'eau, lui parvinrent les notes étranges, obsédantes, du chant de berger d'Auvergne.

Du comble de l'excitation, il tomba tout droit dans l'oubli. Elle s'assit au bord de son lit jusqu'à ce qu'il s'endorme puis elle descendit, et comme grâce à lui elle se sentait beaucoup plus normale, elle téléphona à Leo. Une voix féminine répondit.

— Pourrais-je parler à Leo ?

— Je regrette, dit Ianthe, il n'est pas là. Il y était, mais il est ressorti...

— C'est Sally Ashworth...

— Salut ! dit Ianthe avec enthousiasme. Henry vous a dit comment ça s'était passé ? Vraiment épatant...

— C'est pour ça que j'appelle, mentit Sally.

— Henry est un grand artiste. C'est vrai, Mike ne parle généralement pas beaucoup, mais il est emballé par Henry. Il est allé au pub avec Leo. Je dirai que vous avez téléphoné.

— Non, dit Sally, ce n'est pas la peine. Je voulais seulement savoir si vous étiez tous aussi excités qu'Henry.

— Et comment !

— Bonne nuit.

Elle raccrocha avec d'infinies précautions pour compenser sa violence précédente. Elle était tellement épuisée qu'elle se sentait incapable de mettre de l'ordre et de préparer le lendemain comme elle le faisait le soir. Elle se hissa à l'étage, une marche après l'autre, en s'aidant de la rampe, fit sa toilette maladroitement et s'effondra sur son lit. Elle resta étendue quelques minutes, presque étourdie. Puis elle se releva avec effort, alla d'un pas incertain jusqu'à la cheminée, ôta son alliance et la laissa tomber dans le pot chinois où s'accumulaient épingles à cheveux, boutons dépareillés et épingles de nourrice de chez le teinturier. Elle resta un moment la tête baissée puis se retourna, retomba sur son lit et dormit comme si on l'avait assommée.

— J'aurais dû téléphoner, dit Frank Ashworth, mais je me trouvais dans la Clôture et je me suis dit que j'allais passer.

Felicity tenait la porte entrouverte et le regardait froidement.

— Votre mari est là ?

— Il vient de rentrer de l'école.

Frank l'examina. Elle était pieds nus et portait une jupe qui rappelait à Frank les diseuses de bonne aventure qui venaient autrefois à Horsley Common avec les forains quand il était enfant. L'endroit était devenu une cité avec des rues au nom ridicule comme allée des Primevères ou clos des Coucous.

— Je pourrais le voir cinq minutes ?

Alexander sortit du salon en disant qu'il croyait avoir entendu sonner.

— Mr. Ashworth...

— Pourriez-vous m'accorder cinq minutes...

— Naturellement, dit Alexander comme si de rien n'était.

Frank entra et dit :

— Cela concerne aussi Mrs. Troy, alors si vous voulez vous joindre à nous...

Le sol du salon était envahi par les nouveaux rideaux que Felicity avait soudain décidé de faire pour la chambre, en gage de chance contre la menace de devoir quitter la maison. Presque toute la pièce était recouverte de gros coton indien écru, qui dégageait une forte odeur d'herbe brûlée par le soleil. Felicity n'y fit aucune allusion et ils durent s'asseoir tous les trois au bord, à dix pas l'un de l'autre.

Frank se sentit désavantagé.

Alexander semblait ne rien remarquer ; lui et Felicity attendaient et regardaient le visiteur.

— Je crois qu'une estimation de cette maison a été faite récemment, dit Frank.

Alexander hocha la tête.

— Je suppose que vous savez que je souhaite depuis longtemps offrir aux habitants de cette ville, aux gens ordinaires, un lieu qui leur appartienne dans cette Clôture...

Alexander l'interrompit :

— Le principe, bien entendu...

— Chut, dit Felicity.

Frank tourna lentement la tête pour les regarder l'un après l'autre. Il avait l'air, lui-même, épuisé.

— Je n'ai pas changé d'avis. Mais les temps ont changé. Et les circonstances aussi. Ce n'est pas le bon moment parce que la maison ne serait pas utilisée à bon escient, pour les habitants de la ville. Actuellement, elle servirait les intérêts d'une minorité, c'est pourquoi — il marqua une pause, comme s'il avait besoin de rassembler ses forces pour continuer — à la prochaine réunion du conseil, je vais retirer ma proposition d'achat.

Tous se turent. Felicity et Alexander ne se regardèrent pas. Puis Alexander dit calmement :

— Merci de nous avoir informés, Mr. Ashworth.

— Vous aviez le droit de savoir. — Il jeta à Alexander un regard de côté. — Vous n'avez pas toujours les bonnes sources.

Il se leva. Alexander et Felicity se levèrent

à leur tour et tous trois contournèrent en silence le tissu des rideaux pour passer dans l'entrée.

— Nous avons tous été très fiers de votre Henry, cette semaine, dit Alexander.

Frank sourit pour la première fois.

— Un sacré petit gamin, dit-il, et il sortit.

Derrière la porte fermée de la maison du principal, Alexander dit :

— Mais enfin qu'est-ce qui se passe ?

Quinze administrateurs seulement purent assister à la réunion d'urgence convoquée par le doyen, mais les trois membres du clergé exigés étaient présents en la personne du doyen, de l'archidiacre et du chanoine Yeats. Bridget s'était donné énormément de mal pour que la salle à manger ressemble à une salle de conseil d'administration, en y disposant des blocs de papier, des crayons et des carafes d'eau. Elle avait aussi fait une fournée de sablés que Mrs. Ray devait servir avec le café. Le doyen avait refusé de lui parler de cette réunion — elle avait essayé de se convaincre que c'était tout à fait naturel de sa part — mais elle savait qu'il cherchait à obtenir que les administrateurs refusent leur vote de confiance à Alexander Troy.

Aux yeux de Bridget, le crime d'Alexander n'était pas son attitude stupide à propos du chœur, ni même d'avoir fait de la distribution des prix une plate-forme personnelle, mais son défi de l'autorité du doyen. Seule petite circonstance atténuante, c'était indéniablement un gentleman. Mais le prestige des hauts dignitaires de l'Église était pour Bridget une chose sacrée que les hommes inférieurs ne pouvaient en aucun cas narguer. Pour elle, une telle insolence était outrageante, mais tout en croyant sincèrement qu'Alexander devait être puni, elle craignait — s'il était renvoyé — que son successeur ne soit pas du tout à son goût. Hugh lui-même verrait son prestige diminué s'il était entouré uniquement d'hommes... — ici, Bridget, elle-même hésita dans son esprit sur le terme à employer — d'hommes d'une autre *sorte* que lui. Dieu sait qu'il y en avait déjà bien assez dans l'Église.

Quand elle eut fermé la porte de la salle à manger sur le dernier administrateur, elle alla dans son bureau travailler sur l'affaire embrouillée des guides de la cathédrale, dont elle avait déchargé d'office le bureau du chapitre. L'intendant du chapitre n'avait pas du tout aimé cela, mais comme la liste de roulement des guides était devenue terriblement confuse et que beaucoup trop de membres n'étaient pas dignes de confiance, il n'avait guère pu refuser quand Mrs. Cavendish avait emporté les dossiers en disant qu'elle les classerait. Elle avait fait exactement la même chose avec la librairie de la cathédrale deux ans plus tôt et l'avait réorganisée à la perfection ; elle lui avait trouvé une nouvelle responsable, ce qui avait suscité partout les ressentiments et l'indignation. Au moins, la maîtresse de broderie, redoutable vieux docteur d'université qui connaissait toute l'histoire des tissus et des techniques de broderie, avait la force de caractère nécessaire pour défendre son territoire, et l'équipe de volontaires qui nettoyait les monuments avait toujours eu la discrétion de rester à sa place. Les Amis de la cathédrale rassemblaient lentement leurs forces ; comme l'avait dit l'évêque à sa femme avec un regret ironique, Bridget Cavendish était extraordinaire pour *unir* le diocèse.

Pendant une heure et demie elle fit des listes, établit des roulements et donna des coups de téléphone. Mrs. Ray alla servir le café à onze heures précises, mais pendant les quelques secondes où la porte de la salle à manger resta ouverte on n'entendit que des murmures polis à la vue des biscuits. À midi, la porte s'ouvrit de nouveau et les administrateurs commencèrent à apparaître dans l'entrée. Bridget se précipita pour les accompagner à la porte, avec des sourires interrogateurs. Ils la remerciaient gravement. Le chanoine Yeats était le dernier, lourdement appuyé sur ses cannes. Elle fut pleine de sollicitude avec lui mais il ne parut pas la remarquer ; il était préoccupé, moins par les marches du doyenné que par ses pensées. Huffo ne ressortit pas. Bridget aida le chanoine Yeats à descendre les marches jusqu'au niveau du sol et quand elle lui tint la grille ouverte elle ne put s'empêcher de lui dire d'un ton enjoué :

— J'espère que la réunion s'est bien passée !

Le chanoine Yeats s'arrêta pour la regarder. Il ne l'avait jamais aimée. Sa beauté massive lui rappelait toujours les épouvantables volontaires impérieuses de l'armée qui avaient fait de son aumônerie pendant la guerre un vrai cauchemar. « J'aurais voulu planter le bout de ma canne sur son grand buste, dit-il plus tard à sa femme, et la faire tomber. » Il lui lança un petit regard pétillant avant de s'éloigner.

— Elle s'est bien passée, Mrs. Cavendish, mais en fait elle n'aurait jamais dû avoir lieu. Nous avons pris une mauvaise voie.

Elle remonta les marches du doyenné. Le doyen ne se trouvait ni dans son bureau ni dans la salle à manger. Mrs. Ray la croisa dans l'entrée, entre les deux pièces, et lui dit qu'il avait demandé de ne pas l'attendre pour le déjeuner parce qu'il serait absent jusqu'à trois heures et grignoterait un sandwich. Mrs. Ray avait probablement inventé la dernière phrase, parce que le doyen n'aurait jamais employé cette expression. Bridget alla au garage par la porte de derrière : la voiture n'était plus là. Elle retourna à l'intérieur, dit à Mrs. Ray que ce serait tout pour aujourd'hui, puis elle monta lourdement l'escalier qui menait à la chambre, dont elle avait drapé les nobles fenêtres de rideaux de chintz à motif de volubilis ; c'était là qu'elle et Hugh dormaient côte à côte depuis seize ans. Elle s'assit devant sa coiffeuse et se regarda sans le moindre plaisir. Hugh avait été battu par les administrateurs et n'avait pas pu, ou voulu, se confier à elle. Elle posa les coudes sur la vitre qui emprisonnait des dizaines de photos de ses enfants et posa la tête dans ses mains en se couvrant les yeux. La maison était muette. Dans ce silence, les coudes engourdis sur le verre froid, Bridget Cavendish, pour la première fois de sa vie, sombra dans un chagrin d'amour.

Quand le doyen entra dans les bureaux du conseil municipal, la réceptionniste, qui savait tout et connaissait tout le monde, lui dit que Mr. Ashworth n'était pas là pour la journée. Le doyen dit que, dans ce cas, il serait heureux de parler à n'importe lequel des conseillers qui pouvait lui accorder un quart d'heure. La réceptionniste répondit qu'elle allait voir ce qu'elle pouvait faire et elle le conduisit dans une petite salle d'attente où il y avait un cactus sur la table et des casiers au mur, garnis de brochures relatives à la santé publique. « Ici, personne ne vous dérangera », lui dit-elle, et elle ferma la porte.

Il fut inévitablement attiré par la fenêtre. Celle-ci donnait sur le parking et l'on voyait, plus loin, un coin banal des jardins du Lyng, où l'herbe avait disparu autour des massifs plantés de sauges rouges et d'œillets d'Inde orange, les grands classiques de la municipalité. Une grosse fille à la mine renfrognée était effondrée sur un bac auprès d'un bébé attaché dans sa poussette pliante ; plus loin, deux hommes couchés sur la terre dénudée avaient la tête couverte du même journal. Il était une heure et demie. Le doyen avait roulé pendant plus d'une heure en plein débat intérieur. Pour une fois, il ne s'était pas rendu à la cathédrale — il avait fait le vœu de n'y retourner que pour les offices jusqu'à ce que les gens du disque aient retiré leurs saletés — et il avait pris le périphérique. Il avait tourné en rond, comme un âne autour d'une meule. Enfin il avait quitté le périphérique et était descendu vers l'estuaire, où il avait écouté les mouettes. Il avait acheté un friand au porc dans une baraque au coin d'une rue et l'avait dévoré dans sa voiture. Réconforté, il était retourné vers la ville et s'était dirigé vers les bureaux du conseil municipal.

On le fit attendre vingt minutes. Il s'informa sur la toxicomanie, sur la coqueluche, sur l'hygiène dentaire et les maladies sexuellement transmissibles, puis il trouva un paquet de brochures sur l'assistance judiciaire et les droits du citoyen, et il les lut également. Quand la porte s'ouvrit sur une nouvelle jeune fille qui lui annonça que Mr. Thornton pouvait le recevoir, il était en train de lire les recommandations en cas d'incendie fixées sur la porte et faillit se faire renverser. L'employée était gênée par son col romain et lui dit simplement « vous » parce qu'elle ne savait pas quoi dire d'autre. Il la suivit dans l'ascenseur qui les amena au deuxième étage dans un long corridor recouvert de carreaux de moquette où résonnait par intermittence le cliquètement de machines à écrire.

Au milieu du corridor, elle ouvrit une porte vitrée et le fit entrer dans un petite pièce avec deux fauteuils recouverts de tweed et une table basse où il n'y avait qu'un cendrier. Elle alla à une autre porte, frappa, ouvrit et dit : « Votre visiteur, Mr. Thornton. » Elle se retourna vers Hugh :

— Vous pouvez entrer.

— Il est d'usage de m'appeler « monsieur le doyen », dit-il aussi posément que possible.

Elle ouvrit de grands yeux. Il passa devant elle et vit Denis Thornton. Coquettement vêtu, celui-ci portait une épingle d'or qui traversait les pointes de son col sous son nœud de cravate, et il l'attendait debout avec un sourire officiel.

— Bonjour, Mr. Cavendish. Asseyez-vous, je vous prie. Prendrez-vous du café ? Non ? Alors un seul café, Heather...

Le doyen se laissa tomber sur son siège. Denis Thornton s'assit avec élégance et croisa les bras sur son bureau. Il portait plusieurs bagues, toutes à des doigts inhabituels.

— Alors. Que puis-je faire pour vous ?

Le doyen sentit sa voix venir de très loin.

— Vous êtes certainement au courant de l'appel que nous avons dû lancer pour le toit de la cathédrale...

— C'est-à-dire que... oui, je...

— Il apparaît que les dégâts sont beaucoup plus graves que nous ne le craignions. Nous ne devons pas seulement nous battre contre l'eau mais aussi contre les termites.

Denis Thornton émit des bruits compatissants mais ne dit rien.

— Je ne sais pas exactement jusqu'où la suggestion est allée dans le conseil municipal, mais je crois que vous teniez à avoir une sorte de centre, pour les habitants, dans la Clôture...

Il leva les yeux. Denis Thornton l'observait.

— C'était le projet de Mr. Ashworth, poursuivit-il, trop vite, et je dois avouer qu'au début j'ai eu du mal à voir les choses à sa façon. La maison à laquelle il songeait, celle du principal, est tellement...

— Malheureusement, dit Denis Thornton, je ne suis au courant de rien.

— Mais je croyais...

— Je ne dis pas que c'est une proposition que nous ne pouvons envisager, Mr. Cavendish. Mais elle n'est pas à l'ordre du jour pour l'instant. — Il sourit au doyen. — Je vois que ce pourrait être une proposition intéressante.

— J'avais compris que Mr. Ashworth avait déjà fait cette proposition.

— En privé, peut-être, mais pas au conseil, Mr. Cavendish. Expliquez-moi ce que vous avez en tête, si vous le voulez bien.

— La vente de la maison du principal à la municipalité, dit le doyen. Elle a été estimée récemment à trois cent mille livres. Bien entendu...

Il s'interrompit.

Denis Thornton prit un stylo devant lui et le tint légèrement entre ses doigts.

— Vous pourriez m'écrire une lettre, Mr. Cavendish, avec les grandes lignes de votre proposition.

Le doyen soupira.

— Je considère que, puisque Frank Ashworth est à l'origine de ce projet...

Denis Thornton reposa son stylo avec précision.

— Il vaudrait mieux adresser la lettre à moi.

Après tout, Frank Ashworth approche de la retraite.

— La retraite ! Mais je croyais...

— Mais oui. Des forces nouvelles, vous comprenez.

Le doyen se leva.

— Nous vivons dans un monde très dur, Mr. Thornton.

Denis Thornton l'accompagna jusqu'à l'ascenseur et l'y fit entrer avec une courtoisie un peu ostentatoire. Il arriva en bas et sortit, sûr de lui, dans le hall sonore. Le devoir, se dit-il, le devoir, l'autorité et la cathédrale.

— Tout va bien ? demanda tranquillement la réceptionniste très à l'aise, quand il passa devant elle.

Il s'inclina très légèrement.

— Merci.

Elle se leva et passa devant lui en faisant résonner ses talons hauts pour lui ouvrir la lourde porte.

— Faites bien attention à vous, dit-elle.

Une expression dégoûtante, abusivement familière, digne de *copains*. Il sortit en silence et alla chercher sa voiture au parking.

Il entra par la porte du jardin du doyenné. Bridget était au téléphone.

— Ma chère, je ne peux rien vous promettre dans l'immédiat. Je dois me consacrer à Hugh, vous comprenez, il a tellement de soucis... Naturellement, dès que j'aurai pu m'organiser... Je suis absolument de votre avis, c'est une affaire de politique et d'argent. Je suis sûre que vous comprendrez...

Elle aperçut le doyen.

— Il vient tout juste d'arriver. Vous m'excuserez ? C'est promis, dès que je le pourrai. Au revoir...

Elle raccrocha et s'approcha de lui avec une curieuse expression, dans laquelle il aurait décelé une certaine incertitude s'il n'avait pas si bien connu sa femme.

— Huffo, où étais-tu ? Et sans déjeuner ! Je vais te préparer un sandwich. Après une telle matinée...

Il passa devant elle.

— Merci, mais pas de sandwich. J'avais des choses à régler en ville, mais vraiment je n'ai pas faim.

— Un peu de thé alors...

Il eut un léger soupir.

— Ce serait très bien.

Elle fit un pas vers lui, alors qu'il ouvrait la porte de son bureau.

— Huffo...

Il se retourna sur le seuil et dit calmement :

— Du thé. Merci. Du thé.

Puis il lui ferma doucement la porte au nez.

13

À la fin du trimestre, un chœur de remplaçants arriva d'une paroisse du Surrey et les
choristes se dispersèrent pour leurs vacances
respectives. Henry emmena Chilworth chez sa
grand-mère pendant une semaine, qu'ils passèrent essentiellement à construire avec soin
une maison dans le peu d'espace sauvage que
Jean accordait au jardin, derrière le carré de
légumes strictement tracé. Les garçons furent
enchantés d'être convenables le jour et de
découvrir le soir le gel coiffant et la musique
pop en écoutant leurs walkmans, quand Jean
les croyait couchés avec les lectures innocentes
qu'elle avait laissées à leur intention.

Après leur départ, et malgré la présence du
chœur provisoire, la Clôture s'assoupit.
Alexander et Felicity, fous de joie de voir que
le fonds pour le chœur augmentait et qu'ils
allaient pouvoir conserver leur maison,

empruntèrent le cottage de Sam dans le Herefordshire pour quinze jours et partirent faire de la marche dans les Malvern Hills. La moitié de l'école ferma complètement ; l'autre moitié fut occupée par deux cents Scandinaves venus suivre un cours d'anglais pendant l'été. Ils étaient très calmes dans l'ensemble. Quand Bridget Cavendish en coinça quelques-uns en train de contempler consciencieusement la cathédrale et leur demanda ce qui leur plaisait le plus à Aldminster, ils répondirent gravement : « L'alcool y est bon marché. » Vaillamment, elle essaya de répandre cette remarque dans la Clôture comme une histoire drôle, pour montrer qu'elle avait le cœur léger, mais personne ne fut dupe. Il était évident qu'elle souffrait, mais elle restait inaccessible. Un matin, Janet Young la trouva en larmes devant un slogan bombé en rouge sur le mur du doyenné : « Craignez la Justice. OUI au chœur. »

— Ce n'est qu'une bêtise, dit Janet en posant la main sur le bras de Bridget pour essayer de la consoler, pas une vraie menace.

Aussitôt, Bridget se redressa très droite et se moucha avec autorité.

— C'est destiné à Hugh, bien sûr. Je ne supporte plus qu'il soit exposé de cette façon.

Janet murmura des paroles apaisantes, mais quand elle voulut aider Bridget à rentrer chez elle, celle-ci l'écarta.

— N'en parlez pas, s'il vous plaît. J'essaie de cacher mes sentiments à Hugh parce que je ne veux pas aggraver ses soucis.

— À ce moment-là, au moins, elle disait la

vérité, dit plus tard Janet à l'évêque. Mais elle ne pleurait pas à cause de lui, j'en suis sûre, en tout cas pas à cause de son chagrin à lui. Elle a un chagrin personnel...

— Ses enfants ?

— Non. Elle avait l'air trop désemparée pour que ce soit ça. Mais je suis la dernière personne à qui elle se confierait. Son orgueil ne le lui permettrait pas.

L'évêque mordilla la branche de ses lunettes.

— Le doyen n'est plus lui-même non plus. Il est beaucoup plus renfermé...

Intellectuellement, le doyen avait pitié de sa femme. Il la voyait malheureuse et le regrettait, mais sentimentalement il ne pouvait rien y faire. Ses propres peines au cours des années qu'ils avaient passées ensemble l'avaient rendu plus détaché qu'endurci et il ne pouvait témoigner à Bridget aucune compassion, faute de pouvoir imaginer sa souffrance. Elle l'avait bravé sans cesse pendant près de trente ans — à propos de l'amour et de la vie, à propos des enfants, de la paroisse — et bien qu'il ne sût pas quelle était la goutte d'eau qui avait fait déborder le vase, il savait que sa docilité avait cessé. Il se répétait à chaque instant, comme une sorte de mantra, qu'il était doyen. En tant que doyen il avait une autorité administrative et spirituelle qui n'était pas seulement son privilège, et qu'il offrait à Dieu. Plus personne, désormais, ne défierait cette autorité, ni Bridget, ni Alexander Troy, ni Leo Beckford, ni sa propre fille. Il sentit qu'il y avait une pureté dans son autorité et dans la force qu'elle lui

donnait ; il lui vint des idées de zèle réforma-
teur. Quand lui et Bridget iraient à la pêche
pendant dix jours sur la Dee comme d'habitude, il lui expliquerait très clairement leur nouveau mode de vie ; pendant qu'ils seraient ainsi
occupés, Cosmo irait dans un camp de
vacances en Galles du Nord. Il résolut qu'un
ordre nouveau, propre et fort sortirait du
désordre et des compromissions de la Clôture
et que toutes les forces destructrices seraient
domptées. Le fait d'habiter la maison banale
du vice-principal — Mr. Vigors était célibataire
et il n'y aurait aucune difficulté à l'installer
dans l'école — materait sans peine Alexander
Troy.

Quand le chœur eut été dispersé et que ses
remplaçants se furent habitués à Martin Chancellor, Leo s'échappa pour enregistrer, à la
demande d'une importante maison de disques,
des morceaux interprétés dans les chapelles privées de quelques grandes propriétés du Nord.
L'invitation était venue par l'intermédiaire de
Mike Perring d'Ikon — ce qui était un peu irri-
tant. Mike faisait presser ses disques dans le
même atelier que d'autres maisons plus
célèbres. Au cours d'une conversation bourrée
de références incompréhensibles, Mike avait dit
à Leo que cette invitation allait arriver, mais
aussi que l'album d'Henry, *Singing Boy,* allait
être lancé massivement par un tas de chaînes
de pop music. Il était beaucoup moins laco-
nique qu'à l'ordinaire, presque enthousiaste.

Leo fut soulagé de quitter quelque temps

Aldminster. Il se disait qu'il aurait peut-être assez de temps et de tranquillité d'esprit pour composer — depuis l'enregistrement d'Henry, il avait en tête une brève œuvre chorale qui prenait forme, basée sur l'histoire de Jonas — et il espérait ne pas trop penser à Sally. Au moins, dans les collines de Northumberland et du Derbyshire, il ne risquait pas de la rencontrer. Pourtant il avait envie de la voir ; tous les jours, à Aldminster, il le souhaitait. Il le redoutait aussi, depuis qu'il avait embrassé Ianthe.

Il se répétait qu'il accordait trop d'importance à ce baiser. Ce n'était qu'un baiser, après tout, pour fêter spontanément la fin des séances d'enregistrement, quand Mike leur avait préparé un master pour qu'ils l'entendent ; ils étaient tous très excités. Ils s'étaient jetés dans les bras les uns des autres, tout le monde s'embrassait, et embrasser Ianthe n'avait pas la moindre signification parce que en fait, elle était la seule fille. Elle était montée à la tribune et lui avait mis les bras autour du cou par-derrière en disant : « Oh, Leo, ça va être formidable... » Il s'était retourné et l'avait embrassée comme on embrasse quelqu'un quand c'est sérieux. Il ne pouvait pas se le cacher, même quand il essayait. Il n'aurait pas dû embrasser Ianthe de cette façon, moins que toute femme au monde. Elle ne lui plaisait même pas beaucoup, et son charme sauvage, sombre et vaguement crasseux, n'était pas du tout à son goût. Mais il l'avait fait et se désespérait de voir combien il en était affecté, principalement — et cela, il s'efforçait de ne pas le penser — parce qu'il se sentait engagé envers Sally.

Il tenta de se dire que Sally l'avait mérité. Elle ne l'approchait plus depuis des semaines, n'avait jamais rien dit de l'enregistrement ni essayé d'en avoir des nouvelles, et tenait à prendre sa décision absolument seule. Après lui en avoir d'abord voulu de cette attitude, il avait compris que ses tentatives d'indépendance puériles et vaines résultaient d'une autonomie forcée à l'intérieur d'un mariage solitaire. Ce dont elle voulait s'assurer c'était que choisir Leo était un acte de liberté et non une fuite. Son amour-propre l'obligeait à montrer au monde qu'elle pouvait vivre sans homme, avant de décider de vivre avec un autre. L'orgueil de Sally avait souffert de l'indifférence de son mari, avait dit Felicity.

— La société n'admet pas l'orgueil chez une femme, avait-elle dit. Il est permis et hautement respecté chez un homme, la société considère alors comme une faute d'y porter atteinte. Mais pourquoi une femme ne souffrirait-elle pas comme un homme dans son respect de soi, dans son orgueil, quand elle est trahie ? Sally a bien connu cela.

Il le comprenait, mais en même temps il se trouvait très patient et voulait que sa patience soit récompensée. Il ne pouvait pas croire qu'elle laisse passer tant de semaines sans le voir. À ses yeux, ce ne pouvait être que de l'entêtement, voire de la cruauté. Elle lui manquait. Embrasser Ianthe n'avait aucun rapport avec ce manque, il en était certain, mais ç'avait été un geste spontané, dans un moment suspendu où aucune de ses facultés normales et importantes ne fonctionnaient. Et comme il s'agissait de Ianthe, une bombe à retardement était enterrée à présent dans le sable ; quelqu'un, probablement lui ou Sally, allait marcher dessus un jour et la ferait exploser. Ianthe lui avait écrit deux fois. Il avait à peine lu ses lettres et les avait jetées sans y répondre. Là-dessus, Ianthe l'avait devancé : « Je sais que vous ne me répondrez pas, avait-elle écrit, vous ne seriez pas vous si vous le faisiez. Mais ça n'a pas d'importance maintenant que je sais. » Ce mot le poursuivait. Qu'elle savait quoi... ? Bien sûr, se disait-il la moitié du temps, Sally comprendra, nous ne sommes pas des enfants, et, bien sûr, se disait-il le reste du temps, elle me fuira encore davantage, au moment même où grâce à une patience surhumaine je prouve que je suis digne de confiance.

S'éloigner paraissait une bonne solution, même si elle n'était que temporaire. Ianthe ne le retrouverait pas, elle se calmerait peut-être ; Sally arriverait peut-être au bout du long chemin qu'elle s'était tracé. Lui, après avoir respiré un air débarrassé des querelles et des complications qui empoisonnaient la Clôture depuis des mois, reviendrait peut-être en ayant retrouvé son courage et son énergie, prêt à reprendre sa voie musicale et à construire son avenir personnel.

Il porta les clés de sa maison à Cherry Chancellor. Elle fut très aimable avec lui parce qu'elle aimait voir Martin seul responsable ;

elle jugeait que le sens des responsabilités de Martin le rendait plus apte pour le poste, indépendamment de ses talents d'organiste. Quand Martin lui avait dit que la façon dont Leo interprétait Bach était souple, elle n'avait pas du tout saisi ce qu'il voulait dire — assise dans la cathédrale, elle n'aurait jamais pu dire si c'était Leo ou son mari qui jouait, tout en admirant la profession de Martin et en le considérant comme un artiste. En voyant Leo en pantalon de velours côtelé avec une vieille veste dépareillée, elle demanda en plaisantant si c'était ce qu'il avait l'intention de porter pour rencontrer la duchesse. Leo regarda son joli visage régulier et inintéressant et lui répondit, impassible, qu'il trouvait sa tenue un peu trop habillée pour l'occasion.

Le taxi qui l'emmenait à la gare le fit passer avec une cruauté involontaire dans Blakeney Street. La maison avait un aspect très morne, il n'y avait ni fleurs ni chat aux fenêtres. Il s'affola soudain à l'idée que Sally puisse disparaître sans qu'il le sache, mais il pensa qu'Henry devait retrouver le chœur et l'école. Au moins, Henry était un ancrage, non ? La panique l'emporta sur le soulagement. Leo se tortilla sur son siège et dévora du regard les aimables façades de brique de Blakeney Street, qui s'effaçaient derrière lui.

— Vous avez oublié quelque chose ? demanda le chauffeur.

— Probablement. J'oublie toujours tout...

À la gare, il vit que le train avait une demi-heure de retard. Il acheta du papier à lettres et des enveloppes à la librairie, les emporta à la cafétéria et s'installa dans un coin, entouré de ses bagages — « J'aurais pu vous prêter une valise convenable, vous savez » avait dit Cherry Chancellor, avec un regard insistant sur ses petites valises et ses fourre-tout usés — et il écrivit en hâte.

« Sally, Sally chérie, je pars pour une quinzaine de jours, travailler. Je ne voulais pas te le dire, je pensais simplement partir, mais finalement je ne peux pas. Je suis à la gare. Je veux seulement que tu saches que je comprends ce qui te fait peur, perdre son *je* pour devenir *nous*. C'est vrai que c'est le prix à payer, une sorte de pari, mais sans cela on ne gagne pas les grands prix. Et rappelle-toi que ton *je* sera en sécurité avec moi tout comme le mien le sera avec toi. Je veux vivre avec toi, mais ni que tu sois ma propriété ni t'exploiter. Sans amour, nous ne pouvons vivre qu'à moitié, mais je crois que tu le sais déjà. Cherry a mes clés et tous les numéros de téléphone où l'on peut me trouver — je lui ai donné bêtement ma seule liste. »

Il voulut écrire : « Téléphone-moi, *téléphone-moi* », mais il se contenta d'écrire seulement Leo, et son nom lui parut nu et triste, tout seul à la fin. Il mit la lettre dans une enveloppe, écrivit l'adresse et persuada la femme qui tenait le kiosque à journaux de la poster.

— C'est important ?

— Très.

— D'accord.

Son train était annoncé. Il lança vingt pence

à la dame du kiosque, rassembla de nouveau ses bagages et se précipita sur le quai. Le train était plein. Il dut entasser ses bagages dans un soufflet bringuebalant et s'installa comme il put, le dos contre le mur des toilettes, tandis que le train s'éloignait lentement des grues, des blocs de tours, des rangées de maisons et de la cathédrale qui les surmontait, imperturbable.

Un disc-jockey de Radio Two avait aimé le chant de berger d'Henry. Il le fit passer tous les matins pendant quatre jours, puis, comme il avait eu de nombreux appels suppliant de l'entendre encore, il le passa deux fois le cinquième jour. Nicholas et Mike allèrent à Wimbledon et obtinrent que soient pressés cinq mille exemplaires en plus, et encore dix mille la semaine suivante. Trois journalistes de la presse nationale vinrent à Blakeney Street prendre des photos d'Henry et de Mozart, puis une chaîne de télévision l'invita. Sally dit non. Henry fut outré.

— Maman, s'il te plaît, s'il te plaît, pourquoi pas, on en vendrait des tas...

— C'est mauvais pour toi. Tu es trop jeune, et ta voix n'est pas encore mûre.

— Mais je te promets de pas avoir la grosse tête, je le promets, rien qu'une fois à la télé...

— Télévision. Non, Henry.

Il couina un peu.

— Je demanderai à papa...

— Ça ne le regarde pas, dit Sally sans réfléchir. Tu as onze ans, chanter dans le chœur est une chose sérieuse, ta voix est une chose sérieuse. Parce que tu es mignon, tu deviendras une espèce de jouet stupide pour le public.

Il fut très fâché contre elle. Il monta dans sa chambre, chahuta un moment puis donna un coup de pied trop fort dans son fauteuil poire. Une couture céda et un millier de petits granulés blancs s'échappèrent en roulant dans tous les sens. Il essaya de les ramasser dans son verre à dents mais ils étaient légers et fuyants, s'envolaient, s'accrochaient aux rideaux et aux couvertures. Il se mit à pleurer d'excitation et de frustration. Il pleura aussi fort que possible en lançant les pieds dans les granulés, qui se collèrent à ses chaussettes. En bas de l'escalier, Sally l'écoutait et se retenait de monter. Au bout d'un quart d'heure environ, il descendit, le visage sali par les larmes et parsemé de mystérieuses petites boules blanches semblables à des champignons. Il demanda avec difficulté :

— Tu voudrais bien demander à Mr. Beckford ?

— Mr. Beckford ?

— S'il te plaît.

— S'il pense que tu devrais le faire, je ne serai pas de son avis, Henry.

— Demande-lui quand même...

— À condition que tu comprennes ce que je viens de dire.

Il hocha la tête puis il s'approcha, fatigué, et la prit dans ses bras. Elle le serra contre elle et demanda :

— Tu as déchiré un fauteuil ?

— Pardon...

— Ça n'a pas d'importance. Nous ne devons pas nous disputer à cause de ta merveilleuse voix, tu sais.

— C'est pas seulement pour moi...

— Je sais. Mais je ne veux pas qu'on t'exploite. Ces choses-là, c'est amusant au début, ensuite c'est épuisant, et quand ça s'arrête on est triste. Henry...

Il leva les yeux.

— Ne pleure pas, dit-il sévèrement.

Elle secoua la tête.

— Non, non...

— Tu vas téléphoner à Mr. Beckford ?

— D'accord, finit-elle par dire.

Henry s'écarta d'elle, rassuré.

— Tu l'aimes plus, hein ? Mais il est gentil.

Sally téléphona à la cour du chapitre. Il n'y avait personne. Elle appela plus tard dans la journée et le lendemain matin. Cette fois, Cherry Chancellor répondit. Elle était venue en voisine ranger le désordre de Leo — geste généreux inspiré par la joie de voir Martin à la place qu'elle considérait comme la sienne, ne fût-ce que temporairement.

— Oh, il est parti, dit-elle complaisamment. Il est allé dans le Nord, enregistrer dans des châteaux. Il ne vous l'a pas dit ?

— Non...

— C'est bizarre. Enfin, vous savez comme il est désordonné. Mais je suis sûre qu'il sera content d'avoir de vos nouvelles.

— J'ai besoin de lui parler à propos d'Henry, dit Sally en se contrôlant à l'extrême.

330

J'ai besoin d'avoir son avis. À propos d'une interview télévisée.

— Ça alors ! Faites attention à ce que ça ne le gâte pas. Voulez-vous en parler à Martin ?

— Merci, mais comme Mr. Beckford a dirigé l'enregistrement, c'est à lui que je dois parler.

La voix de Cherry devint glaciale.

— Je vous rappellerai quand je serai chez moi, pour vous donner les numéros de téléphone.

Henry était assis à la table et peignait un modèle réduit d'avion.

— C'était Ianthe ?

— Ianthe ? Non, c'était Mrs. Chancellor. Pourquoi est-ce que ça serait Ianthe ?

— Elle est souvent là-bas.

— Mais nous sommes au milieu de la semaine...

— Elle fait pas comme tout le monde, dit Henry.

Puis il ajouta :

— Hooper l'aime beaucoup.

Cherry attendit l'heure du thé pour donner les numéros de Leo. Elle les dicta à Henry, qui les écrivit péniblement avec un stylo-feutre violet mais sans noter à quoi ils correspondaient, si bien que Sally dut faire trois appels — elle était extrêmement nerveuse — avant de retrouver sa trace. Une voix féminine agréable répondit qu'il était précisément en train d'enregistrer mais qu'elle lui transmettrait son message et lui demanderait de la rappeler. Sally ne put s'appliquer à rien. Quand le téléphone sonna, elle laissa Henry répondre ; c'était Chilworth qui lui demandait d'aller avec lui à un entraînement de tennis. Puis il sonna de nouveau et c'était sa mère qui annonça qu'elle serait le lendemain à Aldminster et rapporterait toutes les affaires qu'Henry avait oubliées.

— Je dois dire que je ne vois pas comment il s'est arrangé avec une seule sandale...

— Il a d'autres chaussures...

— Et le petit James a laissé un épouvantable produit pour les cheveux. Il avait l'air d'un si gentil garçon. Je me demande si sa mère est au courant.

Après cela, le téléphone resta silencieux. À neuf heures, Henry monta se coucher et Sally alla lui parler pour montrer au téléphone qu'elle était indifférente. À dix heures, elle prit un bain selon le principe qui veut que lorsqu'on attend un appel il ne vient qu'au moment où il est réellement malcommode d'y répondre, et à onze heures elle descendit mettre la table pour le petit déjeuner autour des pièces de l'avion d'Henry. Elle resta éveillée jusqu'à une heure du matin, très malheureuse, puis elle dormit par bribes et fut réveillée à sept heures par Leo qui l'appelait du Derbyshire.

— Sally ? Oh, Sally, je n'ai pas pu téléphoner hier soir parce que nous n'avions encore pas terminé après minuit et j'ai pensé que tu dormais. Tu as reçu ma lettre ?

— Ta lettre ? Tu m'as écrit ?

— Oui, en partant. Dans l'affolement. Je l'ai donnée à une bonne femme pour qu'elle la poste. Sally...

332

— Oui ?

— C'est merveilleux de t'entendre. Je priais le ciel que tu m'appelles, après avoir eu ma lettre...

— Mais je ne l'ai pas reçue...

— Je t'aime. Tu sais ça ?

Elle hocha vigoureusement la tête.

— Sally ? Tu es là ?

— Oui.

— Tu pleures ?

— Je n'arrête pas, dit-elle avec colère.

— J'aimerais être avec toi, dit-il violemment. Ce n'est pas juste que je sois ici et toi là-bas. Je n'arrive pas à croire que tu aies voulu m'appeler, je n'en reviens pas...

— Pour être franche, c'était à propos d'Henry. Mais pour être encore plus franche, j'en avais envie. Quand reviens-tu ?

— Ce week-end. Je viendrais maintenant si je pouvais.

— J'ai eu une conversation épouvantable avec Alan. Il est tellement imperméable ! Rien ne peut le toucher. Après, j'étais folle furieuse. Comment ai-je pu être mariée à un homme pareil ?

— Pourquoi ne m'as-tu pas téléphoné ?

— J'ai essayé. Tu n'étais pas là. Et le matin je n'ai pas pu.

— Mais hier tu as pu.

— J'avais une excuse. Henry a eu une proposition de la télévision.

Leo se transforma instantanément d'amoureux en maître de chapelle.

— Absolument pas question.

— C'est ce que j'ai répondu.

— Ça détruirait sa voix, ça la banaliserait, ça lui donnerait de mauvaises habitudes. Il lui faut encore deux ans avant d'être prêt, et même alors je m'y opposerai.

— Le disque marche d'une manière extraordinaire. Un vrai tube...

— Mon Dieu, s'exclama Leo, vraiment ?

— J'ai promis à Henry de te téléphoner pour te demander...

— Tire-lui l'oreille de ma part et dis-lui que Mr. Beckford refuse absolument.

— D'accord, dit-elle toute joyeuse.

— Viens me chercher. Viens m'attendre à la gare vendredi.

— Oui, dit-elle, oui.

Elle lévitait, elle s'envolait.

— À vendredi...

Elle raccrocha avec d'infinies précautions. Henry entra et se jeta contre elle.

— J'ai plein de petites boules blanches dans mon lit et, maintenant, il y en a dans mon pyjama...

— Mr. Beckford a dit non.

Henry lui lança un regard soupçonneux.

— C'est vrai ?

— En fait, il a aussi dit de te tirer l'oreille.

— J'ai déjà entendu ça.

— Désolée, Henry.

Il se coucha en travers du lit et joua avec les boutons de la radio.

— Pas Radio One, s'il te plaît.

D'une station anonyme jaillit la voix d'Henry, claire et mystérieuse. Sa main s'immobilisa sur les boutons. Il tourna la tête vers Sally et ils se regardèrent terrifiés.

En examinant ses émotions avec précaution, Nicholas Elliott concluait qu'il était heureux. Steven et Jon avaient quitté l'entreprise, et bien que leur capital fût parti avec eux Ikon réussissait si bien que son banquier, qui se vantait d'avoir du nez pour les bonnes entreprises privées, lui avait accordé sans tiquer de nouvelles facilités. Mike avait doublé le salaire de Nicholas et habitait désormais chez un mannequin très recherché, de sorte que Nicholas disposait provisoirement de l'appartement. Il prenait de l'assurance, s'affirmait peu à peu et se faisait des amis. Mike, qui restait un peu gêné d'avoir été mêlé au monde d'Aldminster, était trop heureux de lui laisser tout le crédit du disque d'Henry, qui non seulement se vendait à un rythme régulier mais représentait le plus grand succès d'Ikon à cette date. En guettant dans la glace avec anxiété les signes de désinvolture qu'il espérait, Nicholas lui-même avait remarqué qu'il devenait moins incolore. Il sortait avec deux ou trois filles, donnait quelques interviews, et il était invité à droite et à gauche sans Mike ni Ianthe. On l'interrogeait sur le prochain disque d'Henry, on lui disait de profiter de ce goût récent pour la curiosité de qualité. Il s'aperçut que tout cela lui plaisait et qu'il le recherchait. Il y eut un grand moment quand un jeune homme d'Ealing qui venait de terminer ses études fut engagé pour répondre au téléphone dans le bureau de Charing Cross. Ce fut encore mieux lorsque quatre jours plus tard, en arrivant au bureau, Nicholas apprit qu'il y avait eu quatre appels rien que pour lui. Il se montra amical avec ce garçon ; il se souvenait trop bien d'avoir été à sa place.

Il ne voyait pas beaucoup Ianthe. Elle vivait sur un grand pied et n'était jamais là. Comme Mike, mais pas pour les mêmes raisons, elle accordait généreusement à Nicholas le mérite de *Singing Boy* ; elle voulait faire un marché avec lui. Elle déclara qu'elle voulait annoncer elle-même à Leo les chiffres de vente et aller seule à Aldminster. Nicholas découvrit que cela le dérangeait. Le chœur, celui d'Henry, était aussi le sien, il voulait voir Leo le regarder avec une autre expression que son demi-sourire de pitié lasse. Il avait même imaginé une entrevue assez émouvante avec l'évêque. Mais il ne pouvait pas rivaliser avec Ianthe et n'allait pas prendre de risques ; Leo était trop intelligent pour accorder toutes les louanges à Ianthe. Leo et Ianthe. Nicholas ne savait que penser de cette association mais elle ne lui plaisait pas. Il ne comprenait pas où Leo avait voulu en venir en flirtant avec Ianthe ; elle s'était probablement jetée dans ses bras, elle était comme ça.

Deux jours après que les droits du disque eurent été vendus en Amérique, en France et en Italie et que les ventes en Angleterre eurent dépassé les cent mille, Ianthe se rendit à Aldminster. Elle voyagea en première classe et acheta une luxueuse revue automobile pour choisir la voiture qu'elle achèterait quand elle aurait appris à conduire. Ikon avait soudain acquis un comptable, un ami du père de Mike, qui avait été très ferme avec eux : pas la moindre Mini — sans parler d'une Porsche — avant qu'il ne soit sûr qu'ils savaient ce qu'ils faisaient et que leur situation financière était solide. Ianthe lui avait dit mentalement d'aller se faire voir, parce qu'elle était si près du but qu'elle en devenait téméraire. Dans le train, elle fuma de longues cigarettes américaines en feuilletant son magazine, et elle eut le plaisir d'être assurée qu'on la regardait.

Elle prit un taxi directement pour la cour du chapitre et fit déposer par le chauffeur sa valise au doyenné. Leo était chez lui, seul, il avait bonne mine, paraissait content, et elle trouva bien qu'il ne l'embrasse pas tout de suite mais qu'il reste calme et s'efface pour la laisser entrer. Tout était propre et rangé et il y avait un vase de marguerites sur la table basse.

— Eh bien, dites donc...

— C'est l'œuvre de Cherry Chancellor, dit Leo. Elle a même mis une espèce de tornade violette dans les toilettes, et qui pue bien plus que n'importe quelle odeur humaine.

Ianthe marcha tranquillement dans la pièce pour qu'il puisse la regarder, et rejeta ses cheveux en arrière.

— Vous voulez connaître la bonne nouvelle ?

— Naturellement, répondit-il poliment.

Elle mit les mains aux hanches et une cascade spectaculaire de bracelets dégringola sur ses poignets.

— Le chœur est sauvé.

— Qu'est-ce que...

— Le disque s'arrache. Mike a signé cette semaine avec les États-Unis, la France, et avec une maison italienne. Ça a marché.

Un petit signal de danger s'alluma lentement dans le cerveau de Leo.

— C'est formidable. C'est vraiment merveilleux. Félicitations, vraiment, c'est sensationnel. Quels sont les chiffres ?

Elle les lui dit.

— Tu l'as annoncé à Alexander ?

— Pas encore, répondit-elle avec un regard appuyé. Rien qu'à vous.

— Il faut prévenir Henry.

Elle demanda très doucement :

— Je n'ai pas droit à une récompense ?

Ils étaient séparés par le vieux canapé. Leo posa les mains sur le dossier, se pencha en avant et dit avec la voix résolue qu'il avait eue des années plus tôt avec la jeune Iranienne de St. Mary :

— Je vous remercie, toi, Mike et Nicholas. Et tous les autres aussi, bien entendu.

Elle souriait encore.

— Ne jouez pas, dit-elle.

Il se redressa.

— Je ne vais pas t'embrasser.

Ses yeux lancèrent des éclairs.

— Qu'est-ce que tout ça...

— Je n'aurais pas dû t'embrasser, dans la cathédrale. Je n'avais aucune intention de le faire et je l'ai regretté aussitôt. Je ne t'embrasserai pas une deuxième fois.

Elle se mit à hurler comme un animal. Elle saisit les coussins des fauteuils et du canapé et les lui jeta à la tête, puis des livres et des journaux. Ses bracelets s'entrechoquaient en cliquetant. Il contourna le canapé et lui donna une claque au-dessus de l'oreille. Elle lui cracha dessus. Il la fit tomber dans un fauteuil et lui coinça les genoux avec les jambes pour qu'elle ne puisse pas se relever. La tête levée, elle le regarda d'un air menaçant, le visage contracté.

« Quelle comédienne », dit-il, et il s'éloigna.

Elle se mit à pleurer.

— Comment avez-vous pu me faire ça à moi, espèce de salaud ?...

— Tu voulais que je le fasse, je l'ai fait. Je ne vais pas me répéter. Je suis vraiment très heureux à propos du disque, mais, franchement, étant donné la bande qui dirige Ikon, je pense que c'est un coup de chance et je ne vais pas ramper de reconnaissance devant toi ni personne d'autre. L'important, c'est le chœur.

Elle cria :

— Vous ne me dites pas la vérité !

Il se retourna.

— La vérité, Ianthe, c'est que je suis amoureux de Sally Ashworth, je le suis depuis que je l'ai rencontrée et j'ai l'intention de l'épouser. Je n'ai jamais été amoureux de toi le moins du monde et tu le sais. Je ne suis pas responsable de tes divagations d'adolescente.

Elle commença à se balancer d'avant en arrière en gémissant.

— Vous êtes une merde de première...

Leo alla dans la cuisine et brancha la

bouilloire. Les assiettes et les tasses du petit déjeuner qu'il avait pris avec Sally étaient encore dans l'évier ; elle était allée l'attendre à la gare et avait passé la nuit avec lui jusqu'à l'heure où elle avait dû aller chercher Henry chez les Chilworth, chez qui il avait dormi. Pour se rassurer, Leo passa un doigt sur le bord de la tasse dont Sally s'était servie. Il fit du thé et apporta le plateau dans le salon.

« Je vous hais », cria Ianthe.

Il posa le plateau.

— Tu veux du thé ? Ou tu préfères partir tout de suite ?

Elle renifla.

— Je ne sais pas...

Il lui tendit une tasse.

— Tiens.

— Leo...

— On n'en parle plus. Tu raconteras tout à ton père à propos du chœur ?

— Peut-être.

— Je crois qu'il sera content, tout au fond de son cœur.

— Vous ne savez rien du cœur.

Leo s'assit au bord du canapé, sa tasse dans les mains.

— Je suis heureux pour ce pauvre vieux Nicholas...

Ianthe posa violemment sa tasse et sauta sur ses pieds.

— Je m'en vais !

— Comme tu voudras.

— J'espère que vous aurez un affreux mariage !

340

Il ferma les yeux. Elle sortit en claquant la porte du salon, puis celle de l'entrée avec une égale violence. Leo entendit ses pas mal assurés sur les pavés de la cour en direction de la Clôture. La bombe avait explosé et il était toujours vivant.

Ianthe entra dans le doyenné par la porte de derrière et remarqua que la voiture n'était pas là ; la bicyclette de Cosmo non plus. Elle s'arrêta pour se moucher longuement, ébouriffa ses cheveux, remonta ses manches au-dessus de ses bracelets et ouvrit la porte.

— Je suis là !

Personne ne répondit. La cuisine était parfaitement en ordre ; le panier de Benedict était vide. La maison retenait sa respiration dans le calme de l'après-midi. Elle alla jusqu'au salon. Il était vide. Elle sentit qu'elle retombait lourdement dans la banalité.

Elle monta lentement l'escalier et, sur le palier, trouva sa mère assise sur un petit sofa, les mains croisées, le regard perdu dans le vague. Ianthe scruta son visage.

— Maman ?

Bridget tourna légèrement la tête.

— Bonjour, ma chérie.

— Ça va ?

— Parfaitement, merci.

Ianthe s'approcha.

— Tu ne trouves pas que c'est un drôle d'endroit pour s'installer ?

— Je me suis sentie fatiguée. J'ai hâte d'être en Écosse cette année, tu n'imagines pas...

Ianthe se laissa tomber par terre à côté d'elle.

— Je crois que le disque fait gagner tellement d'argent que le chœur est sauvé pour un bon bout de temps. Je dois en parler à papa ?

Bridget parut sortir d'une sorte de transe.

— Non, Ianthe. Nous ne devons le déranger en aucune façon. Toute cette histoire l'a complètement épuisé.

— Où est-il allé ?

Bridget ne répondit pas. Puis, soudain, elle regarda sa fille d'un air suppliant et dit :

— Je ne sais pas.

C'en était trop pour Ianthe. Elle posa sa tête sur le somptueux imprimé de la robe de sa mère et raconta en sanglotant ce qui s'était passé entre elle et Leo, sans douter un instant que sa mère, quelle que fût sa souffrance, ait assez de ressources pour la consoler.

14

Quand le doyen demanda à l'évêque d'allumer lui-même le premier secteur du nouvel éclairage au cours d'une cérémonie spéciale, celui-ci pensa qu'il ne pouvait pas refuser. Pour sa part, il détestait toute forme d'ostentation, ainsi que la touche quelque peu flamboyante que le doyen donnait à de telles occasions, mais l'heure n'était pas aux scrupules personnels. Le doyen et l'Église réclamaient son soutien et ils l'auraient. Il autorisa même le doyen, l'architecte et l'ingénieur éclairagiste à lui montrer en avant-première les dix-huit projecteurs cachés alignés le long du clair-étage, qui balayaient la voûte de la nef et les rampes dissimulées sous les arches du triforium qui donnaient aux fenêtres situées derrière un éclat presque théâtral.

— Vous observerez, dit le doyen en étendant les bras, combien l'aspect de la maçonnerie a gagné depuis qu'elle a été nettoyée. Les Amis de la cathédrale nous ont offert un nouveau matériel de nettoyage tout à fait remarquable

— nous avançons à une vitesse extraordinaire. Ensuite le transept sud, n'est-ce pas, Mervyn ?

L'évêque se dit que malgré son enthousiasme le doyen n'allait pas bien ; c'était un enthousiasme nerveux. Deux ou trois fois, il avait essayé de suggérer qu'ils s'ouvrent leur cœur, comme des frères en Christ, mais à chaque occasion il avait essuyé une rebuffade sévère. Au contraire, avait dit le doyen à la moindre allusion à un éventuel problème, jamais l'avenir de la Clôture ne s'était annoncé plus prometteur ni plus uni. L'ordre régnait ; différends et difficultés avaient été aplanis. L'évêque savait que ce n'était pas vrai, mais devant l'insistance du doyen à se satisfaire de la situation on ne pouvait qu'être patient. En tout cas, il n'aggraverait pas les soucis du doyen en étant désobligeant en quelque manière, même s'il ne pouvait s'empêcher de constater que son ministère dans un diocèse anglais était infiniment plus difficile et déconcertant qu'il ne l'avait jamais été en Inde. Peut-être était-ce naturel. Il lui semblait que sa vie était souvent une longue lutte pour franchir la distance imposée par sa position et retourner à ceux qu'il aimait et dont il avait besoin. Quand le doyen se montrait humain comme en ce moment, plus qu'humain même puisqu'il refusait d'admettre toute inquiétude, l'évêque le trouvait décidément très attachant.

— Tu n'es vraiment qu'une mouche du coche avec une mitre, lui avait dit Janet.

— Ciel...

— Une mouche du coche pleine de compassion. Tu veux toujours tout arranger pour les autres.

— Naturellement...

— Tu dois penser à leur amour-propre.

— C'est ce que je fais, répondit fermement l'évêque. Sinon, pourquoi passerais-je presque tout un samedi après-midi à apprendre sur quel interrupteur appuyer ? Si ce n'est pas de la considération pour l'amour-propre du doyen, je ne vois pas ce qui peut l'être.

À son grand soulagement, la cérémonie fut particulièrement imposante. Le chœur remplaçant, que Martin avait fait répéter, chanta deux hymnes anglais et Leo joua un extrait de la *Première Sonate pour orgue* d'Elgar, puis ses *Vesper Voluntaries*. Pendant le premier hymne, en manipulant docilement les interrupteurs et les régulateurs sous le regard attentif de l'ingénieur éclairagiste, l'évêque fit se lever une aube magnifique dans la nef de la cathédrale. Le « Ah ! » d'admiration de l'assistance recouvrit presque les accents de William Byrd. On remarqua que le doyen était extrêmement ému et prononça sa prière d'action de grâces avec une voix qui n'était pas du tout sûre. Au milieu de la nef, Frank Ashworth en prit note avec une sorte de dégoût ; pour lui, l'hypocrisie du doyen ne connaissait pas de limites.

Il ne savait pas très bien pourquoi il se trouvait dans la cathédrale sinon par instinct, un instinct réellement très fort qui était monté spontanément en lui et demandait à être satisfait. Il se dit que ce n'était pas une duperie, il savait que les gens cherchent automatiquement un refuge quand ils ont des ennuis. Le sanctuaire traditionnel était une église et lui, Frank, avait des ennuis. Mais il n'y allait pas à cause de Dieu ; ce devait être clair pour lui. Il y allait parce qu'il avait besoin de calme, de paix et de temps dans un endroit où le monde extérieur ne l'importunerait pas. Il avait besoin d'un lieu où il pourrait permettre à son esprit tourmenté de s'adapter doucement au fait que sa carrière de conseiller d'Aldminster était en fait terminée.

À la fin de la dernière réunion, il s'était levé pour retirer momentanément sa proposition de faire acheter la maison du principal par le conseil. On lui avait dit que, dans une session extraordinaire d'un comité des aménagements publics récemment nommé — apparu sans qu'il le sache, et habilité, semblait-il, à dépenser à sa guise —, le conseil avait fait au doyen et au chapitre une offre de trois cent mille livres, qui avait été acceptée. L'affaire devait se conclure très rapidement, en six semaines ; dès l'automne, la maison deviendrait un centre de consultation communal ouvert à tous les individus et groupes opprimés de la ville. Frank s'opposa vigoureusement à une telle affectation, et fut écrasé. Même ses vieux collègues, des hommes avec lesquels il travaillait depuis vingt ans, prirent une expression gênée et votèrent contre lui.

— Si nous ne le faisons pas, nous sommes perdus, murmura à Frank un de ses voisins, c'est notre dernière chance de rester en place. Je vous conseillerais...

346

Frank le regarda avec mépris. Il se leva. Il fit une courte intervention sur la sottise du conseil et sa propension au mensonge, ce qui provoqua railleries et sarcasmes sur son propre rôle dans le plan de sauvetage du chœur. « Vous devriez avoir honte », déclara Frank, en employant la vieille expression de morale de son enfance.

Il y eut des huées et des sifflets. Denis Thornton fit remarquer que Frank préférerait peut-être se dissocier d'un groupe progressiste qu'il ne pouvait plus suivre.

— Il y a beaucoup de gens dans cette ville, dit Thornton, qui sont prêts à reprendre le fardeau des affaires publiques. Il serait peut-être juste que vous laissiez la place à quelqu'un de plus jeune. Nous n'exerçons aucune pression, cela va de soi, c'est entièrement à vous de décider.

Pour la seconde fois en un mois, Frank quitta une réunion, mais cette fois ce fut dans un silence absolu. Même lorsqu'il ferma la porte derrière lui, le silence régnait. Il monta dans son bureau et rassembla les objets personnels qui se trouvaient sur son bureau — une photo d'Henry, le vieil encrier de cuivre et le plumier de son père, quelques souvenirs de grandes occasions officielles — et alla voir sa secrétaire.

— Vous auriez une boîte ? demanda-t-il.

Elle s'arrêta de taper.

— C'est pour quoi faire ?

Il montra le bric-à-brac qu'il avait dans les bras.

— Nous changeons de bureau ? Première nouvelle...

— Non.

Alors elle le regarda droit dans les yeux. Il ne se rappelait pas l'avoir jamais vue le regarder ainsi.

— Oh, Mr. Ashworth...

— On n'y peut rien.

Elle lui trouva deux sacs en plastique et y rangea ses affaires. Ils ne se parlèrent pas et ce ne fut qu'au moment de lui dire au revoir qu'il remarqua qu'elle pleurait. « Merci pour tout, lui dit-il, je vous donnerai de mes nouvelles », mais elle secoua seulement la tête. Il descendit le grand escalier victorien pompeux en mettant délibérément le pied au centre des marches, un sac à chaque main ; il traversa le hall et alla au parking. L'employé vint, comme d'habitude, lui ouvrir la porte de sa voiture, faire quelques remarques sur le temps et sur les progrès d'Aldminster, qui montait en deuxième division. Frank répondit comme de coutume, mit ses sacs sur le siège arrière de la Rover et monta devant. L'employé tapota le toit.

— Je vous l'ai lavée, Mr. Ashworth. Je pourrai peut-être l'astiquer jeudi.

Frank embraya.

— Je n'aurai jamais un autre ami comme vous, Ron. Merci pour tout.

Il rentra à Back Street et se sentit si fatigué qu'il eut envie de s'appuyer contre la paroi de l'ascenseur pendant qu'il montait. Chez lui, un soleil pénible emplissait la pièce. Il déposa ses sacs et s'assit lentement dans un fauteuil. Il resta là à se demander si c'était cela un deuil, cette sensation d'avoir un membre coupé, cet effondrement de toutes les fondations. Il ne put rien faire ni l'après-midi ni le soir, et quand la nuit vint il ne réussit pas à dormir. Il se leva à l'aube, se mit à la fenêtre de la salle de séjour et regarda la lumière grandir derrière la ville. En voyant la cathédrale, il s'aperçut qu'il avait envie de se trouver à l'intérieur. Il lui fallut toute la matinée pour y aller tant il était entravé par cette étrange inertie, et, quand il arriva, il se trouva mêlé à une sorte de cérémonie liée à la nouvelle illumination. Il fut irrité et se sentit piégé. Il n'était venu que pour être seul, au frais, dans l'obscurité, et réfléchir un peu. Mais l'irritation même se révéla bénéfique parce que c'était au moins une distraction, et il quitta la cathédrale, après le service, d'un pas plus vif.

Il avait laissé sa voiture dans le petit parking de l'autre côté de la Clôture, en haut du Lyng. On y accédait par un sentier dans l'herbe. Frank y avait déjà fait quelques pas quand quelqu'un courut derrière lui et l'appela. Il s'arrêta et se retourna. Ianthe Cavendish, les cheveux au vent, dit un peu essoufflée :

— Je vous ai vu à la cathédrale...

— Je n'avais aucune intention d'être pris dans un service, j'étais allé y chercher un peu de tranquillité...

Elle paraissait complètement épuisée. Elle s'approcha tout près et dit très vite :

— Il y a une chose que vous devriez savoir.

Ianthe ne correspondait à aucun idéal de

féminité que Frank ait pu aimer ; les filles de son genre ressemblaient à peine à des femmes, plutôt à des formes asexuées d'insectes bondissants qui attendent de se transformer en quelque chose de plus substantiel. Il n'avait pas échangé plus de dix mots avec Ianthe depuis qu'elle vivait à Aldminster ; il n'y avait jamais eu la moindre raison qu'ils communiquent.

— Je n'écoute pas les commérages, répondit-il d'un air soupçonneux.

Ianthe sembla hésiter un instant, mais elle dit quand même :

— Ce ne sont pas des commérages. C'est vrai et ça concerne Henry.

— Henry !

— Je ne suis pas une moucharde, dit Ianthe, et je ne l'aurais pas répété, seulement... — elle se tut, respira profondément et parla clairement, en détachant les mots — la mère d'Henry a une liaison avec Leo Beckford et ils ont l'intention de se marier...

Rien dans l'expression de Frank ne laissa même deviner qu'il l'avait entendue.

— Je ne l'ai pas inventé, dit Ianthe. Leo me l'a dit lui-même hier. Vous pouvez lui demander, si vous ne me croyez pas.

— Je vous crois, dit-il.

Il regardait droit devant lui, le visage de marbre.

— Henry ne sait rien, dit Ianthe sur le ton de la confidence.

— Cela ne vous regarde pas.

— Écoutez, je ne cherche pas à mettre la

pagaille, j'ai seulement pensé qu'il fallait que vous le sachiez.

Frank voulait s'en aller.

— Surtout, dit-il, n'allez pas croire qu'il faut que tout le monde le sache aussi.

Elle se tut. Il s'éloigna d'un pas.

— Vous avez certainement vos raisons pour m'avoir dit une chose pareille.

Elle se retourna et marcha rapidement vers la cathédrale, la tête baissée comme si elle pleurait. Frank pensa soudain qu'elle était peut-être amoureuse de Leo Beckford. Cela ne l'aurait pas surpris ; rien ne le surprenait. Après tout, il savait plus ou moins tout cela depuis des semaines, il avait prévu des tempêtes pour Henry, quoi qu'il advînt.

Il en voulait à Sally de laisser traîner les choses, de ne pas se décider, mais il n'avait aucune pitié pour Alan, fils ou pas fils. Il considérait qu'Alan s'était peu à peu débarrassé de ses responsabilités humaines pendant les dernières années, au nom de sa propre liberté, et qu'il allait devoir en payer le prix.

Mais il y avait Henry. Seule l'honnêteté foncière de Frank, qui lui rappelait son attitude à l'égard d'Alan trente ans plus tôt, endiguait la vague de fureur qu'il sentait monter en lui contre les parents d'Henry. Mais il ne se contenterait plus désormais d'observer, il ne laisserait pas les choses suivre simplement leur cours, comme Sally semblait le faire. Il allait provoquer un événement : il allait téléphoner à Alan et exiger qu'il rentre chez lui.

Il retrouva sa voiture et y monta. La lumière

de fin d'après-midi inondait la Clôture, dorant les murs de la cathédrale, les briques rousses de la maison du principal et, plus loin, la façade régulière du doyenné du XVIIIe siècle. Il le regarda pendant un moment. « Sale petite garce », murmura-t-il, et il tourna la clé de contact.

La dernière nuit de leur séjour au cottage près de Wyche, Felicity se réveilla avec un pressentiment. Il lui parut si clair et si vraisemblable qu'elle se rappela sa nouvelle résolution de garder le moins possible ses distances, et réveilla Alexander. Sa première réaction, dans son demi-sommeil, fut de lui demander si tout allait bien et si elle avait fait un cauchemar ; c'était bien un trait de sa gentillesse naturelle, pensa-t-elle. Elle lui répondit que non, pas exactement, rien qu'un pressentiment, si réel qu'elle était sûre que cela arriverait.

Il alluma sa lampe de chevet.

— À propos de quoi ?

— De la maison.

— Ma chérie...

Elle tourna la tête vers lui.

— Je suis absolument certaine que, lorsque nous rentrerons, nous découvrirons qu'elle a été vendue derrière notre dos.

— Mon Dieu...

Il s'étendit de nouveau.

— Mais Frank Ashworth a retiré sa proposition, et de toute façon ça briserait le cœur d'Hugh de la vendre.

352

— Je ne pense pas que ce soit une question de promesses ni de logique.

— Si tu as raison, dit Alexander en cherchant sa main sous le drap, ce sera un nouveau déchirement ?

Elle réfléchit un instant, les yeux au plafond.

— Pas tout à fait aussi grave.

Elle tourna de nouveau le visage vers lui.

— Devrons-nous aller dans la maison du vice-principal ?

Stanley Vigors était un homme efficace, intègre, sans imagination, célibataire, dont la personnalité avait rendu sa maison aussi accueillante qu'une salle d'attente de médecin. C'était de toute façon une maison peu attirante, une boîte de brique, sans âme, construite dans les années cinquante, avec des fenêtres à armature métallique et de mauvaises proportions. Elle avait une longue salle de séjour triste, face aux terrains de jeux, et l'arrière donnait sur une bande de jardin hostile, plantée de buissons qui poussaient tout seuls. Sans aucun doute, Stanley Vigors serait tout aussi heureux de déménager ses objets pratiques et sans charme dans l'appartement vide en haut du bâtiment de l'école — en fait, préférerait-il peut-être même la présence de vie qu'il y avait là-bas.

— Tu pourrais la rendre ravissante, dit Alexander.

— Pas ravissante...

— En tout cas, beaucoup plus jolie.

— Si ça arrive, demanda Felicity, pourquoi est-ce que ça ne nous atteint pas davantage, même à trois heures du matin ?

353

— Je crois que c'est parce que nous savons que ce serait bien pour nous.

— Tu veux dire moralement ?

— Non, non. Pour nous. Toi et moi.

Elle se redressa sur un coude.

— Ça a été mauvais pour nous de vivre dans un bel endroit, alors ?

— Ça a été extrêmement difficile, dit-il courageusement.

— Tu parles de notre mariage.

— Oui.

Elle reposa la tête sur l'oreiller.

— Comme c'est bizarre que nous réagissions comme ça. Que nous ne soyons pas hors de nous.

— Pas bizarre. C'est normal quand on voit ses prières exaucées de façon complètement inattendue.

— Alexander, dit-elle comme pour le mettre en garde.

— Quand vais-je pouvoir de nouveau parler de Dieu ?

— Tu le fais tout le temps.

— Naturellement.

Il tendit le bras pour éteindre la lumière. Dans l'obscurité, Felicity dit d'une voix songeuse :

— Je me demande si je pourrais écrire, là-bas.

— Quand nous sommes arrivés ici, tu as dit que tu te demandais si nous pourrions faire l'amour dans cette chambre. Eh bien, nous l'avons fait. Plusieurs fois.

— Je te trouve vraiment très bien...

— Dors, dit-il, mais elle sut à sa voix qu'il souriait.

Au matin, ils mirent leurs bagages dans la voiture, déposèrent la clé au pub du village et partirent vers le sud, pour Aldminster. En route, ils ne parlèrent pas du tout de la maison, mais de Daniel et du cadeau de Noël qu'ils se feraient mutuellement : ce serait un billet d'avion pour aller le voir aux États-Unis. Ils évoquèrent la probabilité d'être de mauvais parents et la certitude que Daniel était un enfant très difficile, qui avait semblé vouloir s'éloigner d'eux dès le moment de sa naissance — où il s'était cambré pour éviter d'être pris dans les bras, en hurlant de toute la force de ses poumons tout neufs. Alexander avoua qu'il avait toujours été très malheureux de pouvoir aimer certains de ses élèves bien plus facilement et tranquillement que Daniel, et Felicity lui dit qu'elle l'aimait, sans aucun doute, mais que c'était de ce genre d'amour épuisant qui semblait ne rien obtenir en échange. Ils rentrèrent à la Clôture en pleine harmonie, très proches l'un de l'autre, et trouvèrent sur la table de la cuisine une plante que Sandra avait laissée pour leur souhaiter la bienvenue. Parmi les lettres qui s'étaient accumulées pendant leur absence, il y en avait une d'Hugh Cavendish annonçant officiellement la vente imminente de la maison.

Pour aucun des voyageurs qui montèrent dans l'avion à Djedda avec Alan Ashworth, sa détresse n'aurait pu passer inaperçue. C'était un homme commotionné et, malgré sa longue

355

expérience des voyages, il fallut qu'une hôtesse lui attache sa ceinture. Il ne parut même pas la voir quand elle lui offrit des bonbons pour le décollage, ni l'entendre quand elle lui proposa des écouteurs. Il n'avait aucune pratique de l'introspection, n'avait pas l'habitude de se refuser ce qu'il voulait au moment où il le voulait, et n'envisageait jamais les conséquences de ses actes. Il était à l'hôpital quand on l'avait appelé au téléphone. Son père lui dit que, s'il ne se hâtait pas de rentrer chez lui, il n'aurait peut-être plus de chez lui à retrouver. L'honnêteté obligea Frank à ajouter qu'il était probablement trop tard, de toute façon. Alan était retourné à la nouvelle unité de soins intensifs, où on installait la machine délicate et miraculeuse, et sous le regard horrifié de son équipe il avait fondu en larmes. Il expliqua que sa femme le quittait parce qu'il travaillait depuis trop longtemps loin de chez lui. C'était une scène épouvantable et personne ne savait que faire. Quelqu'un dénicha pour lui du cognac illicite dans un verre en carton clandestin et on l'emmena dans la résidence des étrangers, où il vivait depuis plus d'un an ; la plupart des membres de son équipe y avaient été souvent reçus avec éclat. L'air conditionné marchait à fond comme d'habitude, et Alan était resté assis en frissonnant dans un de ses fauteuils italiens importés, avec une photo encadrée d'Henry à la main, pendant que des gens se battaient avec le téléphone saoudien afin de tout organiser pour lui. Il demandait sans cesse à être rassuré.

« Tu n'es pas un mauvais type, lui dit une

fille dont la meilleure amie avait couché avec lui, mais tu es un sacré imbécile. »

Grâce au ciel, c'était un vol de la British Airways et il y avait à boire. Après un double cognac et une demi-bouteille de bordeaux avec son repas, il se sentit un peu mieux, suffisamment en tout cas pour ressentir une colère grandissante envers Sally qui le quittait. Il n'avait accepté ce poste que pour pouvoir rembourser l'hypothèque de Blakeney Street et monter d'un cran dans l'échelle du standing ; ce faisant, il avait renoncé pendant deux ans à voir son fils grandir. Il commençait seulement à se faire une réputation de magicien dans son secteur — rien que la semaine précédente, on lui avait proposé une installation encore plus importante à Oman — et c'était dur de penser que Sally n'était pas un peu fière de lui, fière d'un mari qu'invitaient à présent les sultans. Quand il l'imaginait au lit avec un autre homme, il avait envie de la tuer. Qu'elle couche avec quelqu'un d'autre était une trahison, la pire des blessures. Ils avaient souvent parlé de liaisons — en général dans le calme qui suivait la tempête provoquée par un de ses petits flirts — et il avait toujours su que ce n'était pas le genre de Sally, elle prenait les relations trop au sérieux. En l'occurrence, ce sérieux pouvait faire sa force à lui. Il vida son verre. Peut-être restait-il encore une lueur d'espoir. Franchement, il ne voyait pas Sally avec un autre homme. Et puis Henry était tout pour elle et elle ne ferait jamais rien qui puisse lui faire du mal.

À la pensée d'Henry ses yeux s'emplirent de larmes. Quand sa mère l'avait emmené vivre avec elle et Peter Mason, il avait éprouvé un secret soulagement malgré son angoisse devant les bouleversements et les disputes. Alan avait toujours eu peur de son père, il le voyait comme un étranger. Peter Mason était un homme accessible et indulgent, qui aimait parler en plaisantant de la « famille », c'est-à-dire Gwen et Alan, et n'avait jamais effrayé personne de sa vie. Mais, en grandissant, Alan s'était aperçu qu'il n'y avait pas grand-chose à admirer chez Peter Mason au-delà de cette bonhomie, que son beau-père ne cherchait qu'à bien s'entendre avec tout le monde et que son père, exigeant et souvent inapprochable, vivait au moins selon des principes et pour des objectifs plus élevés que ceux dictés par la convenance personnelle. Ni Frank ni Alan ne savaient alors comment faire un peu de chemin l'un vers l'autre, mais les pires gouffres furent comblés et le moment où ils se sentirent le plus proches fut la naissance d'Henry ; ils burent du cognac ensemble, dans le pub à côté de l'hôpital, avec le sentiment d'aimer le monde entier. Alan avait hérité du sentimentalisme creux de sa mère et il fit de grandes déclarations sur le genre de vie qu'il donnerait à son fils — « Sans vouloir te blesser, papa » — et conclut qu'ils avaient tous tiré la leçon de leurs erreurs passées. Avant qu'Henry n'ait deux ans, il avait accepté son premier poste à l'étranger, quatre mois au Caire, et cela n'avait pas cessé depuis. « Ne repars pas encore une fois », avait trop souvent supplié Sally, et il avait toujours répondu en ouvrant grand les yeux d'un air froissé : « Mais je le fais pour toi et Henry ! »

Pour quelle autre raison, se disait-il à présent, la tête appuyée contre le siège, les yeux fermés, quelqu'un voudrait-il passer deux ans à Djedda ou même seulement deux jours ? Sally ne comprenait donc pas ? Ou bien était-elle trop gâtée par ce qu'il lui avait apporté et par sa liberté de faire ce qu'elle voulait — elle n'était pas obligée de travailler, elle l'avait choisi — pour penser encore à lui ? Il se vit soudain seul et abandonné, cette vision était accablante. Sally serait bien obligée de le comprendre ; tout irait bien dès qu'il l'aurait revue. Ce n'était qu'un cauchemar, il se réveillerait bientôt et verrait que ce n'avait été qu'une peur salutaire. Il devrait peut-être changer son mode de vie et travailler en free lance en Angleterre pendant quelque temps ; cela signifiait moins d'argent, naturellement, mais il était prêt à faire ce sacrifice, quand bien même il était douloureusement frappé au cœur par l'injustice de ce qui lui arrivait.

Le trajet compliqué depuis l'aéroport, dans la cohue, l'exaspéra, tout comme la grisaille du jour d'été anglais qui l'accueillait. Dans le train qui l'emmenait à Aldminster, il alla aux toilettes se laver et se brosser les cheveux ; il examina dans le petit miroir son visage triste aux traits tirés. Il était pâle sous son bronzage. Sally ne pourrait pas manquer de voir à quel point il était affecté, profondément et sincèrement, elle ne le devait pas, parce qu'à ce moment-là, dans le réduit inconfortable et remuant du train, l'idée de la perdre était soudain si terrible qu'il crut s'évanouir. Pris de nausée, en sueur, il n'arrivait pas à croire qu'il était possible d'avoir aussi mal, de pouvoir encore vivre en endurant une telle souffrance.

La gare d'Aldminster était toujours pareille ; apparemment, même les agences immobilières n'avaient pas changé leurs pancartes depuis son départ. Il sortit de la gare comme un invalide, trouva un taxi et donna l'adresse de Blakeney Street. Il était assis à l'arrière, frissonnant de temps en temps dans son costume tropical, et regardait dehors, affolé par l'aspect familier des routes et des rues où ils passaient.

Sally ouvrit la porte d'entrée au moment où il payait le taxi et elle l'attendit en haut des marches. Elle s'était laissé pousser les cheveux, portait une longue jupe de coton beige très large avec un T-shirt blanc et ne souriait pas. Il monta lentement les marches, tordu par le poids du sac qu'il portait d'une main, les yeux levés vers Sally.

— Sal ?

Elle fit un pas en arrière pour rentrer à l'intérieur, il la suivit et se pencha pour l'embrasser.

— Non, dit-elle.

— J'aurais dû t'apporter des fleurs...

Elle eut une sorte de grognement et entra dans la grande pièce.

— Voyons, Sal, dit-il, ce n'est pas la peine de faire toute une histoire maintenant. Je suis de retour.

Il laissa tomber son sac par terre et se mit à marcher dans la pièce en admirant certains objets et en faisant des commentaires sur ce qui avait changé. Sally était debout près de la vieille cuisinière et s'occupait du café sans l'écouter. Finalement elle lui tendit une tasse et dit :

— Alan, c'est fini.

Il prit la tasse et dit d'un ton léger, qui sous-entendait qu'elle n'avait pas ouvert la bouche :

— Où est donc notre Henry ?

— Chez un ami. Il rentrera plus tard. Nous devons d'abord parler avant de le mettre au courant.

Alain s'approcha brusquement d'elle et leva un index menaçant.

— Au courant de quoi ? Dis-lui que je vais habiter ici maintenant et qu'il aura désormais un père près de lui, si tu veux. Au moins, c'est vrai. Que pendant que je trimais pour toi et pour lui, tu t'es amusée avec un autre homme. C'est vrai aussi. Nous lui dirons ces deux choses-là ensemble.

Sally saisit la barre de la cuisinière, baissa la tête et pria pour conserver son calme. Le matin de bonne heure, Leo l'avait emmenée dans la cathédrale — « pour aucune raison divine, avait-il dit. Simplement pour te rappeler l'éternité des choses, les grandes qualités d'endurance qui permettent aux humains de sortir de crises comme celle-ci. Tout ira bien pour toi et pour Henry quand elle sera finie. Si je peux m'en mêler, vous serez mieux, pas seulement bien ». Ils s'étaient promenés longuement dans les bas-côtés, dans la courbe sombre du déambulatoire, et au moment de se séparer il l'avait prise par les épaules en disant : « Surtout, ne te mets pas en colère. N'entre pas dans son jeu. »

Elle leva la tête et regarda Alan.

— Aucun changement dans ta vie ne modifiera ma décision. C'est fini. Je ne veux plus être mariée avec toi.

Il se mit à crier :

— C'est ça ! C'est ça ! Jette-moi tout à la figure avant même que j'aie eu le temps de me laver, avant même que j'aie passé cinq minutes dans cette maison...

Il se laissa tomber dans un fauteuil et mit sa main libre sur ses yeux.

— Ça va changer, Sal, je te le promets. Je ferai tout ce que tu voudras.

— Je veux seulement divorcer.

— Mais tu ne t'es jamais plainte, tu t'es contentée de prendre tout ce que je t'ai donné et, tout à coup, sans prévenir, tu dis que tu changes d'avis, que tu en as assez de moi et que tu as besoin de changement...

— Tout ce discours est un mensonge, dit-elle en l'interrompant.

La voix d'Alan ne fut plus qu'un murmure.

— Tu ne peux pas me faire ça...

Elle ne répondit pas.

— Tu ne peux pas faire ça à Henry !

Elle alla prendre un journal sur la table de pin.

— Tout est là.

— Quoi ? Qu'est-ce qui...

— Henry est une sorte de vedette à cause de son disque, et la Clôture a été chamboulée parce que le doyen a essayé de se débarrasser du chœur. Et maintenant, quelqu'un est allé raconter à la presse que Leo et moi avons une liaison. Toute l'histoire est là, abondamment embellie avec toutes sortes d'adjectifs. Henry n'a encore rien vu et j'ai demandé à Susan Hooper de veiller à ce qu'il n'apprenne rien pendant qu'il est chez elle aujourd'hui, mais nous devons lui en parler nous-mêmes, en premier.

Alan lui arracha le journal. L'article faisait la moitié d'une page intérieure, avec une photo d'Henry en train de chanter à la cathédrale, sous le titre « Derrière l'innocence, une amère expérience ».

— Nous n'avons pas le temps de discuter de nos torts et de nos mérites respectifs, dit Sally, parce qu'il y a Henry.

— Je ne veux pas être mêlé à ça. Je ne partirai pas, je ne t'accorderai pas le divorce, je n'ai rien à dire à Henry, sauf que je suis revenu et que je reste.

— Alors je lui parlerai sans toi. Je t'avais seulement attendu pour le faire, par honnêteté.

— Par honnêteté ! glapit-il, après ce que tu as fait derrière mon dos ! Par honnêteté !

— Tu me dégoûtes, dit Sally.

Elle quitta la pièce et monta dans sa chambre. Elle avait préparé un lit pour Alan dans la chambre inoccupée et savait qu'il allait y avoir encore une autre épreuve à surmonter, plus tard.

Aucun bruit ne lui parvenait du rez-de-chaussée. Elle se brossa les cheveux puis alla dans la salle de bains se laver les mains et se brosser les dents. Mozart, qui dormait sur le lit d'Henry, vint aux nouvelles d'un air inquisiteur et se frotta à ses jambes. Elle le prit dans ses bras et, en un instant, il couvrit de poils le devant de son T-shirt.

— Je ne sais pas comment nous allons y arriver mais il le faut, dit-elle.

Il ronronna. Elle le laissa aller et il retourna tranquillement à son creux dans la couette d'Henry. Sally se débarrassa des poils, prit une grande respiration et descendit. Alan était assis là où elle l'avait laissé, le journal de travers sur les genoux. Il regardait par la fenêtre. Il était devenu pour elle un parfait étranger.

— Écoute, dit-elle d'une voix aussi calme et amicale que possible, nous devons discuter de tout ça. Tu ne crois pas ?

Henry passa une bonne journée avec Hooper. Ils essayèrent de dresser les petits chiens — sans grand succès parce que leurs élèves ne pouvaient se concentrer que quelques minutes à la suite — et Mrs. Hooper leur laissa faire des sablés et de la crème au chocolat. Deux de ses amies vinrent la voir et dirent à Henry qu'elles avaient acheté son disque, qu'il était formidable. Au déjeuner, ils mangèrent des cuisses de poulet et l'après-midi, ils fabriquèrent une échelle avec deux cordes à linge et des pieds de chaises qu'ils avaient trouvés au fond du garage. Ils l'accrochèrent au hêtre rouge que Hooper avait la chance de posséder dans son jardin en pleine ville. Mrs. Hooper leur donna leur goûter dans un sac et ils grimpèrent le manger dans la pénombre de l'arbre. Les petits chiens dansaient en jappant au pied du tronc et ils leur jetèrent des morceaux de biscuits et de croûte de pain. Quand Mrs. Hooper annonça que c'était l'heure de le raccompagner chez lui, Henry espéra vaguement que Hooper lui demanderait de le laisser passer la nuit là, comme il le faisait souvent, mais cette fois il ne le demanda pas — et Henry se dit que ce n'était pas à lui de le faire. Il la remercia longuement, avec effusion, pour voir si cela lui en donnait l'idée, mais, malgré sa gentillesse et ses bontés de la journée, elle ne comprit pas ses intentions. L'idée que son père était à la maison lui causait une sourde appréhension et il aurait voulu retarder le moment de le voir. C'était normal pour des garçons comme Hooper et Chilworth qui voyaient leur père tout le temps, mais, lui, il se sentait un peu nerveux. Il lui semblait bien que son père était rentré dans la précipitation et que son grand-père y était pour quelque chose. Bref, Henry aurait donné n'importe quoi pour se pelotonner dans un sac de couchage sur le plancher de la chambre de Hooper et s'amuser avec des lampes électriques à un jeu de signalisation dans lequel ils étaient devenus très calés.

Quand Mrs. Hooper le déposa à Blakeney Street, son père vint à sa rencontre, ce qui tombait bien, parce que comme elle était là il n'y aurait pas de débordements. « Pas de scène pénible », se dit Henry en imitant Wooldridge, qui employait cette expression à tout propos depuis quelque temps. Alan et lui montèrent les marches ensemble et entrèrent. Alan lui posa des questions sur son disque et lui demanda ce que ça lui faisait d'être célèbre. Henry rougit.

— Rien de spécial...

La table était mise pour le dîner, et un grand saladier était posé au milieu. Sally donnait à manger à Mozart qui miaulait très fort comme il le faisait toujours quand il apercevait l'ouvre-boîtes. Henry avait envie de le prendre dans ses bras, mais ça n'aurait pas été gentil, alors qu'il voulait tellement son dîner. Ses parents avaient l'air bizarre, agité ; alors il leur raconta l'échelle de corde et les petits chiens. Sally sortit du four un jambon avec des pommes de terre, et ils se mirent à table. Tout semblait parfaitement ordinaire mais Henry sentait confusément que ça ne l'était pas. Ni sa mère ni son père n'avait très faim, et lui non plus parce qu'il avait déjà beaucoup mangé. Son père ne cessait de lui poser des questions sur le chœur, sur le disque, et de le taquiner sur sa célébrité.

Quand il demanda s'il pouvait se lever de table et aller se coucher ils lui dirent que non, pas tout de suite ; ils voulaient lui parler. Il s'attendait à ce qu'ils lui recommandent de ne pas être trop vaniteux avec son disque, mais ils parlèrent d'autre chose. Ils n'allaient plus être mariés, maman allait épouser Mr. Beckford et il ne devait pas s'inquiéter parce que ça ne changerait rien pour lui. Son père pleurait.

— Nous habiterons toujours ici ? demanda-t-il.

Sa mère dit que c'était peu probable, et il eut l'impression qu'il allait pleurer lui aussi, ce qui arriva. Il ne voulait plus rester en bas avec eux et se précipita dans sa chambre en claquant la porte. Il enleva la couette de son lit et s'enroula dedans, comme une chenille rembourrée. Il remonta les pieds et rentra la tête jusqu'à disparaître complètement dans l'obscurité douce qui sentait le sommeil. Il n'arrivait pas à s'arrêter de pleurer ; il se dit qu'il allait probablement pleurer toute sa vie. Quand Sally monta le voir, il lui cria : « Va-t'en, va-t'en, va-t'en ! » du fond de son cocon, et il continua de pleurer. Il avait horriblement chaud dans la couette, mais personne ne l'en ferait sortir ; ses yeux étaient comme des ballons brûlants. Ses parents étaient sur le palier, devant sa porte, et l'écoutaient pleurer et marmonner. Quand finalement il se tut, sa mère entra, le déroula, lui enleva ses vêtements et lui mit son pyjama. Il sortit de son soudain sommeil rageur et angoissé, pour lui crier :

— Je me marierai jamais !

Quand elle redescendit, Alan réussit à ne pas formuler d'accusations, mais son regard en était plein. Il annonça qu'il allait dormir chez son père, prit son sac et les clés de la voiture et s'en alla. Après qu'il fut sorti, Sally décrocha le téléphone et fit le numéro de Leo. Quand elle entendit sa voix, elle se mit à pleurer, comme Henry, comme si elle ne devait jamais pouvoir s'arrêter.

Cosmo Cavendish raconta à son père que Ianthe avait reçu du journal quatre cents livres pour l'histoire de Leo Beckford et Sally Ashworth. Il ajouta qu'elle ne l'avait naturellement pas fait pour l'argent. Le doyen demanda d'une voix réellement inquiétante quelles étaient alors ses raisons, et Cosmo répondit qu'il n'en savait rien mais qu'il imaginait qu'elle devait en avoir.

— Entre vos deux conduites, la tienne et celle de Ianthe, il est difficile de savoir laquelle est la plus déplaisante, dit alors le doyen.

Cosmo fut un peu effrayé de constater que cette remarque le troublait un peu. Enfreindre les règles était une chose — glorieuse d'ailleurs, et qui rehaussait sa réputation — mais passer pour quelqu'un d'antipathique en était une autre, qui le déconcertait. Sa vie dépendait du pouvoir qu'il exerçait sur les autres, son prestige, de la rébellion ; et il savait bien qu'une personnalité vraiment déplaisante n'avait aucun prestige. Il alla chercher le réconfort auprès de sa mère qui, à son grand étonnement, déclara que son père avait entièrement raison. Il se consola en pensant qu'elle n'allait pas bien du tout en ce moment — c'était visible à l'œil nu — et monta dans son antre obscur pour y réfléchir. Il avait fait une grosse erreur de jugement et voulait comprendre pourquoi. Au bout de dix minutes, il se sentait plutôt enclin à rejeter toute la responsabilité sur Ianthe, ce qui le satisfaisait, sauf qu'une telle conclusion ne réussissait pas à lui ôter l'idée dérangeante de n'avoir pas été à la hauteur, de s'être fait rouler. Il descendit dîner, après qu'on l'eut appelé trois fois, et trouva la table mise pour deux personnes seulement. Bridget lui dit que le doyen était allé à Londres et ne rentrerait qu'à minuit.

Quand son père arriva, Ianthe était sur le point de sortir. Son apparition en col romain dans son salon — celui d'une logeuse théâtrale et vulgaire, disait son frère Fergus —, où se trouvaient quatre amis en route pour le même concert à Highgate, fit sursauter tout le monde. Deux des hommes se levèrent instantanément et eurent beaucoup de mal par la suite à y trouver une explication valable. Avec une courtoisie et une autorité remarquable, le doyen fit se vider la pièce en dix minutes puis, sans aucun préliminaires, il dit à sa fille :

— As-tu une explication à proposer pour ta conduite répugnante ?

Ianthe balançait entre les larmes et la colère. Elle savait que la plupart des pères des années quatre-vingt ne parlaient pas à leurs filles adultes de cette manière anachronique et péremptoire — les suppléments en couleurs du dimanche affichaient souvent des témoignages de pères modernes qui rêvaient apparemment de gagner l'approbation et l'affection de filles indifférentes — mais, malgré tout, elle n'était pas sur un terrain assez sûr pour riposter. Les larmes seraient un aveu immédiat de culpabilité. Elle alluma une cigarette et se mit à marcher dans la pièce avec nonchalance.

— Assieds-toi, lui dit son père.

En guise de compromis, elle posa une cuisse sur le bras d'un fauteuil.

— Il est rare, je crois, chez les femmes, dit le doyen, que l'intelligence raisonnable, que tu as la chance de posséder, s'allie à une immaturité émotionnelle patente. Je crois comprendre que tu appartiens à cette minorité infortunée, ton cas étant encore aggravé par un exhibitionnisme fort déplaisant. Tu n'es pas la seule parmi tes frères et sœur qui se soit consacrée à braver et à ridiculiser tous les principes selon lesquels vous avez été élevés et dont tu sais qu'ils régissent ma vie, mais, toi, tu as poussé la bravade jusqu'aux limites de la folie dangereuse. Tant que tes affronts se limitaient à notre foyer et à notre famille, nous pouvions, à grand-peine, les supporter. Quand tu impliques la réputation de la Clôture d'une cathédrale et de ses habitants, ton comportement n'est plus tolérable. M'écoutes-tu ?

— Je n'ai pas le droit de parler ? demanda Ianthe.

— Mais certainement...

Soudain, elle eut besoin de sa mère. Elle dit, avec trop d'émotion :

— Tu ne peux pas comprendre ce que c'est que l'amour, tu ne peux pas savoir ce que j'ai traversé...

— Je sais ce qu'est l'amour, dit le doyen avec mépris. J'ai la chance d'ignorer la foucade. Leo Beckford ne t'a jamais donné, à ma connaissance, le moindre signe d'encouragement, et tes sentiments étaient le fruit d'une exagération et d'une obstination délibérées. Plus il te repoussait, plus tu t'acharnais. Chez une jeune fille stupide, je considérerais une telle conduite avec pitié. Chez une jeune fille intelligente, elle ne mérite que le mépris.

— Et tu te dis pasteur ! cria-t-elle.

— Le rôle d'un pasteur, Ianthe, ne consiste pas à être un puits sans fond de pardon confus, sans aucun sens critique. Cela ne ferait que dévaloriser la vertu.

Il y eut un silence. Ianthe alla à la fenêtre, appuya le front contre la vitre et regarda, en bas, la rue animée d'un début de soirée. Elle se sentait très effrayée et pleine d'un dégoût d'elle-même pour lequel elle cherchait désespérément un coupable. La carapace d'indépendance illusoire dont elle s'était armée depuis qu'elle avait hérité ses cinq mille livres pour son dix-huitième anniversaire — refusant, dans le même temps, la place à l'université qui lui était offerte — lui parut très mince et très fragile. Quand le doyen lui dit d'une voix dépourvue de toute chaleur : « Si tu nous as tous tournés en ridicule, tu as fait pire avec toi », elle essaya de répondre et ne put rien dire.

— Nous devons tous prendre le temps de nous remettre de cette affaire, dit le doyen. Ta mère et moi allons en Écosse la semaine prochaine, et Cosmo part pour le pays de Galles. Dans l'intérêt de tous, il vaut mieux que nous ne nous voyions pas pendant quelque temps...

Elle se retourna d'un coup.

— Je ne peux pas venir à la maison ?

— Pas pour le moment. Dans quelques mois. As-tu des difficultés financières ?

Elle devint écarlate.

— Non...

— Les prochaines semaines vont être difficiles pour Aldinster, et il y aura des changements. Je dois encore parler à l'évêque et à l'archidiacre, et considérer la situation de Leo Beckford. Mais tu dois rester à l'écart. À Londres, tu as Fergus et Petra. Et tu as aussi du travail. L'argent que tu as reçu pour tes informations doit être rendu au journal.

Ianthe eut un éclair d'enthousiasme.

— Je ne pourrais pas le donner au fonds de soutien pour le chœur ?

— Je crois que le fonds de soutien n'en a pas vraiment besoin, dit le doyen.

Il se dirigea vers la porte. Il avait hâte de partir, loin de cette pièce au vieux bric-à-brac pseudo-édouardien, loin de cette enfant entêtée dont le malheur présent ne semblait être qu'un symptôme de l'instabilité complaisante qui la caractérisait, loin de Londres. Ianthe poussa une sorte de petit gémissement. Le doyen traversa la pièce et prit sa fille par l'épaule. Son cœur était lourd comme du plomb.

— Si Dieu le veut, dit-il, tout cela passera.

Puis il l'embrassa rapidement sur le sommet de la tête, et alla prendre son train pour Aldminster.

— Si je continue à voir partout des visages graves par ici, dit l'évêque, je finirai par gambader dans la cathédrale avec un faux nez. Je peux entrer un instant ?

Leo le reçut en riant et le conduisit dans la salle de séjour. Il montra du doigt la soutane de l'évêque.

— Si vous avez traversé la Clôture dans cette tenue pour venir me voir, j'imagine que les rideaux ont dû remuer sur votre chemin.

— Je n'aurai pas le temps de rentrer me changer pour l'office du soir après vous avoir vu. Je peux m'asseoir là ? Écoutez-moi, Leo. Je suis venu vous voir avant que le doyen ne le fasse. À strictement parler, cela ne me regarde pas puisque c'est une affaire qui relève du chapitre, mais humainement cela me concerne tout à fait. Je regrette un peu qu'au cours des derniers mois où cette affaire mûrissait vous ne soyez pas venu me voir. Janet et moi restions dans notre coin, follement inquiets à propos du chœur, et, pendant ce temps, vous suiviez activement une tout autre tactique.

Voyez-vous, j'espérais que nous avions établi certains liens de confiance...

Leo le regarda avec affection.

— L'autre homme en qui j'ai confiance a essayé de m'arrêter.

— Alexander Troy ?

— Oui.

— Vous savez qu'ils vont effectivement être chassés de chez eux ?

— Je le sais...

— Encore un embrouillamini regrettable. Encore une bonne idée pervertie par des intérêts personnels. Mais ce qui me tracasse, Leo, c'est que votre relation avec Sally Ashworth semble avoir été très soudaine. Je souhaite profondément que le bouleversement qu'elle provoque ait un fondement...

— Il en a.

L'évêque enleva ses lunettes et les tint par une branche en les balançant.

— Les élans nés de la solitude sont très forts, tout comme ceux qui surviennent lorsque nos vies atteignent — ainsi que toute vie — une sorte de plateau. Envisagez-vous le mariage ?

— Et des enfants.

L'évêque mordilla une branche de ses lunettes.

— Je ne me préoccupe jamais d'orthodoxie en matière sociale, comme vous le savez, seulement d'aider les forces qui tendent vers le bien, qu'elles soient traditionnelles ou progressistes.

— Sally et moi nous serons une force du bien. Je pensais au début que c'était moi le plus

374

démuni, mais je commence à croire que c'est l'inverse. En tout cas, il y a beaucoup à construire. Je suppose que vous ne voudrez pas nous marier.

— Il existe la bénédiction...

— Non. Non. Nous marier. Nous marier pour de bon.

L'évêque mit ses lunettes et dit d'un ton pensif :

— Dans un an, peut-être. Si vous pensez que c'est vraiment nécessaire. Si c'est réellement ce que vous voulez...

Leo sourit.

— C'est une sorte d'épreuve ?

L'évêque leva les yeux au plafond.

— Mon Dieu, comme vous êtes méfiant.

— Il se tut puis regarda Leo en face. — Je dois vous dire encore une chose avant de partir, une chose que je n'ai pas envie de dire. — Il se pencha vers lui. — Leo, ce sera une perte immense pour nous, mais vous devez démissionner de la cathédrale avant qu'on ne vous le demande.

Après un silence, Leo demanda :

— Le doyen va-t-il me demander de démissionner ?

— Je n'ai pas parlé au doyen, mais je ne pense pas qu'il puisse faire autrement que de vous le demander. Vous lui rendriez service, et à vous aussi, en en prenant l'initiative.

— Mais...

— Le doyen, dit l'évêque avec fermeté, a plus de fardeaux que nous ne l'imaginons. Si quelque chose ne va pas à la cathédrale ou à

375

la Clôture — ce qui n'arrive jamais sans que les répercussions se fassent sentir dans tout le diocèse —, c'est lui qui est tenu pour responsable. Je ne pense pas qu'il y ait beaucoup de doyens qui aient servi leur cathédrale comme Hugh Cavendish a servi Aldminster et, si cela lui a apporté des joies, cela lui a aussi causé beaucoup de souffrances, dont il ne s'est jamais plaint. Que son organiste quitte la scène dans le calme et la dignité sera très important pour lui et pour Aldminster, et je pense que vous sous-estimez la valeur qu'il attache à votre collaboration. — Il se leva. — Je dois paraître un peu pompeux. En réalité, je voulais seulement vous dire, avec autant d'affection et de simplicité que possible, que vous devez quitter Aldminster mais que l'un de mes meilleurs amis, principal d'une importante école du Sussex, a grand besoin d'un directeur de la musique. Je crois savoir que l'école participe régulièrement au festival de Brighton.

— Et Sally ?

— Le principal doit entrer en ligne de compte.

— Merci, dit Leo d'un ton énergique.

L'évêque fit un geste de dénégation.

— Ne me remerciez pas. Absolument pas. Tout ce qui permet à ce pauvre vieux navire si précieux de ne plus tanguer trouve sa récompense. Vous ne jouez pas, ce soir ?

— Non, c'est Martin...

— Ah... Eh bien, c'est ce que je vous disais. Quelqu'un va se trouver bien de tout cela...

pée: in son frère beau-père n'avaient de com-

Alan passa une semaine dans la chambre d'amis de son père. Une semaine comme il ne voudrait jamais en revivre, entre les mauvaises nuits dans le vieux lit bateau victorien qui avait appartenu à son arrière-grand-mère et les journées sinistres où il se sentait abandonné de tous. Sans donner de véritables marques d'hostilité, son père montrait clairement que ce qu'Alan traversait était devenu inévitable depuis des années, à cause de ses choix et de ceux de Sally. « Dans cette vie, déclara Frank plus d'une fois, tu ne peux récolter que ce que tu as semé, et si la récolte ne te convient pas, inutile de chercher partout quelqu'un d'autre à blâmer. » Quand Alan se fut rendu à Blakeney Street pour essayer de parler avec Sally et que l'entrevue eut dégénéré rapidement dans les accusations et la hargne, il décida que la fois suivante son père viendrait avec lui. Pour Alan et pour Sally, la présence solide et l'impartialité de Frank furent un immense réconfort ; pour Henry, une bouée de sauvetage.

Ce fut Frank qui, sans excuser ce que faisait Sally ni blâmer davantage Alan pour ce qu'il avait fait, mit en évidence qu'ils n'étaient plus un couple sur quoi construire. Ce fut Frank qui prit les rendez-vous pour eux avec les avocats. Ce fut Frank qui emmena Henry avec lui pendant des heures, en se montrant tout à fait naturel. Pendant une promenade, ils croisèrent Leo qui traversait la Clôture en hâte, et Henry fut soulagé et heureux de voir que ni son grand-père ni son futur beau-père n'avaient de comportement bizarre.

Leo passa à Blakeney Street le soir même et Henry, après avoir dit qu'il avait quelque chose à faire dans sa chambre, s'assit dans l'escalier. Il entendit Leo dire à sa mère qu'ils iraient probablement dans le Sussex. Henry n'avait qu'une très vague idée d'où se trouvait le Sussex, mais il était certain de ne pas vouloir y aller.

Il descendit aussitôt dans la grande pièce le leur annoncer.

— C'est une école avec une grande tradition chorale et une chapelle célèbre. Pourquoi est-ce que ça serait si différent d'ici ?

— Partout c'est différent d'ici. Je veux pas que ça soit différent.

Sally dit pour l'encourager :

— C'est toujours difficile de s'imaginer un genre de vie que l'on n'a pas, mais pourquoi une autre vie ne serait pas meilleure ?

Henry réfléchit.

— Je veux pas que ça soit mieux, ni rien. Je veux pas que ça soit différent de maintenant, c'est tout.

Leo avait son bras sur les épaules de Sally. Quand Henry avait fait irruption, elle avait instinctivement fait le geste de s'écarter mais il l'avait retenue fermement.

— Le problème, Henry, c'est que je dois partir d'Aldminster.

— Pourquoi ?

— Parce qu'il y a eu un tas de publicité dégoûtante autour d'Aldminster récemment, y compris cet article dans le journal au sujet de notre mariage. C'est mauvais pour la cathédrale et pour la Clôture si je reste...

— Alors ne vous mariez pas, dit Henry violemment.

— À cause de qui ?

Henry alla au buffet et donna quelques coups de pied dans les portes.

— Je vois pas l'intérêt...

— Bien sûr, dit Sally. Mais ça viendra, un jour.

— Pourquoi je dois aller dans le Sussex ?

— Parce que nous y allons et que tu dois habiter avec nous jusqu'à ce que tu sois grand. Ensuite, tu pourras habiter où tu voudras.

Henry sentit brusquement des larmes de colère se presser dans sa gorge.

— Pourquoi il faut que tout ça arrive ? Pourquoi nous pouvons pas continuer comme avant ?

— Parce que les êtres humains ne restent jamais immobiles, dit Leo, et leurs rapports non plus. Ils se développent ou ils meurent. Regarde, toi et Hooper, il y a un an vous vous parliez à peine et maintenant c'est ton meilleur ami. C'est ça, le changement. Ça peut changer encore, et si ça arrive, tu n'en mourras pas. Ton père, ta mère et moi nous sommes seulement en train de changer, mais, comme nous sommes des adultes, ça fait des vagues plus grosses.

Henry cria : « J'irai pas dans cet horrible Sussex ! »

Il sortit en tapant du pied et monta dans sa chambre. Il sortit un carnet de dessin et des crayons gras et écrivit « NON, NON, NON » en gros sur plusieurs feuilles, dans les couleurs les plus violentes qu'il put trouver. Sa mère monta au bout d'un moment et lui demanda s'il voulait aller se promener une demi-heure avec eux. Il hurla que non. Quand ils furent sortis il descendit pour regarder la télévision. Le téléphone sonna.

— C'est Henry ?

— Oui...

— C'est Nick Elliott.

— Oh, salut ! dit Henry avec enthousiasme.

— Comment ça va ?

— OK...

— Écoute, en fait je téléphone pour parler à ta maman. Elle est là ?

— Non, elle est sortie se promener...

— Alors je t'en parle à toi. Qu'est-ce que tu dirais de faire un nouveau disque ?

— Super, s'exclama Henry, puis il se souvint. — Mais je peux pas, je dois aller dans le Sussex.

— Dans le Sussex ? Mais pourquoi là-bas ?

— ...

— Excuse-moi, dit Nicholas. J'avais oublié. Henry eut peur de se mettre à pleurer.

— Écoute, dit Nicholas qui l'avait senti. Tu veux que nous bavardions ?

— Je sais pas...

— Je comprends ce que tu ressens. Mon papa est parti quand j'avais cinq ans. Je n'ai jamais eu que ma maman et elle est toquée. J'ai une idée : je vais venir te voir. J'arriverai

380

samedi. Nous irons manger une pizza. Ça marche ?

— Merci.

— Tu veux que je te donne une bonne nouvelle ?

— Oui...

— En Angleterre et en Europe, tu as vendu cent cinquante mille exemplaires.

— Ça alors...

— Dommage qu'on ne t'ait pas laissé donner des interviews.

— Je suis choriste, tu sais. Au fond, je suis choriste.

— Accroche-toi à ça, dit Nicholas. C'est comme ça que tu t'en sortiras. À samedi.

Nicholas emmena Henry là où il était allé avec Ianthe trois mois plus tôt. Henry prit une pizza « super spéciale » et un grand verre de Coca-Cola avec une boule de glace dedans. Pour la millième fois Nicholas trouva ahurissant d'avoir dans sa poche de l'argent qu'il avait gagné et qu'il pouvait dépenser comme il l'entendait. Ils parlèrent surtout du chœur, et Nicholas raconta à Henry qu'il avait failli mourir d'envie le matin où il était entré dans la cathédrale et les avait entendus chanter *Tu es Petrus*. Henry se souvint qu'il l'avait vu en descendant les marches, parce que Harrison lui avait donné un coup sur la jambe avec un étui à flûte et qu'il avait vraiment mal. Ils firent des imitations de Leo — « Et on garde cette note très propre jusqu'au bout », « Allons, petit monstre, ouvert, ouvert, ouvert » — et échangèrent des souvenirs d'excursion avec le chœur. Henry dit qu'ils allaient en Norvège le trimestre prochain puis il se rappela le Sussex et, pour la première fois, il parut terriblement abattu.

— N'y va pas. Ne va pas dans le Sussex. Si tu restes ici, tu seras chantre dans moins de deux ans.

— Je dois y aller...

— Pourquoi ?

— À cause de maman et de Mr. Beckford.

— Tu pourrais être pensionnaire.

— Oui, dit Henry avec découragement.

— Allons...

— Aucun de mes amis n'est pensionnaire.

— Tu te ferais de nouveaux amis.

— Je veux rien de nouveau.

— Écoute, le plus important, c'est le chœur. D'accord ? Tu ne peux pas l'abandonner. Mais si tu veux continuer à en faire partie, tu dois trouver un autre moyen de rester à Aldminster. Ça n'est pas trop affreux d'être pensionnaire et tu pourrais passer tes vacances avec ta mère et Mr. Beckford.

Henry ne paraissait pas convaincu.

— Et ton père ? demanda Nicholas.

— Il repart bientôt en Arabie Saoudite. C'est là-bas qu'il travaille.

— Oh. Évidemment, tu ne peux habiter avec lui là-bas...

— Je pense qu'il n'aime pas beaucoup être à Aldminster.

— Mais c'est ton papa...

— Oh, oui... — Henry détourna les yeux.

382

— Quand j'aurai des enfants, je resterai toujours avec eux.

Il ne dit rien.

Nicholas demanda l'addition à la serveuse et alla payer à la caisse. Henry resta sur sa chaise, rassasié. Quand Nicholas revint, il lui dit :

— C'était sensationnel. Merci beaucoup.

Nicholas le raccompagna chez lui, avec l'envie de plaider la cause de Leo mais il ne trouva pas le bon moment car Henry était dans l'état où l'on se dit que le monde essaie délibérément de nous rendre malheureux ; et Nicholas se souvenait trop bien avoir éprouvé ce sentiment. Tandis qu'ils marchaient dans Blakeney Street, il se contenta de dire que la seule façon de se sentir mieux était de faire arriver quelque chose que l'on voulait ; il savait qu'il n'était pas un bon exemple mais il était convaincu que c'était quand même vrai.

— Quoi, par exemple ?

— Eh bien, tu veux rester à Aldminster, alors tu fais en sorte que ça arrive.

En entrant, Henry trouva sa mère et son grand-père assis à la grande table en train de parler de lui. Au cas où ils auraient fait des projets en son absence, il se dit qu'il valait mieux leur rappeler qu'il n'irait pas dans le Sussex.

— Je vois, dit Frank.

— Nicholas a dit que je pourrais être pensionnaire...

Sally se tourna vers son beau-père.

— J'y ai pensé. Mais même avec une allocation...

— Alan pourrait se le permettre.

— Je veux pas être pensionnaire, dit Henry.

Franck s'adressa à lui :

— Dis donc, jeune homme. Qu'est-ce que c'est que tous ces « je veux », « je ne veux pas » ? Il faut bien trouver un arrangement.

Henry trouva qu'il parlait comme Mr. Beckford. Au moins, Leo et Frank ne lui demandaient jamais pardon et ne s'attendrissaient pas à tout bout de champ. Soudain les mots sortirent de sa bouche sans qu'il ait l'impression que l'idée lui soit d'abord venue en tête.

— Pourquoi j'irais pas habiter avec toi ?

En dix jours, le doyen prit quatre saumons et Bridget, un. Ils étaient installés dans le même pavillon qu'à l'accoutumée avec le groupe d'amis habituel — un médecin d'un grand hôpital provincial, un libraire d'ancien et un membre du Conseil de la reine, avec leurs épouses — qui presque tous expliquèrent les signes de tension visibles chez les Cavendish par les problèmes survenus dans la vie d'Aldminster au cours des derniers mois. La femme du libraire, qui était très perspicace et s'intéressait infiniment plus aux personnes qu'au saumon, dit à son mari qu'elle trouvait que le couple Cavendish n'avait pas bonne mine et que, de surcroît, Hugh semblait tenir les rênes. Comme le libraire était allé pêcher cinq fois avec le doyen et sa femme et avait fini par considérer, ainsi que tous les autres, la suprématie de Bridget dans le couple comme le genre de farce dans laquelle ils étaient tous heureux de ne pas être mêlés, il répondit que c'était absurde, impossible, qu'elle inventait.

Alors, Charlotte Knight emmena Bridget à Ballater faire des provisions d'épicerie et, dans la voiture, tout de go, elle lui demanda carrément si tout allait bien.

Bridget lui répondit qu'elle ne pouvait absolument pas imaginer la tension qu'elle avait subie les derniers mois en voyant Huffo tellement incompris alors qu'il faisait tout pour la cathédrale ; défié par son propre organiste et, pire encore, par le principal de King's School, qui n'avait pas hésité à utiliser une plate-forme publique de la façon la plus inconvenante. La vie avait été parfois franchement intolérable. Pendant qu'elle parlait, elle ne cessait d'ajuster son foulard de soie à coups de drôles de petites touches nerveuses. Charlotte Knight fit un sondage :

— Oui, je sais. Ce doit être épouvantable pour un personnage public de se faire attaquer injustement, mais au moins vous êtes ensemble. On peut presque tout supporter quand on a quelqu'un avec qui le partager.

Bridget ne répondit pas à cette remarque. Charlotte vit d'un coup d'œil qu'elle avait détourné la tête. Elles roulèrent un moment en silence puis Charlotte dit :

— Et comme c'est embarrassant que Ianthe ait contribué à la victoire du chœur.

— Elle en a presque eu le cœur brisé, dit Bridget d'une voix sépulcrale.

— Les cœurs de vingt ans se réparent...

— Oui, j'imagine que c'est plus facile pour ceux de vingt ans que pour les plus âgés.

C'était allé suffisamment loin.

— Alors, dit Charlotte, c'est vous la cuisinière. Trouvez quelque chose de simple et d'intéressant, que cette pauvre fille incapable sache nous préparer ce soir. Et surtout pas du saumon...

Sur la rive de la Dee, le doyen et le conseiller assemblaient leurs cannes dans un des meilleurs coins, qui leur avait été attribué.

— Je vous félicite sincèrement pour avoir sauvé le chœur, dit John Claremont. Vous avez accompli une action magnifique. Quel admirable petit chanteur. J'ai appris que Rochester envisage à présent de supprimer le sien. Franchement, des cathédrales sans chœur, c'est une horrible perspective. J'ai souvent pensé que nous aurions dû envoyer Mark essayer une manécanterie — excellente éducation classique pour presque rien, avec toute cette musique en plus. Puis-je emprunter votre gaffe ? C'est passablement profond il me semble.

Le doyen avait espéré, plutôt inutilement, qu'en Écosse on ne parlerait que de poisson et pas du tout d'Aldminster. Il dit : « je vous en prie », et ajouta que malheureusement le chœur avait obtenu toute la publicité qui aurait dû revenir aux travaux de la cathédrale. Si le toit devait être réparé, il faudrait faire de gros sacrifices.

— Des sacrifices ?

— Mon cher John, dit le doyen en tournant le moulinet, ce que le public ne sait pas c'est que je suis forcé de vendre le plus beau bâtiment de la Clôture pour assécher la nef.

— Vous ne parlez pas sérieusement ?...

— Mais si. Des milliers de livres sont versées pour conserver le chœur, tandis qu'une autre part précieuse de notre héritage passe aux mains d'un conseil municipal dont les motivations sont fort douteuses...

Sur ces entrefaites, le garde-pêche apparut et dit qu'il y avait deux gros poissons dans un repli au fond du trou d'eau.

— Ils attendent que je leur fasse sauter un ver sur le nez, Angus ! dit John Claremont en plaisantant.

Le garde-pêche eut un air désapprobateur.

— Ce doit représenter une terrible tension. Rien d'étonnant à ce que cette pauvre Bridget...

— Que voulez-vous ! dit le doyen en l'interrompant et en suivant le garde-pêche vers l'aval. Quand vous attachez une grande importance à une chose, il y a toujours un tribut à payer.

Ce soir-là, pendant le dîner, Bridget éclata en sanglots. La conversation s'était orientée inévitablement sur Aldminster, et le doyen expliquait gravement l'impossible exercice de jonglerie auquel il devait se livrer entre les revenus de la cathédrale et ses dépenses incessantes, quand elle se mit à crier :

— Oh, je voudrais n'avoir jamais entendu parler de ce fichu chœur. Tout est la faute de ce...

Et elle quitta la pièce en larmes. Charlotte Knight la suivit en haut et s'assit près d'elle sur le lit. Elle tapota les fortes épaules qui se soulevaient et prononça des petits riens apaisants à propos des effets cicatrisants du temps.

— Nous étions un si merveilleux couple, dit Bridget entre deux sanglots, jamais un mot de mauvaise humeur, et je savais que je lui étais d'un grand secours. Les enfants ont été un peu difficiles, c'est vrai, et j'ai peut-être été encline à prendre leur parti, mais on peut pardonner cela à une mère, n'est-ce pas ?

Elle roula sur le lit et fixa Charlotte avec une expression de terreur soudaine.

— Pensez-vous qu'il veuille me quitter ?

— Il ne le fera pas.

— Mais le voudrait-il ?

Charlotte n'était pas un cœur tendre, mais elle contempla avec pitié ce visage où les larmes avaient massacré une poudre couleur pêche.

— Je pense qu'il est aussi bouleversé que vous. Il ne sait pas ce qu'il veut.

Bridget se redressa et tira des mouchoirs en papier rose de la boîte posée près de son lit.

— Je ne crois pas avoir jamais eu peur auparavant.

Elle se moucha bruyamment et, d'une main experte, remit instinctivement de l'ordre dans sa coiffure.

— Je voulais seulement être une bonne épouse.

— Il ne me semble pas que Hugh soit particulièrement bon mari avec vous en ce moment...

— Et si c'était ma faute ?

— Le chœur n'est pas votre faute. Il est vrai

que vous avez toujours commandé Hugh, nous en avons un peu plaisanté, mais s'il n'aimait pas cela, ne pouvait-il pas vous le dire ?

D'un seul mouvement, Bridget posa les pieds par terre.

— Je ne l'aurais peut-être pas écouté, dit-elle, et Charlotte en fut surprise.

— Certes, il fallait toujours que vous ayez raison...

Bridget alla se regarder dans la glace qui surmontait la commode. Son élégante robe de jersey était froissée derrière. Sans ses chaussures, elle avait une allure bizarrement grotesque et déplacée. Elle finit par dire à Charlotte d'une voix plus normale :

— Auriez-vous la gentillesse d'expliquer que j'ai un mal de tête épouvantable ? Et je vous serais reconnaissante de m'apporter une tasse de thé.

— Voulez-vous que je parle à Hugh ?

Bridget se retourna.

— Non, merci, mais non. Nos relations sont très courtoises pour le moment et elles le resteront jusqu'à ce qu'il décide de me parler d'une façon plus... intime.

— Et s'il ne le fait pas ?

— Je ne veux pas y penser maintenant.

Charlotte se leva et alla à la porte.

— Je vous apporte votre thé.

Felicity décréta que, si elle devait habiter dans la maison du vice-principal, c'était vraiment trop que de vivre avec le papier peint choisi par l'économe de l'école. Adouci par l'heureuse perspective d'aller effectivement s'installer dans le bâtiment principal de l'école, Stanley Vigors dit que c'était drôle qu'elle y attache de l'importance ; lui ne l'avait jamais remarqué.

— Comment avez-vous pu ne pas le remarquer, dit Felicity en faisant de grands gestes dans le salon. Du tweed de vinyle et des rayures Regency. Je vais faire peindre chaque coin de la maison, supprimer toutes les poignées en plastique et les vitres du cabinet de toilette.

— C'est sûrement un peu un déclassement pour vous...

— Non, dit Felicity. C'est un magnifique défi.

— J'imagine, dit Stanley en pensant que c'était une remarque que sa propre mère apprécierait davantage que Felicity, que ce sera plus facile à entretenir...

Elle se mit à rire et lui donna un baiser rapide, qui le fit rougir. Il ne l'avait jamais vue d'aussi bonne humeur, ni aussi sûre d'elle. Il la contempla pendant qu'elle prenait vite des mesures chez lui, dans son immense jupe ; et il comprit avec un certain effroi combien il avait rendu cet endroit ennuyeux. Elle avait laissé traîner un châle rouge dans la salle de séjour, au milieu du beige et du vert olive, et la transformation était saisissante. Elle n'avait jamais correspondu à l'idée qu'il se faisait de la femme d'un principal, mais en la regardant il se dit qu'elle correspondait bien à son idée d'une... Il se reprit, rougit encore davantage et lui demanda si elle voulait du café.

— Non, merci. J'en ai pris un au doyenné. Dans une tasse de porcelaine avec des sablés faits maison.

— Au doyenné ?

— C'était le rameau d'olivier, dit-elle avec désinvolture. Je me demande si ce n'est pas agaçant de voir qu'Alexander et moi nous ne sommes pas aussi consternés que prévu. C'est en tout cas très surprenant, et personne n'est plus étonné que nous. Mais, finalement, le chœur est à l'abri pour l'instant, Daniel veut venir pour Noël, et je dompterai cette vilaine petite maison à tout prix.

Stanley posa une main rassurante sur le mur le plus proche, recouvert de papier en simili-paille.

— Pas vraiment vilaine... dit-il, au cas où la maison aurait écouté.

— *Très* vilaine.

Elle avait dit la même chose à Bridget Cavendish, laquelle avait beaucoup maigri et se montrait indéniablement moins autoritaire. Quand Hugh était entré, elle avait paru nerveuse. C'était étonnant. Felicity dit à Hugh :

— J'espère que vous êtes désolé comme il se doit, à propos de notre nouvelle résidence. Elle est sinistre.

Il parut outragé quelques secondes, mais se ressaisit suffisamment pour dire :

— Je le suis.

On aurait dit que Bridget mourait d'envie de parler pour sa défense, mais elle s'était retenue et s'était contentée de se moucher. Felicity n'avait pas eu l'intention de s'apitoyer sur l'un ou sur l'autre, mais elle s'aperçut qu'elle était désolée pour tous les deux. Quand elle s'en alla, Bridget la surprit en l'embrassant et en lui disant qu'elle connaissait quelqu'un de vraiment très bien pour les rideaux, extrêmement raisonnable et très rapide.

— J'ai toujours fait les miens...

— Cette fois, dit Bridget, vous méritez peut-être de ne pas avoir à les faire.

En traversant la Clôture, Felicity avait médité sur cette phrase. Bridget avait-elle essayé de dire qu'elle comprenait ce qu'elle ressentait et admirait son courage ? Ou bien était-elle allée jusqu'à suggérer qu'Hugh avait eu tort de vendre la maison ? En tout cas, elle se sentit plus indulgente envers les Cavendish qu'elle ne l'avait été depuis son retour, et plus décidée que jamais à faire de sa nouvelle maison le symbole d'un nouveau départ. Quand elle eut fini de stupéfier Stanley Vigors, elle rentra gaiement chez elle et trouva Sandra Miles en larmes dans son salon ; Alexander penché sur elle avec une bouteille de sherry et un mouchoir chiffonné. Quand Felicity entra, son mari montra un soulagement indicible.

— Ma chère Sandra...

Sandra essaya de se lever de son fauteuil.

— Oh ! Mrs. Troy, je suis désolée de me conduire de cette façon, mais je pensais que je devais vous le dire de vive voix et puis je n'ai pas pu...

— Pas pu quoi ?

— M'en empêcher, dit Sandra avec difficulté.

Alexander posa le mouchoir et versa du sherry dans un verre.

— Oh, Mr. Troy, je ne peux pas boire tout ça...

— Essayez. Buvez un peu tout de même. En fait, ce sont de très bonnes nouvelles que Sandra nous apporte, même si c'est triste pour nous. Son fiancé a eu une promotion et on l'envoie au bureau principal à Reading ; alors, naturellement, après leur mariage en décembre, Sandra voudra partir avec lui.

— J'ai été si heureuse ici, dit Sandra. Je n'aurai jamais un travail aussi agréable. Je veux dire, bien sûr, je suis fière que Colin réussisse si bien, mais ça a été vraiment un coup terrible. Je me suis demandé si je devais retarder...

— Oh non, dit vivement Alexander, vous ne devez pas faire ça.

Felicity s'assit à côté de Sandra.

— Vous pourrez toujours venir nous voir. Votre mère est ici après tout.

Sandra la regarda et dit faiblement :

— Je sais que c'est pour le mieux. Vraiment...

— Oui, l'assura doucement Felicity.

— Je ne veux pas boire toute seule, dit Sandra, je me sens si sotte...

— Il y a deux autres verres ? Nous devrions boire à l'avenir de Sandra.

— Bien sûr, dit Alexander. Je vais les chercher.

Puis il ajouta :

— En fait, il y a beaucoup de choses à fêter...

Il s'éloigna et Sandra dit :

— J'ai l'impression que tout se brise, Mrs. Troy. Je n'y peux rien. Leo qui s'en va, et cette maison, et maintenant moi. Ça fait un peu peur. Je disais hier soir à Colin que depuis l'histoire du chœur tout est sens dessus dessous...

— Mais nous avons sauvé le chœur !

— Oui, admit Sandra — mais elle pensait visiblement à autre chose —, je sais. Seulement je pense que plus rien ne sera aussi... aussi merveilleux qu'avant.

Alexander revint avec deux verres, les remplit et en tendit un à Felicity.

— Allons. À l'avenir !

Sandra fit à tous deux un sourire mouillé.

— À l'avenir, dit-elle, mais elle avait une toute petite voix.

16

La première semaine de septembre, Leo partit pour le Sussex et, au dernier moment, il en éprouva un choc. Cherry Chancellor ne l'aida en rien : elle brûlait visiblement d'occuper les lieux car, bien que les maisons de la cour du chapitre fussent absolument identiques, celle de gauche revenait traditionnellement à l'organiste. Le nouvel organiste suppléant, frais émoulu de Cambridge et impatient de débuter à Aldminster, arriva pendant que Leo empaquetait sa musique, et il déclara sans cacher son enthousiasme qu'il ne voyait pas comment Leo pouvait supporter d'abandonner cet orgue.

— En ce moment, dit Leo, j'ai du mal.

— Qu'est-ce qu'ils ont, là-bas ?

— Un Walker de 1885. Très bon dans son genre, naturellement, mais avec seulement quarante-huit jeux réels ; je regretterai la taille de celui-ci. En revanche, l'autre a de jolis registres solistes.

Il alla à la cathédrale faire ses adieux personnels à l'orgue. Il s'assit simplement à la console et caressa doucement l'ivoire des touches, les pistons d'accouplement et les tirages des registres. Il enleva ses chaussures pour mieux sentir les pédales. Il avait passé des heures dans cette tribune, probablement parmi les plus belles et les plus heureuses de sa vie, des heures où, grâce à sa musique, il s'était souvent senti si intimement lié à la force vitale essentielle de l'humanité qu'il en avait été ému aux larmes. C'était une terrible séparation. Il n'avait aucun désir de renoncer à cet instrument extraordinaire, à la fois passionnément humain dans ses facultés et superbement indifférent dans sa permanence historique, et de le laisser en d'autres mains. Sa forte et vieille personnalité semblait engloutir Leo, le rendre minuscule et, en même temps, il le sentait se retirer peu à peu, prendre ses distances, prêt à se donner à celui qui allait venir s'asseoir là. Il rabattit le couvercle de hêtre sur les claviers, y posa la joue et écouta comme la respiration paisible du passé. Il fallait partir. S'il restait plus long-temps, il n'en serait peut-être plus capable.

Sally l'aida à charger la voiture qu'il avait achetée. En attendant que soit vendue la mai-son de Blakeney Street, elle souhaitait parta-ger son temps entre le Sussex et Aldminster, entre Leo et Henry, jusqu'à ce que tous les quatre puissent se fondre harmonieusement ; pour cela, elle comptait beaucoup sur le temps. Elle ne dit à Leo que des phrases ordinaires, pratiques, telles que : « Fais attention quand tu sortiras le duvet parce que je l'ai rempli de disques », ou « Il y a une bouteille de whisky sous le tableau de bord », mais il savait qu'elle savait ce qu'il éprouvait. Le camion de déménagement envahit la cour du chapitre ; il fallut emballer le piano dans un cadre spécial et l'entourer de matelas, et Leo crut l'entendre gémir quand on le fit monter par la rampe. Les adieux furent difficiles aussi, et, malgré la présence de Sally, Leo se sentit profondément seul. Comme bien d'autres avant lui, il resta dans l'escalier qui menait à la salle d'étude et entendit la voix de Martin Chancellor interrompre un choral de Bach : « Vous n'avez pas vraiment pensé à l'accent, n'est-ce pas ? » Il mit longtemps à ouvrir la porte. Quand il entra, tous se turent et tournèrent vers lui leurs visages tranquilles de musiciens. Tout en sachant qu'ils regrettaient pour la plupart de le voir partir, il sut aussi que leurs vies continueraient, que le chant survivrait toujours au chanteur. Il regarda Henry, qui baissa les yeux. Son affection fondamentale pour Leo compliquait beaucoup ses efforts pour s'accommoder de sa nouvelle forme de vie. Leo traversa la pièce pour aller au piano, dit à Martin : « Excusez-moi », et se tourna vers les hommes et les garçons pour leur dire au revoir. Plusieurs lui souhaitèrent bonne chance ; Hooper lança que sa tante vivait dans le Sussex et les autres le firent taire.

— Je veux que vous participiez au festival de Brighton, dit Leo. Pour que je puisse y emmener mon nouveau chœur et vous flanquer la pâtée !

Il y eut un rire incertain.

— Je vais vous laisser continuer, dit Leo en

retournant vers la porte. Attention ! Les cantiques de ce soir doivent être les plus beaux
que j'aie jamais entendus. Sinon, Mr. Chancellor exigera des explications.

Il referma la porte derrière lui.

— Silence tout le monde, dit Martin. Maintenant je veux que chacun de vous frappe la
note. Un, deux...

Leo descendit l'escalier. Sally l'attendait et
ils allèrent ensemble au palais épiscopal. Janet
Young assura qu'elle ne disait jamais au revoir
à quelqu'un à moins d'être sûre de le revoir
dans la journée, et que donc elle ne le dirait
pas.

— Je suis effaré de voir à quel point je
prends ça mal, dit Leo.

— Comme nous tous, dit l'évêque. Mais
vous reviendrez, bien entendu...

— Je ne crois pas.

Janet prit la main de Sally.

— Mais vous nous laissez un otage ici...

— Rien que quelques jours par semaine. J'ai
besoin d'elle.

— J'espère trouver du travail là-bas, dit
Sally. Et Henry viendra pendant les vacances.
Pour que nous nous habituions tous.

— Et maintenant, dit l'évêque avec une
touche de fermeté, maintenant il faut aller au
doyenné.

Ils se serrèrent tous la main ; Janet et Sally
s'embrassèrent.

« Dieu vous bénisse », dit l'évêque, et il fit
un grand geste d'adieu avec ses lunettes.

Ils franchirent les grilles du palais.

— C'est épouvantable, dit Sally. Pourquoi faut-il que ce soit si douloureux ?

— Parce que l'on ne prend conscience de son paysage humain que lorsqu'il s'effrite. — Il lui saisit la main. — C'est pire quand on vieillit. À vingt ans, on ne pense jamais...

— À propos de vingt ans, j'ai reçu une lettre de Ianthe.

— Mon Dieu...

— Je n'avais pas l'intention de t'en parler, mais je crois que je vais le faire. Je tiens trop à ce qu'il n'y ait pas de zones interdites entre nous. Elle dit que tu lui as fait croire que tu étais amoureux d'elle.

Leo s'immobilisa.

— Et tu crois que...

— Regarde-moi, dit Sally. — Elle souriait. — Tu oublies que c'est moi qui t'ai dit la première qu'elle s'imaginait être amoureuse de toi.

— Sal...

— Je lui ai répondu. Je lui ai écrit que le meilleur remède pour un cœur brisé était de le donner à réparer à quelqu'un d'autre. C'est une formule que j'ai trouvée dans un courrier du cœur. Tu as quelque chose à dire ?

Il embrassa la main qu'il tenait.

— Tu sais bien ce que j'ai à dire.

— Simplement, n'embrasse plus personne d'autre. Je suis un peu sensible sur ce point.

— Si tu le faisais, je deviendrais dingue, dit Leo. Alors je comprends.

Le doyen était sorti. Bridget leur ouvrit avec beaucoup moins d'assurance qu'à l'ordinaire, et elle les conduisit dans le salon. La cheminée était occupée par des marguerites d'automne et il y avait, sur une table basse, un vase avec des chrysanthèmes blancs aussi gros que des balais à franges.

— Hugh aime tellement les fleurs, dit Bridget. J'aime en avoir le plus possible dans la maison. Les chrysanthèmes ne sont pas ce qu'il aime le plus et j'aurais de loin préféré les glaïeuls, mais Mr. Cheeseman n'en avait que d'une affreuse couleur saumon alors j'ai pensé...

— Je suis seulement venu vous dire au revoir, dit Leo en se demandant à quoi tendait cette digression florale. Je pars demain matin pour le Sussex. J'espérais trouver le doyen.

Bridget écarta les mains et secoua la tête. Sally trouva ce geste étrangement touchant, incongru chez cette femme élégante sur fond de cadres d'argent contenant les photos de ses enfants effrontés et rebelles. Sally lui tendit la main.

— Voudriez-vous dire au doyen que nous sommes passés ?

— Naturellement, dit Bridget, naturellement. — Elle parut se ressaisir un peu. — J'espère que vous serez très heureux dans le...

— Sussex.

— Dans le Sussex. C'est un si joli comté. Quel plaisir d'avoir la mer !

— Et, moi, j'espère que vous vous entendrez bien avec le nouvel organiste, dit Leo avec un brin de sévérité.

L'ancienne Bridget reparut un instant.

— C'est extraordinaire. Il est le petit-fils

d'un grand ami de mon père. Une famille admirable, charmante, où tout le monde est très musicien. Une véritable coïncidence. — Elle fondait de grands espoirs sur Simon Prescott, avec ses excellentes manières et l'éducation voulue, en prévision du moment où Ianthe serait autorisée à revenir à Aldminster ; mais ces espoirs, comme tant d'autres de nos jours, devaient rester secrets. Elle sourit à Leo avec raideur. — Bien sûr, ce pauvre Simon a beaucoup à faire pour être à votre niveau...

Leo ne lui rendit pas son sourire. Il s'inclina légèrement et prit Sally par le coude. Bridget les reconduisit à la porte et l'ouvrit en les noyant sous des commentaires sur l'automne, le nouveau trimestre et tous ces nouveaux départs. Elle les mit en garde contre l'avant-dernière marche, où Cosmo avait laissé tomber accidentellement un marteau de tailleur de pierre. Dieu seul savait pourquoi il avait eu besoin d'une chose pareille et d'où elle venait, mais il manquait à la marche une bonne demi-lune et le pauvre archidiacre, ce matin encore... Elle ferma la porte au milieu de sa phrase.

Leo commença à dire :

— Quelle vieille...

— Non, dit Sally. — Elle regardait en arrière la porte fermée du doyenné, sa peinture blanche et brillante et son heurtoir étincelant. — Elle l'était, mais elle ne l'est plus. Soit elle est en dépression nerveuse, soit elle va en avoir une.

— Allons donc...

— Je parle sérieusement. Le doyen est peut-être horrible avec elle.

— Il n'oserait pas.

— Même les vers se transforment, non ?

Ils retournèrent en silence à la cour du chapitre. Les déménageurs avaient terminé et étaient repartis ; il ne restait plus que la voiture de Leo, et le matelas et le sac de couchage que Cherry lui prêtait pour sa dernière nuit. Elle était dans la maison, en tablier en plastique et gants de caoutchouc, et attaquait la cuisine de Leo à la brosse à récurer, tandis que son bébé se berçait paresseusement sur son siège.

— Vous auriez pu attendre que je sois parti, dit-il doucement.

— Nous devons être installés lundi, dit Cherry en continuant à frotter, et on ne pouvait pas mettre un enfant dans cet endroit.

— Merci, fit Leo, mais il était trop las pour réagir. Il retourna dans sa salle de séjour sonore et trouva Sally accroupie par terre en train de parler au bébé.

— Il sourit. — Elle baissa la voix. — Heureusement, il sourit exactement comme son père. Viens à Blakeney Street. Si tu restes ici tu vas te faire désinfecter.

Henry les avait précédés. Lui et Mozart avaient pris leurs places habituelles par terre devant la télévision, et la table était jonchée des restes de ce qu'Henry s'était trouvé à manger ; pourtant, Blakeney Street aussi avait perdu son aspect familier : comme si la maison, sachant qu'elle allait être vendue, prenait ses distances, comme l'orgue, dans l'attente d'une nouvelle relation. Henry fut tout à fait amical. Il se leva pour embrasser sa mère, dit bonjour à Leo et s'excusa pour les miettes, mais le pain ne se coupait pas bien parce qu'il était frais.

— Il y a un nouveau stagiaire, dit-il. Il s'appelle quelque chose comme Froggett et il a des chaussettes longues.

— Il est bien ? demanda Leo.

— On l'aurait pas dans le chœur s'il savait pas chanter, voyons ! dit Henry, en mettant les mains dans les poches.

Devant la maison du principal, un nouveau panneau verni sur lequel était vissée une plaque de métal annonçait que le conseil municipal d'Aldminster allait ouvrir prochainement un centre de consultation dans le bâtiment. L'intérieur était absolument vide et silencieux. La maison, classée première catégorie, se révélait difficile à transformer en bureaux parce que les pièces ne pouvaient pas être modifiées, que les portes et les couloirs étaient un casse-tête pour le responsable de la prévention des incendies et que la fragilité d'une grande partie des plâtres d'origine faisait douter les Monuments historiques de la possibilité réelle que beaucoup de secteurs puissent admettre un usage public. À la mairie, le sujet était devenu extrêmement délicat, et Denis Thornton, acclamé comme un bienfaiteur du peuple seulement quelques semaines plus tôt, était à présent accusé de dépenser trois cent mille livres pour remporter une victoire personnelle dans sa vendetta contre Frank Ashworth.

Frank observait tout de Back Street avec un détachement qu'il n'avait pas connu depuis des semaines. Il ne paraissait plus du domaine de l'impossible qu'un jour pas très lointain il puisse mener la Rover grise au parking de la mairie, la confier à Ron pour l'astiquage promis, remonter tranquillement le magnifique escalier et retrouver dans son vieux bureau une secrétaire qui, telle qu'il la connaissait, ne lèverait même pas la tête de sa machine pour lui dire : « Vous voici donc de retour, Mr. Ashworth » avec un ton de banalité exaspérant. En attendant, tandis qu'il retournait cette demi-illusion dans sa tête, il avait Henry. À sa demande, il avait même peint la chambre d'amis couleur chocolat ; il avait rarement vu un effet aussi déprimant, mais Henry était enchanté. Ils étaient allés ensemble acheter des rideaux, des affiches et une lampe de chevet imitation Art nouveau, avec un globe en forme de rose qu'il admirait beaucoup. Quand, quinze jours avant le début officiel du trimestre, Henry reprit les répétitions, Frank tint à le conduire en voiture de Blakeney Street à la cathédrale, ce que Sally trouva à la fois touchant et agaçant ; Henry fut ravi parce que cela lui évitait de grimper la colline.

Pendant que son petit-fils chantait, Frank se promenait dans la cathédrale et la Clôture. Il s'arrêtait souvent devant la maison du principal et regardait avec une sorte de satisfaction amère la vieille façade imperturbable au rouge passé, et l'écriteau tout neuf. Quand Alexander Troy le trouva là par hasard, il avait les bras croisés et regardait la maison, la tête légèrement penchée sur le côté, comme s'il lui accordait malgré lui une admiration amusée. Il le dit à Alexander.

— Croyez-vous que cette bougresse nous a tous eus ?

— Sinon, il n'y aurait pas de justice, dit Alexander, que la surprise avait fait répondre d'une façon tout à fait naturelle.

Frank se tourna vers lui, et Alexander remarqua combien son visage avait changé en perdant l'expression lasse et vaincue qu'il avait lors de leur dernière rencontre.

— Entre nous, dit Frank en se souvenant avec un petit frisson de plaisir que cet homme était le principal de son Henry, croyez-vous que le doyen et le chapitre seraient prêts à la racheter ?

Alexander hésita et répondit que non, il ne le pensait pas.

— C'est une question d'argent ?

— Oui, dit Alexander très vite.

Puis il ajouta :

— Non. C'est... trop tard. C'est trop compliqué...

— Le conseil accorderait peut-être une hypothèque au doyen...

— Mr. Ashworth, excusez-moi, mais vous êtes un vieil intrigant.

Frank eut un sourire radieux.

— La force de l'habitude. On apprend tout le temps. Je n'ai jamais honte de reconnaître mes erreurs. Le doyen ne peut-il pas en faire autant ?

— Non. Dans le cas présent, je ne pense pas qu'il le puisse, ni qu'il faille le lui demander.

— Bizarre...

— Non, pas très. Simplement humain.

— Non, dit Frank. Bizarre. Vous êtes tous là, en bisbille depuis des mois, en guerre ouverte à propos du chœur, tout n'est que plans et fourberies, chacun pour soi, et, maintenant que vous avez perdu la maison et que le doyen a reçu un camouflet avec l'histoire du chœur, vous faites bloc autour de lui et vous dites que personne ne doit lui compliquer la vie.

Alexander se détourna pour regarder la maison, mais il souriait.

— Ma femme emploie une image pour ce qui s'est passé. Elle dit que parfois vous plantez un gland, en toute bonne foi, et, au lieu de vous retrouver avec un magnifique chêne vigoureux, vous avez une forêt sauvage qui n'arrête pas de pousser dans tous les sens et acquiert une vie à elle, incontrôlable. Le doyen s'est engagé dans les réparations de la cathédrale. C'est tout.

Frank grogna. Il regarda Alexander.

— Et vous ? Vous n'êtes pas amer ?

— Au contraire. J'ai obtenu ce que j'avais besoin d'obtenir.

— Je vais aider Sally en m'occupant d'Henry cet hiver, dit Frank avec une fierté visible.

— C'est ce que j'ai cru comprendre. Ça paraît une bonne solution. Et, dans une situation pareille, contre toute attente, le chœur devient une sorte de seconde famille. Mais plus de show-biz pour Henry pour le moment. Une chose à la fois.

Frank dit lentement :

— Si vous pensez qu'Henry a besoin de quoi que ce soit, il suffit de me le demander...

— Oui. Merci.

— Maintenant je dois aller le chercher...

— Donnez-lui un petit chat, dit soudain Alexander, le sien doit partir dans le Sussex. Ce sera dur pour lui. Donnez-lui un chaton.

Frank y réfléchit en retournant lentement à la cathédrale. Il n'avait jamais aimé les chats, mais il avait toujours pensé aussi qu'il n'aimait pas beaucoup les enfants. Pouvait-on avoir un chat à Back Street ? Est-ce qu'il apprendrait à se servir de l'escalier de secours ? Il parcourut lentement le déambulatoire, où un soleil voilé traversant les fenêtres dessinait des traits pâles et poussiéreux sur le sol de pierre. Il passa devant le premier évêque dans sa petite tombe de granit, le cartouche en marbre de la ménagerie de l'évêque Fielding — il y avait là au moins trois chats — et le buste de bronze de l'évêque victorien qui avait fondé l'orphelinat de la ville — dont Frank se rappelait qu'il était encore en pleine activité dans son enfance. Les chapelles étaient toutes désertes à l'exception de quelques fleurs, ici et là, et d'un homme seul aux cheveux gris, en veste de tweed, agenouillé dans la chapelle dédiée au saint patron des petits propriétaires terriens d'autrefois. Frank s'arrêta pour le regarder en se demandant pour quelle raison il était agenouillé là, tout seul, à neuf heures du matin un jour de semaine ; l'homme tourna alors légèrement la tête vers la fenêtre est, comme s'il cherchait instinctivement à ce que le soleil lui touche le visage ; et Frank vit que c'était le doyen.

Henry avait envisagé de faire une scène parce qu'on ne lui permettait pas d'enregistrer un second disque ; mais, même si les adultes qui l'entouraient paraissaient prêts à le satisfaire en presque tout, ils montraient un front uni et intransigeant sur ce point. Même son père, qui avait remporté ses épanchements gênants au Moyen-Orient, lui écrivit qu'il ne le permettrait pas non plus. Leo lui dit que non seulement il avait beaucoup à apprendre mais qu'un disque réalisé entre un choriste et une petite maison de rock devienne un succès était un pari qu'ils avaient pris à une chance contre un million. C'était extraordinaire qu'ils aient réussi, mais ce n'était pas le genre de choses que l'on peut faire deux fois. Henry fut piqué au vif.

— Ça a pas été seulement un coup de chance...

— C'était inimaginable que toi et Ikon vous travailliez ensemble. Donc c'était un coup de chance. Quand Mr. Chancellor pensera que tu es vraiment prêt, tu pourras enregistrer avec de vrais professionnels qui ont l'expérience de la musique chorale.

— Mais alors ça fera pas un tube...

— Cette remarque prouve bien que tu ne

dois pas en faire un autre. Le monde du rock est horrible.

— Horrible comment ?

— C'est l'excès, l'hystérie et l'hypocrisie, dit Leo.

— Qu'est-ce que...

— La réponse, Henry, est non.

En retrouvant le chœur, Henry ne put s'empêcher de remarquer qu'il était plus enclin à le brimer qu'à le fêter. Au point que Martin Chancellor dut faire sortir Henry de la salle d'étude un matin, afin de rappeler aux autres qu'il avait joué un rôle important dans le sauvetage de leur vie de choristes. Lorsque Henry revint, il avait les yeux rouges mais la tête haute. Quand ils reprirent le *Magnificat,* Wooldridge, qui était à côté de lui, fit glisser doucement un paquet de chewing-gums sur le pupitre, dans sa direction. Henry posa son psautier dessus avec reconnaissance et continua de chanter jusqu'au moment où il put le transférer sans danger dans sa poche. Harrison était devenu chantre et prenait par moments son rôle très au sérieux en lançant des regards sévères autour de lui, mais il ne remarqua rien. Le nouveau stagiaire était si petit qu'il pouvait à peine voir la musique sur son pupitre, et la majesté des treize ans de Harrison planait au-dessus de lui pour le guider. La main d'Henry se referma avec soulagement sur le chewing-gum dans le secret de sa poche et il s'inclina très, très lentement sur le côté jusqu'à ce que son épaule touche celle de Wooldridge.

— Henry, dit Martin Chancellor — il les

appelait désormais par leur prénom —, Henry, vous êtes trop fatigué pour tenir debout tout seul ?

— Non, monsieur.

— Et Charles est si faible qu'il a besoin qu'on le soutienne ?

— Non, monsieur.

— Alors tenez-vous bien.

Henry fut soulagé de voir que se faire gronder le réhabilitait. Le chœur, la routine, la discipline, tout rentrait heureusement dans l'ordre. Il n'y avait qu'à la maison que ça n'était pas normal. Mozart était parti — cette séparation, bien que provisoire, avait été un véritable malheur pour Henry — et dans toutes les pièces il y avait des caisses à vin, obtenues auprès de Quentin Small, que Sally remplissait lentement en séparant ses propres affaires de celles d'Alan avec une honnêteté scrupuleuse, stupide. Des gens venaient visiter la maison et Henry éprouvait pour tous de la haine ; ils avaient l'air d'aimer beaucoup la grande pièce, mais quand ils montaient ils se disaient : « Moi, je repousserais ce mur pour faire une chambre de taille correcte » ou « Naturellement, la chambre du petit ferait une seconde salle de bains parfaite » ; cette insensibilité et cette arrogance le faisaient parfois pleurer de rage impuissante. Il essaya de punir Sally en emportant toutes ses photos et toutes ses affiches à Back Street, mais il les rapporta trois jours plus tard. Frank dit à Sally de s'en aller, tout simplement, et de les laisser, Henry et lui, s'organiser après la rupture nette et définitive, mais elle s'obstinait à

410

continuer à trier, à emballer, à faire des listes et à donner des coups de téléphone. Elle avait très souvent envie de prendre Henry dans ses bras ; d'habitude, il aimait ça, mais à ce moment-là ça le mettait mal à l'aise parce que prendre quelqu'un dans ses bras était devenu soudain bien plus compliqué. Quand Frank lui avait dit d'un ton bourru qu'il valait peut-être mieux qu'ils ne le fassent plus en public, Henry lui en avait été sincèrement reconnaissant.

Il passa plusieurs nuits à Back Street, pour s'entraîner. Il trouva ça bien. Le soir, comme c'était un appartement, il pouvait être couché en laissant la porte ouverte et voir Frank en train de lire dans la salle de séjour ; et s'il lui venait des images de Mozart ou de Sally, comme c'était trop souvent le cas, il pouvait aller le voir d'un air nonchalant et lui demander quelque chose à boire. Un soir, Frank lui dit :

— Il faut que tu saches une chose : dans cette vie, tu dois faire ton bonheur toi-même.

Henry en fut frappé, parce qu'il lui semblait que sa vie ne dépendait pas de lui et que c'était une chose, heureuse ou malheureuse, que les autres fabriquaient arbitrairement pour lui. L'idée qu'il pouvait avoir son propre pouvoir était plus qu'agréable. Il joua dans son lit avec une torche électrique, en faisant tournoyer son faisceau dans le noir, et éprouva un bref senti-ment de puissance. Cette puissance ne survé-cut cependant pas au premier départ de Sally pour le Sussex, deux semaines avant le début du trimestre ; il s'effondra pendant la répétition, mortifié, et subit la honte de se faire consoler par Harrison qui considérait que c'était son devoir.

À la récréation, il emprunta deux pence à Chilworth et téléphona à son grand-père :

— Je rentrerai tout seul de l'école. J'ai quelque chose à faire en route...

Il se tut. Frank dit :

— J'avais l'intention de venir te chercher.

— Je préfère rentrer seul. Tous les autres le font. Ça ira.

— Six heures... Pas plus tard.

— Non.

— Il y a des saucisses ce soir, dit Frank, tiens ta parole.

Après l'école, il alla à la maison vide de Blakeney Street et entra. C'était étrangement silencieux ; comme Sally avait tout éteint, il n'y avait même pas le ronronnement du réfrigérateur, et l'odeur de la maison n'était pas tout à fait habituelle. Henry alla dans toutes les pièces, ouvrit chaque placard et chaque tiroir et les examina tous très soigneusement avant de les refermer. Il trouva deux biscuits au chocolat qu'il mangea, le livre d'*Astérix* qu'il croyait avoir perdu et le grand sweat-shirt noir de Sally qu'il était sûr de pouvoir emprunter sans qu'elle se fâche. Il finit par la grande pièce et joua avec deux doigts sur le piano. Puis il mit le livre et le sweat-shirt dans son sac de sport et referma soigneusement la porte de la maison derrière lui.

La rue avait pris la lumière bleue du crépuscule et l'air était un peu piquant. Henry saisit son sac et se mit en route, non pas vers l'arrêt d'autobus, plus bas, pour aller à Back Street, mais vers la Clôture, plus haut, à travers les petites rues où il avait marché tous les matins de sa vie d'écolier. Les magasins convenables étaient en train de fermer, les boutiques de plats à emporter et les bars à vin allumaient leurs devantures et ouvraient ; quand il traversa Lydney Street, il vit le premier marchand de marrons de l'automne, près de son brasero, devant le restaurant à pizza où Nicholas l'avait emmené. La Clôture était presque déserte lorsqu'il y arriva et l'herbe devenait bleu foncé dans le soleil couchant, parsemée de détritus blancs ; la cathédrale était aussi grande qu'une montagne et on ne voyait que quelques lumières qui venaient du chœur.

La grande porte serait sûrement fermée à cette heure, et de toute façon Henry préférait passer par la porte médiévale de l'évêque, qu'utilisait toujours le chœur en venant du déambulatoire. Quand il fut entré, il s'appuya contre la vieille porte de chêne et écouta. Quelqu'un jouait le prélude d'un choral de Bach mais le reste de la cathédrale paraissait entièrement vide. Henry ferma les yeux. C'était probablement le nouvel organiste, car tout le monde savait que Mrs. Chancellor aimait que Mr. Chancellor soit chez lui vers cette heure-là pour jouer avec le bébé avant de le mettre au lit. Le prélude s'acheva, il y eut une brève pause, puis l'organiste commença l'*Agnus Dei*. Henry fit claquer sa langue. Mr. Beckford n'aurait pas approuvé. Il disait toujours que le

XVIe siècle avait tout compris en utilisant le contrepoint seul dans la musique chorale et il ne faisait pas non plus d'exception pour son héros, Bach.

Henry s'éloigna de la porte de l'évêque et avança dans la nef obscure. Au pied de l'autel, il tourna à gauche et contourna le jubé pour monter les marches qui menaient à la tribune d'orgue. Il laissa son sac en bas, sous la garde d'un ange de pierre élancé dont le visage et les mains jointes luisaient d'avoir été tant touchés. Il monta et trouva Martin Chancellor — bébé ou pas — seul devant la console. Celui-ci jeta un coup d'œil dans le miroir suspendu au-dessus et dit sans aucune surprise :

— Salut, Henry.

Henry avança un peu entre les panneaux de bois et se mit derrière lui.

— Tu te souviens de ça ?

Henry exprima son doute par un marmonnement confus. Martin continua de jouer paisiblement pendant un moment puis il dit :

— Essaie tout de même.

Henry se redressa pour bien voir la partition par-dessus l'épaule de Martin, et il prit une profonde respiration. Les notes montèrent de l'orgue vers lui et s'enflèrent autour d'eux.

— Prêt ?

Henry hocha la tête, ouvrit la bouche et chanta.

Chassés-croisés amoureux

De si bonnes amies

Joanna Trollope

Lorsque Fergus quitte sa femme Gina, celle-ci trouve un soutien auprès d'Hillary et de Lawrence, un couple d'amis de toujours. Mais la liaison qui naît entre Lawrence et Gina met un terme à cette amitié et révèle les faux-semblants qui habitaient leur quotidien.

(Pocket n° 10132)

Il y a toujours un Pocket à découvrir

Achevé d'imprimer sur les presses de

BUSSIÈRE

GROUPE CPI

à Saint-Amand-Montrond (Cher)
en octobre 2002

POCKET - 12, avenue d'Italie - 75627 Paris Cedex 13
Tél. : 01-44-16-05-00

— N° d'imp. : 25166. —
Dépôt légal : octobre 2002.

Imprimé en France